NORA ROBERTS

Avec 145 millions de livres traduits en 19 langues, Nora Roberts est connue dans le monde entier et, aux Etats-Unis, pas une semaine ne s'écoule sans que l'un de ses romans ne soit classé sur la prestigieuse liste des meilleures ventes du *New York Times* et de *USA Today*.

Star incontestée dans le monde de l'édition, elle a reçu de nombreuses récompenses et distinctions littéraires. Sa saga familiale « Les MacGregor » a été applaudie par la critique et a déjà remporté un immense succès aux Etats-Unis.

PRÉSENTATION DES PERSONNAGES

Entrez dans le clan très fermé des MacGregor. Ouvrez sans plus tarder « Le secret des MacGregor », le quatrième volume de votre saga, et faites connaissance avec les personnages principaux du roman.

QUI SONT-ILS ?

GENNIE GRANDEAU :

Peintre réputé, Gennie Grandeau a quitté sa Louisiane natale pour planter son chevalet sur la côte sauvage de la Nouvelle-Angleterre. Fuyant le succès, l'argent facile et une cour d'admirateurs et de soupirants aussi pressants qu'intéressés, elle a loué un petit cottage isolé, et n'aspire qu'à une chose : peindre en paix et trouver de nouvelles sources d'inspiration. Mais sa retraite sera de courte durée car une rencontre imprévue va bientôt transformer le cours de sa vie.

GRANT CAMPBELL :

Frère de Shelby, la femme d'Alan MacGregor (« Les héritiers ennemis »), Grant Campbell vit retiré dans un phare battu par les vents. Taciturne, solitaire — voire franchement misanthrope —, il porte sur le monde un regard sévère qu'il exprime dans des dessins humoristiques vendus à la presse hebdomadaire. Quels secrets se cachent en réalité derrière cette attitude hostile et méfiante ? C'est ce que Gennie, intriguée et attirée par Grant, va tenter de découvrir.

NORA ROBERTS

Le secret des MacGregor

éditionsHarlequin

Cet ouvrage a été publié en langue anglaise
sous le titre :
ONE MAN'S ART

Traduction française de
JEANNE DESCHAMP

HARLEQUIN®

est une marque déposée du Groupe Harlequin

Originally published by Silhouette Books,
division of Harlequin Enterprises Ltd.
Toronto, Canada

Photos de couverture :
Drapé rouge : © PHOTODISC / GETTY IMAGES
Ecossais rouge et vert : © PHOTODISC / GETTY IMAGES
Château et joueur de cornemuse : © ROYALTY FREE / CORBIS

1.

Dès les premières maisons aux couleurs passées, Gennie comprit qu'elle avait trouvé l'endroit où poser ses bagages. Le village, très concrètement baptisé La Pointe des Vents, n'avait rien de spectaculaire. Mais il baignait dans une atmosphère d'un autre âge, comme si le rouleau compresseur de la modernité l'avait miraculeusement épargné.

Gennie n'en était pas à la première étape de son voyage, pourtant. Le long de la côte sauvage de la Nouvelle-Angleterre, elle avait découvert quantité de points de vue pittoresques. Pourtant tout ce qu'elle avait visité jusque-là était un peu trop parfait, un peu trop typique, un peu trop léché à son goût.

Depuis six mois qu'elle était partie, c'était la première fois qu'elle avait envie de s'octroyer une halte prolongée, de poser son chevalet et de prendre le temps de peindre sur le même site des jours d'affilée. Depuis le début de son voyage, Gennie explorait un aspect de son talent qu'elle avait laissé en friche jusque-là : le réalisme. Sa peinture avait toujours été figurative et imaginative, basée sur le trompe-l'œil, le mystère et l'illusion. Mais pour la durée de son périple, elle avait décidé de coller à la réalité au plus près. Le coffre de sa voiture était déjà plein de croquis de rochers, de falaises, de plages et de petits ports de pêche.

Mais par rapport à tout ce qu'elle avait dessiné jusque-là, la Pointe des Vents apportait un plus. A moins qu'il ne s'agisse justement d'un *moins*. Les qualificatifs de « coquet » ou de « charmant » ne s'appliquaient pas à ce village. Il n'y avait pas de grands arbres pour offrir l'ombre généreuse de leurs feuillages. Seuls quelques pins rabougris se dressaient ici et là. La route était creusée d'ornières et les maisons n'avaient pas été rénovées à grands frais. Rides et cicatrices étaient fièrement étalées et les vieilles bâtisses affichaient leur âge sans complexe. L'impression générale n'était pas de douceur et de charme mais de rudesse et d'expérience.

Gennie appréciait la beauté fonctionnelle des lieux et l'absence de fioritures. Il y avait juste ce qu'il fallait, à la Point des Vents : une épicerie, une pharmacie, une poste et une église. Les maisons avaient ce côté solide, charpenté typique de la Nouvelle-Angleterre. Des fleurs venaient certes égayer l'austérité des façades. Mais à la Pointe des Vents, les jardins n'étaient pas que d'agrément. Et si les pétunias étaient parfois plantés avec un brin de fantaisie, les rangées de choux et de carottes, elles, étaient toutes tracées au cordeau.

En traversant le village en voiture, Gennie capta par la vitre ouverte une saine odeur de poisson, de mer et d'iode. Elle roula jusqu'au cimetière où l'herbe haute poussait entre des tombes en granit à l'allure sévère. Puis elle fit demi-tour et rebroussa chemin pour constater avec satisfaction que si le village était petit, il donnait néanmoins une impression d'espace. Gennie se gara devant l'épicerie, estimant que ce commerce devait se situer au cœur du réseau de communication local. L'homme assis dans un vieux fauteuil à bascule devant la porte ne leva pas la tête pour la dévisager avec curiosité. Il continua à se balancer calmement, le regard rivé sur le casier à homards qu'il réparait sur ses genoux. Gennie le regarder procéder quelques

8

instants, fasciné par la dextérité des mains noueuses, tannées par la mer et le vent.

Après s'être promis de le croquer à la première occasion sur le carnet d'esquisses qu'elle gardait toujours à portée de main, Gennie descendit de voiture, prit son sac à main par réflexe, et se dirigea vers l'épicier.

— Bonjour.

Il la salua sans pour autant s'interrompre dans sa tâche.

— Il vous faut quelque chose ?

Gennie sourit, amusée par la question.

— Oui, je me demandais s'il n'y avait pas une petite maison ou une chambre à louer par ici ?

L'épicier prit le temps d'examiner l'étrangère. Une fille de la ville, ma foi. Et du Sud, qui plus est. Sans doute même du Sud profond, là où l'air moite et humide était chargé des senteurs du magnolia et du jasmin. Elle faisait penser à une fleur née dans les régions chaudes, avec ses longs cheveux noirs et sa peau mate.

Des touristes, il en voyait passer de temps en temps. Mais celle-ci paraissait différente des autres. Elle faisait plutôt penser à une princesse. Pas les vraies princesses comme on en voyait parfois à la télévision, mais celles qu'on représentait dans les livres pour enfants. Le menton était fin, les pommettes hautes et élégantes. Et si le sourire était un peu triste, les yeux avaient la couleur, la profondeur de l'océan.

Désormais rompue aux us et coutumes de la Nouvelle-Angleterre, Gennie attendit patiemment, le visage offert à la brise légère, que l'épicier se décide à lui répondre. Pendant ces quelques mois de vie itinérante, elle avait découvert que si la population était accueillante et amicale, les gens ne parlaient *jamais* à tort et à travers. Leurs paroles étaient parcimonieuses et ils s'exprimaient rarement sans avoir pris le temps de réfléchir d'abord.

— On ne voit pas beaucoup d'estivants par ici, déclara enfin l'épicier. Et les rares qu'on avait dans le coin ont déjà pris le chemin du retour.

— Je ne suis pas venue ici en touriste, monsieur… ?

— Fairfield… Joshua Fairfield.

— Je m'appelle Genviève Grandeau et je suis artiste peintre, se présenta-t-elle en lui tendant la main. J'aimerais passer du temps ici pour peindre.

— Ah, une artiste…

Joshua Fairfield eut une moue dubitative, comme s'il ne savait trop quoi penser de cette catégorie de population. Mais il l'examina de nouveau, hocha la tête et finit par admettre :

— Y aurait peut-être bien un cottage à trois kilomètres d'ici. La veuve Lawrence l'a mis en vente, mais elle n'a pas encore trouvé preneur.

— Un cottage ? Ce serait parfait, s'écria Gennie avec enthousiasme. Où puis-je trouver Mme Lawrence ?

— Juste en face, à la poste… Bon, allez, tiens… Vous n'avez qu'à lui dire que vous venez de ma part.

Gennie le remercia d'un sourire.

— Merci pour tout. Et bonne journée, monsieur Fairfield.

De l'autre côté de la rue, le bureau de poste se résumait à quatre murs et un guichet. Une dame vêtue d'une robe noire, avec une longue tresse grise roulée en chignon, était occupée à trier le courrier. Gennie songea que le terme de « veuve Lawrence » lui allait comme un gant.

— Excusez-moi ?

La receveuse se retourna au son de la voix inconnue et, le regard sévère, s'approcha du guichet.

— C'est à quel sujet ? marmonna-t-elle.

—M. Fairfield m'a dit que vous auriez peut-être un cottage à me louer.

La veuve Lawrence pinça les lèvres.

— J'ai un cottage à *vendre*, rectifia-t-elle.

— Oui, c'est ce que M. Fairfield m'a expliqué.

Gennie lui dédia son plus beau sourire. Elle le voulait à tout prix, ce cottage. Surtout qu'à la réflexion, les trois kilomètres qui la sépareraient du village et de ses habitants constitueraient un atout supplémentaire !

— En attendant que vous trouviez un acquéreur, je me demandais si vous ne pourriez pas me louer votre maison pour quelques semaines. Je peux vous donner des références si vous le souhaitez.

Mme Lawrence secoua la tête.

— Les références ne m'intéressent pas. Vous pensiez rester combien de temps ?

— Un mois. Six semaines.

Le regard de la veuve se posa sur ses mains.

— Vous n'êtes pas mariée ?

— Non. Je suis seule. Cela fait plusieurs mois maintenant que je parcours la Nouvelle-Angleterre pour peindre. Et j'ai envie de passer un peu de temps ici, à la Pointe des Vents.

— Pour faire vos tableaux…, compléta la postière. Ma foi… rien ne sert de laisser cette maison vide après tout. La plomberie a été refaite et le toit aussi. Mais la chaudière est parfois capricieuse. Il y a deux chambres à coucher, mais une seule est aménagée.

Ni le ton ni l'expression de Mme Lawrence n'avaient changé. Et pourtant, Gennie perçut distinctement la tristesse dans sa voix. Sans doute avait-elle vécu toute sa vie de femme mariée dans ce cottage. Et c'était tout un pan de son passé qu'elle laissait derrière elle en vendant sa maison.

— Il n'y a pas de voisins proches et le téléphone a été coupé, poursuivit la receveuse. Mais j'imagine qu'il doit y avoir moyen de rétablir la ligne.

— Je pense que je me sentirais très bien dans ce cottage, madame Lawrence, dit Gennie gentiment.

Visiblement touchée, la veuve s'éclaircit la voix. Elle indiqua un tarif à la semaine que Gennie trouva plus que raisonnable. Sans l'ombre d'une hésitation, elle tira son carnet de chèques de son sac.

— Si vous acceptez de me le louer, je le prends.

Le visage jusque-là impassible de la postière trahit un certain étonnement.

— Vous ne voulez pas visiter d'abord ?

— Ce ne sera pas nécessaire.

Mme Lawrence prit le chèque.

— Geneviève, déchiffra-t-elle.

— Genviève, rectifia Gennie. J'ai été prénommée ainsi à cause de ma grand-mère. Mais tout le monde m'appelle Gennie.

Une heure plus tard, elle avait les clés du cottage dans son sac, deux cartons pleins de provisions dans son coffre et des instructions détaillées pour trouver son chemin. Laissant derrière elle les villageois aux regards méfiants ou curieux, elle prit la direction de l'océan.

L'après-midi tirait à sa fin et des nuages menaçants s'étaient amoncelés au-dessus de l'océan. La brise légère avait forci, et sous le ciel résolument hostile, ce paysage de bout du monde paraissait plus que jamais sauvage.

Mais pour Gennie, la dégradation visible du temps ne faisait que pimenter l'aventure. Le goût du danger ne lui était pas venu avec les années. Elle l'avait depuis toujours dans le sang. Son arrière-arrière-grand-père avait été flibustier — un brigand des mers passionné qui n'avait jamais eu honte de ses pillages. Le navire de Philippe Grandeau avait été rapide et particulièrement redoutable. Et il n'avait eu aucun scrupule à mener sa vie d'aventurier.

Gennie avait toujours gardé le journal de bord de son ancêtre qu'elle considérait comme un de ses plus grands trésors. Au long de ses pages, Philippe Grandeau relatait ses aventures avec une ironie et un talent de conteur que Gennie trouvait irrésistibles.

De ses ancêtres aristocrates du côté de sa mère, elle avait hérité un certain sens pratique. Mais c'était avec Philippe le flibustier qu'elle aurait aimé faire voile sur les mers d'azur.

Tout en roulant à vitesse réduite sur la route étroite creusée d'ornières, Gennie avait tout loisir de contempler le paysage, si différent de celui de sa Nouvelle-Orléans natale. Le contraste était même si total qu'elle se demandait par moments si elle n'avait pas changé de planète. Le Sud où elle avait toujours vécu incitait à la paresse de jour et invitait à la fête et à la musique la nuit. Ici, en revanche, ni la lascivité ni l'indolence n'étaient de mise. Dans ce pays menacé par l'océan et balayé par le vent, l'erreur ne pardonnait pas.

Mais lorsque Gennie regardait autour d'elle, elle ne voyait pas que des étendues sans fin de roche austère grignotée par l'océan. Elle sentait aussi la force, l'intégrité de cette terre assiégée, inéluctablement condamnée à l'érosion et qui néanmoins faisait face. Malgré l'heure déjà tardive, elle se gara à hauteur d'une petite crique, située à quelque distance de la route. Les premières impressions d'un lieu étaient à ses yeux irremplaçables et uniques. Il lui fallait absolument les capter, laisser glisser son fusain sur le papier à dessin pour tenter de traduire en lignes et en ombres le choc que procuraient ces paysages.

La mer était agitée sous un ciel de plomb. Gennie emprunta un chemin étroit qui serpentait entre les buissons de myrtilles, s'installa avec son carnet et ses crayons sur ses genoux, et commença à dessiner. De la roche encore tiède montaient des senteurs d'algues et de poisson décomposé. C'était une odeur forte, élémentaire et primitive qui semblait émaner de l'intimité même de l'océan.

Le vent pleurait, gémissait, émettant par moments une plainte presque humaine. Gennie n'était pas pressée de rentrer. Elle n'avait pas d'horaires à respecter et personne à qui rendre des comptes. Ici, sous ces vastes cieux où grondait la violence encore contenue de la tempête, elle faisait l'expérience d'une liberté jusque-là inconnue. Elle était habituée depuis longtemps à avoir son indépendance. Mais la solitude — la *vraie* solitude —, elle ne l'avait encore jamais rencontrée sous cette forme.

Lorsqu'elle serait de retour à La Nouvelle-Orléans, dans la ville qu'elle aimait, et qu'elle retrouverait les odeurs d'humus du fleuve, le souvenir de ces instants resterait inscrit en elle comme un des temps forts de son existence.

Absorbée dans ses croquis, Gennie passa plus de temps que prévu dans la crique. L'absence totale de voix humaines la fascinait. Nul doute qu'elle vivrait quelques semaines marquantes dans son cottage perdu, à la Pointe des Vents.

Le crépuscule éclairait encore faiblement la mer et la roche, lorsqu'elle jeta son carnet de croquis sur la banquette arrière de sa voiture. Il aurait été tentant d'attendre qu'il fasse nuit noire pour repartir. Mais trouver le cottage dans l'obscurité risquait d'être difficile. Et elle avait encore au moins un mois à passer sur place. Les occasions de peindre et de marcher ne manqueraient pas. Souriant toute seule, Gennie tourna la clé de contact.

Et n'obtint qu'un faible toussotement.

Sourcils froncés, elle fit une seconde tentative. Qui se solda par une sorte de sifflement suivi d'un claquement hautement suspect. Gennie pesta à voix haute. A Bath, elle avait eu quelques ennuis mécaniques. Mais elle avait trouvé un garagiste débrouillard qui avait farfouillé un moment dans son moteur, resserré quelques boulons. Et depuis, elle avait roulé sans rencontrer l'ombre d'un problème.

Gennie contempla la route creusée de nids-de-poule et fit la grimace. Qui sait si les chocs répétés n'avaient pas eu raison de la réparation de fortune dont sa voiture avait fait l'objet ? Par acquit de conscience, elle souleva le capot et plongea le nez dans le moteur. Mais même si elle avait disposé des outils nécessaires, elle aurait été incapable d'en faire usage. Refermant le capot, elle scruta la route. Et ne vit rien. Pas le moindre signe de civilisation, aussi loin que portait le regard.

Scrutant le ciel déjà très assombri, Gennie fit la grimace. D'après ses calculs, elle devait être à mi-parcours entre le village et le cottage. Si elle rebroussait chemin, elle trouverait sans doute un automobiliste serviable pour la ramener à la Pointe des Vents. Mais une fois là-bas, elle ne serait guère plus avancée. Si elle poursuivait à pied, en revanche, il ne lui faudrait guère plus d'un quart d'heure — une demi-heure au maximum — pour atteindre la maison qu'elle venait de louer.

Sa décision fut vit prise : Gennie détestait revenir sur ses pas. Elle sortit donc sa lampe de poche de la boîte à gants et alla résolument de l'avant. Très vite, elle dut se servir de sa torche pour ne pas trébucher dans le noir. Dans l'obscurité, la route était presque aussi peu praticable à pied qu'elle ne l'était en voiture. Et plus elle avançait, plus les ornières se creusaient et se multipliaient. Par endroits, le rocher affleurait carrément. Gennie en arrivait à se demander si la piste était encore carrossable. A la faveur de la nuit, elle avait peut-être franchi définitivement les limites du monde civilisé ?

Si la nuit tomba vite, elle ne tomba pas en silence. Le vent qui s'était mis à siffler rageusement lui rabattait les cheveux sur le visage. De petites écharpes de brouillard commencèrent à tournoyer autour d'elle. Gennie pria pour qu'elles ne s'épaississent pas trop vite et qu'elle ait le temps d'atteindre le cottage avant de se retrouver dans la purée de pois.

Mais cette crainte particulière s'évanouit dès l'instant où l'orage éclata. Des rideaux de pluie déferlèrent, chassés par le vent fou. Se faire mouiller n'avait jamais gêné Gennie. Mais dans l'obscurité totale, aveuglée par la pluie torrentielle, elle n'en menait pas large. Dans les ténèbres mouvantes, le faible rayon lumineux de sa lampe de poche n'apportait qu'un réconfort très relatif. Au début, Gennie se contenta de pester. Puis son irritation se fit malaise. Et le malaise se mua en anxiété.

Les éclairs qui se rapprochaient illuminaient fugitivement un amas de roche ou quelque maigre arbuste tordu par le vent. De nature, Gennie n'était pas peureuse mais elle avait toujours eu une riche imagination. Et il lui fallut lutter ferme pour repousser les visions de créatures inquiétantes qui se multipliaient autour d'elle. Chantonnant pour combattre l'angoisse, elle se concentra sur le rayon lumineux de sa torche.

— Bon, d'accord, je suis mouillée. Et alors ? C'est juste un mauvais moment à passer, marmonna-t-elle en repoussant les cheveux dégoulinants qui lui tombaient sur les yeux.

Mais pourquoi ce fichu cottage n'apparaissait-il pas ? Elle avait pourtant bien dû parcourir un kilomètre et demi depuis le temps qu'elle marchait ! Et si elle était passée à côté sans le voir ? Projetant le faisceau autour d'elle, Gennie dut se rendre à l'évidence. Prétendre trouver une maison inconnue plongée dans le noir à l'aide d'une simple lampe électrique relevait de l'inconscience pure et simple. Surtout par un temps comme celui-là.

Stupide. Elle avait été parfaitement stupide de vouloir poursuivre son chemin au lieu de retourner vers la civilisation. Serrant les bras sur sa poitrine pour se réchauffer, Gennie s'accorda une halte. Au point où elle en était, le mieux serait de revenir sur ses pas et de se réfugier dans sa voiture pour attendre la fin de la tempête. Trempée comme elle l'était, ce ne serait pas des plus confortables. Mais tout valait mieux que d'errer en aveugle dans le noir.

Avant de faire machine arrière, elle jeta un dernier regard au loin, par acquit de conscience. Et ce fut là qu'elle la vit : la lumière au bout du chemin.

Qui disait lumière disait présence humaine. Disait chaleur. Disait sécurité.

Sans une hésitation, Gennie reprit sa progression dans l'obscurité. La tempête cependant empirait, de même que l'état du chemin. Et elle avait de la peine à mettre un pied devant l'autre tellement elle était glacée et épuisée. Des éclairs zébraient le ciel d'un étrange éclat violet, puis disparaissaient d'un coup, rendant les ténèbres plus opaques encore par contraste.

S'il n'y avait pas eu la lumière au loin pour la soutenir, elle se serait sans doute effondrée sur place. Le fracas furieux des vagues, lointain tout d'abord, se faisait plus présent, plus proche. A la faveur d'un éclair, Gennie entrevit les crêtes hérissées d'écume. C'était une mer démontée et vengeresse qui s'acharnait à frapper la roche en se jetant contre elle de tout son poids.

Réprimant un frisson, Gennie s'interdit d'avoir peur. Si elle paniquait maintenant, elle se mettrait à courir. Et ce serait la chute assurée. Elle devait marcher lentement et avec prudence, si elle voulait arriver à bon port.

Lorsqu'elle fut suffisamment proche de la lumière pour distinguer d'où elle provenait, elle faillit éclater de rire : un phare dans la tempête, le refuge par excellence ! Ce n'était pas un faisceau tournant qui l'avait guidée dans la nuit mais l'éclat provenant d'une fenêtre.

Rassurée, Gennie pressa le pas. Si une fenêtre était éclairée, c'est que quelqu'un vivait là. Elle imagina un marin à la retraite, un vieil homme avec une pipe et un verre de rhum à la main.

Lorsqu'un nouvel éclair déchira le ciel, aussitôt suivi du fracas assourdissant du tonnerre, Gennie décida qu'elle allait l'adorer, ce gardien taciturne et chenu.

Le phare lui parut massif, rassurant, d'une blancheur immaculée dans la tempête. A l'aide du rayon faiblissant de sa lampe de poche, elle trouva une porte de bois brut. Frappant du poing sur le battant épais, elle constata avec horreur que le son était absorbé par le fracas de la tempête. A deux doigts de craquer, Gennie se mit à cogner à coups redoublés. Se pouvait-il qu'elle ait fait tout ce chemin pour se retrouver à la porte, pendant que le vieil homme, peut-être un peu dur d'oreille, s'appliquait en sifflotant à construire une maquette de bateau, quelque part là-haut, au premier étage, derrière sa fenêtre éclairée ?

Au désespoir, Gennie se jeta de tout son long contre le battant et recommença à taper de plus belle. Lorsque la porte s'ouvrit, elle suivit le mouvement et faillit tomber la tête la première. Le gardien réussit in extremis à la rattraper par les épaules et à la remettre sur ses pieds.

— Merci, murmura-t-elle dans un souffle. J'ai eu peur que vous ne m'entendiez pas frapper.

Repoussant les cheveux qui lui tombaient sur les yeux, elle releva la tête et regarda l'homme qu'elle considérait comme son sauveur.

S'il s'agissait ou non d'un marin, elle n'aurait su le dire. Mais une chose était certaine : il n'était ni vieux ni ratatiné. Le physique de l'occupant du phare rappelait plutôt celui de son fougueux ancêtre Philippe que celui d'un retraité placide. L'homme était jeune, avec une peau hâlée, un visage anguleux, aux traits marqués, des cheveux drus, indisciplinés, tout aussi noirs que les siens. La bouche était charnue, d'une évidente sensualité. Le nez droit apportait une touche d'aristocratique élégance à ce visage plutôt rude. Quant aux yeux, ils étaient sombres et insondables sous des sourcils noirs à la ligne sévère.

Le regard de l'inconnu n'était pas amical. Ni même curieux, d'ailleurs. Son « sauveur » avait l'air aussi contrarié que s'il avait eu affaire à un vendeur de tapis venu lui proposer sa marchandise au porte-à-porte.

— Comment diable êtes-vous arrivée ici ?

Gennie frissonna. Elle avait espéré un accueil plus chaleureux. Mais l'essentiel était d'avoir échappé à la tempête.

— A pied, expliqua-t-elle.

— A pied ? Par ce temps ? Et vous venez d'où, comme ça ?

— Je suis tombée en panne de voiture à quelques kilomètres d'ici.

Elle se mit à trembler. De froid ou par contrecoup de ses mésaventures, elle n'aurait su le dire. Toujours est-il qu'il ne lui proposa pas de s'asseoir pour autant.

— Et que faisiez-vous en voiture dans le coin par soir d'orage ?

— Je… je me dirigeais vers le cottage de Mme Lawrence, expliqua-t-elle en claquant des dents. Lorsque ma voiture m'a lâchée, j'ai voulu poursuivre à pied. Mais, dans le noir, j'ai dû manquer l'embranchement pour la maison.

Elle poussa un soupir et sentit ses jambes se dérober

— Je pourrais m'asseoir un moment ?

Il scruta ses traits quelques secondes puis, avec un grognement vague qu'elle considéra comme un acquiescement, il lui désigna le canapé. Elle s'effondra et laissa partir sa tête en arrière un instant.

Grant considéra avec consternation sa visiteuse tombée du ciel. Que diable allait-il bien pouvoir faire d'une touriste égarée dans la tempête ? Le pire, c'est qu'elle n'avait pas l'air d'être en état de repartir. Il examina sa « réfugiée » de plus près. Ses cheveux, plus noirs que la nuit, étaient très légèrement ondulés. Son visage n'était ni fin, ni délicat, mais d'une beauté altière et grave qui rappelait certaines figures moyenâgeuses. Une princesse celtique ou une reine des Francs, avec un corps menu mais athlétique, qui se dessinait nettement sous les vêtements trempés qui lui collaient à la peau.

Que le corps et le visage soient attirants était une chose. Mais ce qui avait décontenancé Grant un instant, c'était son regard. Elle avait des yeux immenses, très légèrement bridés, du même vert changeant que l'océan par temps clair.

Pendant une fraction de seconde, il s'était demandé si ce n'était pas une sirène que l'océan furieux avait jetée au pied de son phare.

Elle avait le parler doux et coulant des gens du Sud profond. Une langue qui paraissait presque étrangère lorsqu'on était habitué comme lui aux rudes cadences du Maine. D'autres hommes à sa place auraient applaudi à deux mains en trouvant une fleur du grand Sud devant leur porte. Mais il était trop occupé de son côté pour avoir le temps de s'intéresser aux jolies touristes de passage.

Lorsqu'elle lui sourit, Grant regretta amèrement de lui avoir ouvert.

— Je suis désolée, déclara la jeune femme d'une voix plus calme. Je déboule chez vous après avoir cogné à votre porte comme une affolée et je ne pense même pas à me présenter. Je m'appelle Gennie.

Grant glissa les pouces dans les poches avant de son jean.

— Grant Campbell.

Comme il gardait les sourcils froncés et ne semblait rien avoir à ajouter, Gennie fit un effort pour l'amadouer.

— Vous ne pouvez pas imaginer, monsieur Campbell, comme j'ai été soulagée lorsque j'ai vu la lumière de votre phare au loin.

Grant continua à la regarder en silence. Et songea que ce visage lui disait vaguement quelque chose. Mais quoi ?

— L'embranchement pour le cottage est à un kilomètre et demi d'ici, déclara-t-il sèchement.

Surprise et choquée, Gennie leva les yeux. Il ne comptait tout de même pas la renvoyer dehors par ce temps pour la laisser reprendre ses recherches à tâtons ?

Elle avait toujours considéré que, pour une artiste, elle avait plutôt bon caractère. Mais elle était trempée, glacée et affamée. Et l'attitude rébarbative de ce Grant Campbell commençait à lui porter sérieusement sur les nerfs.

— Ecoutez, je vous paierai volontiers pour une tasse de café et l'usage de ce machin pour la nuit.

Elle donna une petite tape sur le canapé, soulevant un discret nuage de poussière.

— Je ne prends pas de pensionnaires.

— Et j'imagine que vous chasseriez aussi un chien malade à coups de pied ? Désolée, mais je ne ressors pas d'ici avant demain matin, monsieur Campbell. Et je ne vous conseille pas d'essayer de me jeter dehors.

Sa réaction plut à Grant même s'il ne laissa rien transpirer de son approbation. Il ne se donna pas non plus la peine de préciser qu'il n'avait jamais eu l'intention de la mettre à la porte. S'il avait observé aigrement qu'il ne prenait pas de pensionnaires, c'était juste pour marquer son mécontentement d'avoir été dérangé. Et pour lui indiquer qu'il n'avait aucune intention d'accepter son argent.

Sans un mot, il traversa la pièce et s'accroupit pour farfouiller dans un vaisselier en chêne. Gennie regarda droit devant elle, même lorsqu'elle entendit le son d'un liquide coulant dans un verre.

— Vous avez besoin de cognac plus que de café en ce moment, déclara-t-il en lui posant le verre sous le nez.

— Merci, répondit Gennie, glaciale et dédaigneuse comme seules les femmes du Sud savaient l'être.

Elle ne sirota pas son cognac mais le vida d'un trait. D'un geste hautain, elle lui rendit le verre vide. Grant réprima un sourire.

— Vous en voulez un autre ?

Elle le regarda de haut.

— Non, merci.

« Elle est en train de me remettre à ma place, comprit Grant, amusé. La princesse montre au paysan à qui il a affaire. » Réfléchissant à la conduite à suivre, il écouta le bruit de la tempête. Le vent continuait à se déchaîner contre les murs épais du phare et aucune accalmie ne semblait se dessiner. La conduire jusqu'au cottage des Lawrence maintenant serait pénible, voire dangereux. Il perdrait moins de temps s'il se résignait à l'héberger jusqu'au lendemain matin.

S'inclinant devant la fatalité, il se dirigea vers l'escalier.

— Venez, ordonna-t-il. Vous ne pouvez pas rester là à grelotter jusqu'à demain matin.

Gennie hésita, résistant de justesse à la tentation de lui jeter son sac à main à la figure. Les lèvres serrées, elle le suivit, grimpant à sa suite les marches métalliques qui s'élevaient en spirale dans le bâtiment circulaire. Parvenu à l'étage au-dessus, il alluma la lumière et poussa une porte sur sa droite. Sa chambre à coucher, apparemment. Patientant sur le palier, Gennie jeta un rapide coup d'œil à l'intérieur. La pièce n'était ni très grande ni très bien rangée. Mais le vieux lit en cuivre était une merveille. Gennie en tomba instantanément amoureuse.

Grant se dirigea vers un chiffonnier qui, restauré, aurait eu belle allure et en sortit un peignoir d'un bleu passé.

— La douche est juste en face.

Il lui colla le peignoir dans les bras et disparut sur ces douces paroles.

— Merci infiniment, maugréa Gennie dans le vide. Vous êtes bien aimable.

Furieuse, elle poussa la porte de la salle de bains… et, là encore, se trouva sous le charme. La pièce était minuscule, mais l'antique baignoire sur pieds en porcelaine blanche s'enorgueillissait de très beaux robinets en cuivre que Grant prenait apparemment le temps d'astiquer. Les panneaux de cèdre aux murs avaient jadis été laqués. Le lavabo était ancien comme le reste. Et il fallait tirer sur une ficelle pour allumer la lumière au-dessus de l'étroit miroir ovale.

Avec un soupir de bien-être, Gennie retira ses vêtements trempés et enjamba le rebord de la baignoire. Le pommeau de douche était vétuste mais la douche fonctionnait et l'eau était brûlante. Gennie ferma les yeux et songea avec reconnaissance qu'elle venait d'avoir accès au paradis.

Et tant pis, après tout, si c'était le diable qui en gardait l'entrée.

Un étage plus bas, dans sa cuisine, Grant mit sa cafetière électrique en route. Puis, songeant qu'il ne pouvait décemment laisser jeûner la fille jusqu'au lendemain, il sortit un brick de soupe et le vida dans une casserole. Ici, à l'arrière du phare, on entendait la mer encore plus distinctement qu'ailleurs. Le bruit de heurtoir des vagues faisait partie intégrante de l'univers sonore de Grant. Lorsque, comme ce soir, l'océan entrait en rage, il tendait un instant l'oreille, évaluait la force de la tempête, puis reprenait tranquillement ses activités.

C'était, du moins, ce qu'il aurait fait si son organisation n'avait pas été perturbée par une visite intempestive. Compte tenu de la perte de temps subie, il allait être obligé de consa-crer une heure supplémentaire à son travail ce soir-là. Mais à présent que le gros de sa contrariété était passé, Grant pouvait envisager cette perspective avec une relative sérénité. Lorsqu'on vivait comme lui avec les éléments, on apprenait à accepter les cas de force majeure.

Il était asocial, certes. Mais pas totalement rustre pour autant. A la touriste perdue dans la tempête, il pouvait offrir un repas et un abri pour la nuit. C'était l'hospitalité de base qu'elle était en droit d'attendre. Et pour le reste, elle n'aurait qu'à se débrouiller.

Grant ne put s'empêcher de sourire en se remémorant l'at-titude de Gennie. Même dégoulinante et perdue, elle avait su lui tenir tête. De toute évidence, ce n'était pas le genre de fille à se laisser marcher sur les pieds. Ce qui n'était pas pour lui déplaire. Rien n'exaspérait Grant autant que les pâles créatures effarouchées. Tant qu'à endurer la compagnie d'un de ses congénères, il préférait les gens directs, déterminés, capables de dire ce qu'ils pensaient et de défendre leurs opinions.

Comme les MacGregor, par exemple.

Une semaine à peine s'était écoulée depuis son retour de Hyannis où il avait « donné » sa sœur Shelby en mariage à Alan MacGregor. A cette occasion, il avait eu la mauvaise surprise de découvrir qu'il avait la fibre sentimentale. Les MacGregor n'avaient eu aucun mal à le convaincre de passer quelques jours de plus avec eux. Bizarrement, il s'était pris d'une affection immédiate pour ces gens — en particulier pour l'expansif Daniel. Et cela lui ressemblait si peu qu'il n'en revenait toujours pas de les apprécier autant.

En temps normal, il aurait eu hâte de retrouver le calme et la solitude de la Pointe des Vents. Mais les MacGregor avaient quelque chose d'irrésistible. Et le fait de donner Shelby en mariage l'avait remué, autant le reconnaître.

Prendre la place qui serait revenue à leur père s'il avait encore été de ce monde l'avait touché et attristé à la fois. Passablement retourné, il avait apprécié le répit que lui offrait ce bref séjour à Hyannis. Même les questions indiscrètes de Daniel concernant sa vie privée l'avaient amusé plus qu'elles ne l'avaient irrité. Et il s'était surpris à leur promettre de revenir les voir à la première occasion.

Mais pour le moment, il n'était pas question de repartir où que ce soit. Il avait du travail. Beaucoup de travail, même. Du travail que Gennie avait interrompu en lui tombant dessus sans prévenir. Mais le retard restait rattrapable. Dès qu'ils auraient fini de manger, il l'installerait dans la chambre d'amis où elle pourrait passer la nuit. Et le lendemain matin, à la première heure, elle disparaîtrait définitivement de sa vie.

Grant se sentait presque d'humeur aimable au moment où la soupe commença à frémir. Lorsqu'il entendit Gennie entrer dans la pièce, il se retourna, prêt à émettre un commentaire modérément aimable. Mais la vue de la jeune femme vêtue de son seul peignoir lui fit l'effet d'un coup de poing en pleine poitrine.

Bon sang, qu'elle était belle !

Trop belle pour ne pas constituer une menace pour sa tranquillité d'esprit. Gennie disparaissait presque dans la vieille sortie de bain dont elle avait pourtant roulé les manches jusqu'aux coudes. Le bleu passé de l'éponge faisait ressortir la couleur dorée de sa peau. Elle avait brossé ses longs cheveux humides en arrière et son visage était dégagé, à l'exception des quelques boucles qui folâtraient sur les tempes. Avec ses yeux vert pâle et ses longs cils noirs mouillés, elle ressemblait plus que jamais à la sirène qu'il avait d'abord cru voir en elle.

Contrarié par cette bouffée de désir qui venait compliquer une situation déjà pénible, Grant lui jeta un regard noir.

— Asseyez-vous, ordonna-t-il d'un ton rogue. Vous pouvez prendre un peu de soupe.

— C'est extrêmement généreux de votre part. Merci.

Grant émit un son inintelligible et posa bruyamment une assiette devant elle. Gennie prit sa cuillère et ne se fit pas prier pour manger. La dignité aurait sans doute voulu qu'elle refuse une pitance offerte avec tant d'évidente mauvaise grâce. Mais avec la faim qui lui tenaillait le ventre, elle n'était plus en état de se soucier de sa fierté. Grant se servit à son tour et s'assit en face d'elle.

Gennie fut surprise qu'il pousse le sens de l'hospitalité jusqu'à partager son repas. Vu ses manières d'ours, elle s'était attendue à ce qu'il tourne les talons en la laissant manger seule. Mais elle se garda bien de faire le moindre commentaire sur son attitude.

La cuisine était petite et bien éclairée. Il y régnait un silence total, si on ne tenait compte ni du fracas des vagues ni du hurlement sauvage du vent au-dehors. Les solides éléments de cuisine en chêne brut donnaient du caractère à la pièce. Le plan de travail était également de bois, mais poncé et vernis. L'espace était restreint mais agréable et bien agencé.

Si un certain désordre régnait dans le reste de la maison, la cuisine, elle, était impeccable. Il n'y avait pas de miettes sur la table, pas de vaisselle traînant dans l'évier, pas d'odeurs flottant autour de la poubelle. Seuls les arômes appétissants de soupe et de café emplissaient l'atmosphère.

A mesure que la faim de Gennie se calmait, sa colère suivait le même chemin. Elle avait envahi le territoire de ce Grant Campbell sans y avoir été invitée, après tout. Au nom de quoi exigerait-elle qu'il l'accueille à bras ouverts ? Il était taciturne, d'accord. Mais il ne lui avait pas claqué sa porte au nez. Mieux même : il avait mis sa salle de bains à sa disposition, lui avait procuré des vêtements secs et de la nourriture. Plus un endroit où dormir.

Que pouvait-on décemment exiger de plus lorsqu'on venait frapper à la porte d'un inconnu à la nuit tombée ? En s'efforçant de faire taire sa fierté, Gennie baissa les yeux sur la table. Et son regard tomba sur les mains de Grant.

L'espace d'une seconde, elle demeura sous le choc. Elle avait rarement vu des mains aussi belles. Les poignets étaient fins sans pour autant donner une impression de fragilité. Ils évoquaient, au contraire, la force et la maîtrise. Le dos de ses mains était hâlé, les doigts longs et agiles. C'était des mains que l'on pouvait tout aussi bien imaginer tenant une flûte que maniant le sabre avec une adresse redoutable.

Pendant tout le temps que dura sa contemplation, Gennie oublia le reste de la personne de Grant. Il n'y avait plus pour elle que ces mains extraordinaires, si sensibles et intelligentes qu'elles semblaient avoir une existence à elles. On avait d'ailleurs la plus grande peine à imaginer que des mains comme celles-là puissent appartenir à un gardien de phare ou un marin pêcheur. Gennie ressentit une pointe d'excitation qu'elle ne chercha pas à contenir. Toute autre femme à sa place n'aurait-elle pas réagi de même ? Ces mains-là étaient faites pour toucher, palper, caresser.

C'était des mains impatientes, certes. Mais jamais, même dans la précipitation, elles ne sauraient être maladroites. Elles pouvaient arracher avec brutalité les vêtements d'une femme, mais aussi la déshabiller si subtilement qu'elle ne se rendrait compte de rien.

Lorsqu'un nouveau frisson — d'anticipation, cette fois — la parcourut de part en part, Gennie se ressaisit. Même en imagination, il y avait des limites à ne pas dépasser. Un peu déphasée par le trouble qui venait de l'envahir, elle leva presque timidement les yeux sur son visage.

Grant l'observait avec curiosité. Il avait noté qu'elle s'était arrêtée de manger d'un coup pour fixer son attention sur ses mains. Il avait attendu, intrigué, qu'elle manifeste une réaction quelconque, convaincu qu'il aurait droit à une nouvelle remarque cinglante.

Mais lorsqu'elle leva de nouveau son visage vers lui, l'expression de vulnérabilité sur ses traits le saisit aux tripes. Même lorsqu'elle était entrée chez lui, titubante et transie, elle ne lui avait pas paru aussi fragile, aussi éprouvée… aussi désirable, surtout.

Grant se demanda fugitivement comment elle réagirait s'il se levait sans prononcer un mot, lui prenait la main et la tirait jusque dans son lit.

Pendant quelques instants, ils se regardèrent en silence, perturbés par des élans de désir dont ils ne voulaient ni l'un ni l'autre. C'était comme si une tempête en eux faisait écho au vent et à la pluie qui s'acharnaient sur les murs. Sur la défensive, Grant songea aux créatures qui, par la beauté de leur chant, menaient les marins à leur perte. Gennie de son côté méditait sur le fait qu'un homme tel que Grant Campbell aurait été capable de tenir tête à une attaque en règle, orchestrée par son flibustier d'ancêtre.

Les pieds de la chaise de Grant grincèrent sur le sol de bois lorsqu'il se leva. Gennie se figea.

— Il y a une chambre à l'étage avec un bat-flanc, si ça vous intéresse.

Le regard de Grant étincelait d'exaspération contenue. Gennie avait les paumes moites et elle tremblait d'un mélange déconcertant de désir et de fureur.

— Le canapé ira très bien, merci.

Il haussa les épaules.

— Comme vous voudrez.

Sans même se donner la peine de lui souhaiter une bonne nuit, il quitta la pièce. Gennie attendit que ses pas résonnent dans l'escalier, avant de presser la main sur sa poitrine en fermant les yeux. Une chose était certaine, en tout cas : la prochaine fois qu'elle verrait une lumière briller dans la nuit par temps d'orage, elle partirait au pas de course dans la direction opposée.

2.

Grant détestait être dérangé. Il tolérait qu'on l'insulte, qu'on le menace et même qu'on le méprise, mais il n'acceptait pas d'être interrompu lorsqu'il était occupé. Que les gens l'apprécient ou non le laissait de marbre. Tout ce qu'il voulait, c'était qu'on le laisse vaquer tranquillement à ses activités. Peut-être parce qu'il avait grandi auprès d'un père condamné à rechercher en permanence l'approbation d'autrui — un aspect malheureusement incontournable de la carrière d'un politicien de haut vol.

Enfant déjà, Grant avait perçu que la personnalité de son père générait des réactions extrêmes : certains lui avaient voué une véritable adoration ; d'autres l'avaient craint ou détesté. Lorsqu'il s'était lancé dans la course pour l'investiture, il avait été porté aux nues par des foules délirantes d'enthousiasme.

Robert Campbell avait été le genre d'homme capable de se démener pour rendre un service — que ce soit à un ami ou à un étranger. Ses idéaux étaient élevés, sa mémoire excellente, ses talents d'orateur très appréciés. En homme de devoir, il s'était toujours tenu à la disposition de ses électeurs. Jusqu'au moment où un fou avait mis fin à sa carrière en lui logeant trois balles dans la poitrine.

Grant n'en avait pas voulu qu'à l'assassin ; il ne s'était pas contenté non plus de remettre en question l'univers de la politique, comme l'avait fait sa sœur. D'une certaine façon, il avait attribué la responsabilité de sa mort à son père lui-même. En se donnant au monde entier, Robert Campbell avait fini par y perdre jusqu'à sa vie même.

Et pour cette raison sans doute, Grant, lui, ne se donnait à personne.

Il ne considérait pas son phare comme un refuge. C'était tout simplement sa maison — le lieu où il avait choisi d'habiter. Il appréciait de vivre à distance de la foule et aimait la force et l'harmonie des éléments. Quant à l'isolement, il lui convenait autant sur le plan professionnel que personnel. Les longues journées de solitude lui étaient tout simplement indispensables. Il avait besoin de calme et de concentration. Considérant que c'était un droit vital et élémentaire pour chaque individu de pouvoir travailler et réfléchir sans être interrompu, Grant avait pris les dispositions nécessaires pour que ce droit soit respecté.

La veille, lorsque Gennie était venue tambouriner à sa porte, elle l'avait surpris en plein travail. Dans ces cas-là, il était parfaitement capable de continuer à dessiner sans réagir. Mais comme le bruit insistant l'avait coupé net dans son inspiration, il était descendu ouvrir avec la ferme intention d'étrangler l'imprudent qui s'était risqué à le déranger. Gennie pouvait s'estimer heureuse qu'il se soit contenté d'être désagréable. L'année précédente, un malheureux touriste venu innocemment toquer à sa porte pour demander un renseignement avait déclenché chez lui une colère homérique. Au point qu'il avait menacé de le jeter dans l'océan sur-le-champ s'il ne détalait pas de chez lui au plus vite.

Rien ne prouvait encore que la dénommée Gennie sortirait de son phare saine et sauve, cela dit. Car après lui avoir faussé compagnie la veille au soir, Grant avait eu le plus grand mal à retrouver le fil de son inspiration Si bien qu'il avait passé la moitié de la nuit à plancher, tout en pestant contre les intrusions, les interruptions et les dérangements de toutes sortes.

Il s'était endormi excédé et se réveillait d'humeur massacrante. Abruti par le manque de sommeil, il ouvrit un œil et constata que : un, le soleil était de retour ; deux, Gennie était déjà levée. Elle chantait une mélodie à la mode qu'il reconnaissait pour l'avoir entendue régulièrement à la radio ces derniers mois. S'il vivait loin de ses semblables, Grant n'était pas coupé de l'actualité pour autant. Il lisait une douzaine de journaux et écoutait religieusement les informations. Même la télévision lui était indispensable pour le métier qu'il exerçait.

Grant devait reconnaître que Gennie chantait bien. Elle avait une voix basse et suave, pleine de moelleux et de rondeur. Quoi d'étonnant à cela, d'ailleurs ? C'était le propre des sirènes d'ensorceler avec leur chant. Pestant avec force, Grant enfouit la tête sous son oreiller. Elle l'avait empêché de travailler la veille et ce matin elle le tirait de son sommeil. La maigre patience dont il disposait était mise à rude épreuve.

Avec l'oreiller sur la tête, il rencontra un nouveau problème. Favorisée par la chaleur et l'obscurité, son imagination lui présenta Gennie telle qu'elle lui était apparue, vêtue de son peignoir la veille. Et une certaine partie de son anatomie réagit avec une telle vigueur qu'il comprit qu'il ne se rendormirait pas de sitôt.

Jurant avec force, Grant repoussa ses couvertures, enfila un vieux jean coupé et descendit, mi-endormi, mi-excité pour voir ce qu'elle fabriquait. La couverture qu'elle avait utilisée était déjà pliée sur le canapé. Sourcils froncés, Grant poursuivit son chemin jusqu'à la cuisine. Elle portait toujours son peignoir, et sa chevelure défaite tombait en vagues luxuriantes dans son dos. Grant faillit y plonger les doigts pour vérifier si les reflets de cuivre qui s'y dessinaient étaient réels ou simplement dus à un effet de lumière.

Du bacon rissolait dans une poêle sur la cuisinière et une merveilleuse odeur de café avait envahi l'atmosphère. Paradisiaque.

— Mais qu'est-ce que vous fichez, bon sang ?

Gennie tressaillit et virevolta sur elle-même, une spatule dans une main et l'autre posée par réflexe sur son cœur. Malgré l'inconfort du canapé de Grant, elle s'était réveillée d'excellente humeur. Et avec l'estomac dans les talons. Dehors, le soleil brillait dans un ciel sans nuages, les mouettes criaient, plongeaient, s'ébrouaient. Le monde lui avait paru magnifique, et le réfrigérateur de Grant bien approvisionné.

Elle avait décidé d'accorder une seconde chance à Grant-le-Grincheux. Tout en s'activant dans sa cuisine, elle s'était juré de se montrer amicale quoi qu'il arrive. Une résolution qui, de toute évidence, serait ardue à tenir. Gennie contempla l'homme à demi dévêtu qui se dressait devant elle. Avec son regard noir de colère, ses cheveux qui lui tombaient sur les yeux et ses joues bleuies par un début de barbe, il avait l'air plus hostile, sauvage et rébarbatif que jamais.

Stoïque, Gennie lui adressa son plus beau sourire.

— Je prépare le petit déjeuner. J'ai pensé que je pouvais bien faire ça pour vous remercier de m'avoir hébergée.

De nouveau, il fut frappé par quelque chose de familier en elle. Où avait-il déjà vu ces yeux, ce visage ? Grant se flattait d'avoir une excellente mémoire mais pas moyen de retrouver à qui elle lui faisait penser.

— Je n'aime pas qu'on touche à mes affaires.

Gennie ouvrit la bouche pour l'envoyer promener en beauté. Mais elle réussit in extremis à ravaler sa riposte tranchante.

— Rassurez-vous, je n'ai rien cassé, à part quelques œufs… Tenez, voilà ce que je vous propose : servez-vous une tasse de café, asseyez-vous et fermez-la, d'accord ?

Grant faillit siffler admirativement entre ses dents. Personne, jamais, ne lui avait intimé silence d'une voix aussi douce. Et l'ordre était suffisamment implacable, malgré tout, pour qu'il choisisse de s'exécuter.

Il regarda Gennie verser des œufs dans la poêle. Non seulement elle avait cessé de chanter, mais elle serrait les dents comme si elle se retenait stoïquement de l'insulter. Grant nota qu'elle arborait un petit sourire détaché. Elle semblait fermement décidée à lui montrer que son caractère détestable et ses manières de rustre la laissaient de marbre. Mais il était persuadé qu'elle devait jurer intérieurement tant et plus.

Grant porta sa tasse à ses lèvres et savoura son café. La caféine bénie opéra son miracle quotidien, dissipant peu à peu les brumes du sommeil. Il regarda Gennie aller et venir dans sa cuisine. C'était la première fois depuis qu'il vivait dans ce phare qu'une femme lui cuisinait un repas. Il n'en ferait pas une habitude, bien sûr. Mais en soi l'expérience avait quelque chose d'assez plaisant.

Toujours en silence, Gennie posa la poêle sur la table et remplit deux assiettes.

— Comment se fait-il que vous vous rendiez à l'ancien cottage des Lawrence, au fait ? demanda-t-il en sortant les couverts.

Gennie lui jeta un regard en coin. Aurait-il décidé de se comporter en être civilisé, tout à coup, et de lui faire poliment la conversation ? Tentée de laisser sa question sans réponse, elle murmura du bout des lèvres :

— Je l'ai loué pour le mois.

— Je croyais que la veuve Lawrence l'avait mis en vente.

— C'est juste.

— C'est un peu tard dans la saison pour venir passer des vacances, non ? Les estivants sont déjà repartis.

Les yeux rivés sur ses œufs au plat, Gennie haussa brièvement les épaules.

— Je ne suis pas venue ici en touriste.

— Ah non ?

Il l'examina d'un regard si attentif, si intense que, l'espace de quelques secondes, elle se sentit presque transparente.

— Vous avez l'accent de la Louisiane. Vous êtes de quelle ville ? Baton Rouge ? La Nouvelle-Orléans ?

— La Nouvelle-Orléans.

Gennie oublia momentanément son irritation pendant qu'elle l'observait à son tour.

— Vous non plus, vous n'êtes pas d'ici.

— Non, répondit-il sans prendre la peine de fournir plus de précisions.

Ainsi, il voulait bien lui poser des questions, mais refusait de répondre aux siennes ?

— Et pourquoi ce phare ? insista-t-elle. Il n'est plus utilisé en tant que tel, si ? Le fanal ne marche pas.

— Non, il n'est plus en usage. Les garde-côtes ont un système de radar beaucoup plus sophistiqué pour assurer la sécurité en mer par ici… Vous êtes tombée en panne d'essence ?

Il s'était bien gardé de lui dire pourquoi il avait choisi de venir vivre ici, nota Gennie, irritée.

— Non. Je me suis garée sur le côté de la route pour jeter un coup d'œil sur l'océan. Et lorsque j'ai tenté de démarrer pour repartir, le moteur ne voulait plus rien savoir. Je pense que je vais être obligée de faire venir une dépanneuse.

Grant émit une sorte d'aboiement qui chez une personne civilisée aurait pu passer pour un rire.

— Ici ? A la Pointe des Vents ? Vous pourrez la chercher longtemps, votre dépanneuse. Je jetterai un coup d'œil, si vous voulez. Et si le problème dépasse mes compétences, il ne vous restera plus qu'à faire appel à Buck Gates.

Autrement dit, elle était tributaire de Grant Campbell pour remettre sa voiture en marche ? Gennie aurait préféré se débrouiller autrement. Mais s'il n'y avait pas moyen de se faire dépanner au village…

— C'est très aimable à vous de me le proposer, marmonna-t-elle.

— En attendant, dépêchez-vous de vous habiller. J'ai à faire, ce matin.

Il posa au passage son assiette dans l'évier et la planta là exactement comme il l'avait fait la veille. Renonçant à la tentation de lui jeter la poêle à frire à la tête, Gennie finit de débarrasser la table.

Bon. Elle allait suivre son conseil et s'habiller. Rapidement, même, avant qu'il ne change d'avis. Elle accepterait sa proposition d'aide puisqu'il était prêt à pousser la bonté jusqu'à s'occuper de sa voiture. Ensuite, elle se hâterait d'oublier jusqu'à l'existence de ce grincheux patibulaire.

Elle ne vit aucun signe de Grant au premier étage lorsqu'elle monta se changer dans la salle de bains. Ses vêtements avaient séché pendant la nuit, par bonheur. Quant à ses tennis, elles étaient encore un peu humides, mais avec un peu de chance, elle serait installée au cottage dans moins d'une heure. Ce qui lui laisserait une bonne partie de l'après-midi pour dessiner. Ravigotée par cette perspective, Gennie regagna le rez-de-chaussée. Grant n'étant nulle part en vue, elle tira la lourde porte d'entrée et décida de l'attendre dehors.

Le temps était si clair que Gennie demeura un instant le souffle coupé. La tempête de la veille était passée durant la nuit comme un mauvais rêve. Il n'existait que très peu d'endroits au monde où l'air étincelait avec la pureté du cristal. Et ce coin perdu du Maine en faisait partie. Le monde paraissait neuf, lumineux, régénéré. De ce côté-ci du phare poussaient un peu d'herbe folle ainsi qu'un joyeux pointillé de petites fleurs sauvages. La verge d'or se balançait doucement dans la brise, annonçant la fin de l'été. Mais le soleil n'avait encore rien perdu de sa vigueur estivale.

Au bout de la route étroite sur laquelle elle était arrivée la veille, Gennie eut la surprise de découvrir une grande ferme située à une centaine de mètres à peine du phare. La vieille bâtisse était encore en bon état, même si elle était inoccupée depuis longtemps, à en juger par la poussière sur les fenêtres et la hauteur de l'herbe.

C'était dans cette ferme, sans doute, que le gardien vivait avec sa famille lorsque le phare était encore en activité. En ce temps-là, il devait y avoir un jardin potager, une basse-cour, peut-être même quelques chèvres ou moutons. La peinture blanche s'écaillait sur les murs mais les volets tenaient bon. Gennie ne put s'empêcher de penser que la ferme se tenait en attente sur sa colline, prête à accueillir de nouveaux occupants.

Au pied de la pente était garé un pick-up. Celui de Grant, de toute évidence. Pour le reste, il n'y avait rien ni personne en vue. Cédant à l'appel de la mer, Gennie contourna le phare et s'arrêta net en découvrant l'absolue splendeur de l'horizon marin. Par ce temps clair, on distinguait la côte à perte de vue, découpée comme une dentelle, avec un semis de petites îles au large. On ne voyait pas de bateaux de plaisance, pas de ketchs élégants ni de planches à voile, mais ici et là, les solides embarcations des pêcheurs de homards. Ce coin de la côte n'était pas voué aux distractions pour oisifs. C'était encore un lieu d'équilibre et de beauté.

Gennie inspira à pleins poumons l'air chargé de senteurs marines. L'eau était à la fois verte et bleue, puissante et humble. Le travail de la mer avait gommé les aspérités de la roche, soulignant ses gris, ses verts, ses veinules orangées. Plus bas, des coquillages rejetés par les vagues étaient éparpillés sur le rivage. On entendait le tintement des bouées, le son régulier des moteurs des homardiers, l'appel mélancolique des mouettes pêcheuses. Où que le regard se porte, il n'y avait rien qui ne soit lié à l'océan, éternel et infini.

Gennie sentit un appel résonner en elle. Ce même appel auquel des hommes et des femmes répondaient depuis des temps immémoriaux. Puisque c'était de la mer que toute vie était issue, quoi d'étonnant si la nostalgie de son milieu originel était inscrite au cœur même de l'être humain ? Debout sur une étroite corniche au-dessus de la petite plage en contrebas, Gennie se laissa imprégner par tout ce que l'océan représentait : à la fois un défi, un danger et une promesse de paix.

Ce fut là que Grant la trouva lorsqu'il partit à sa recherche. Elle ne l'entendit pas approcher. Ne s'aperçut pas non plus de sa présence lorsqu'il s'immobilisa pour la regarder. Ne l'entendit pas jurer tout bas lorsqu'il se rendit à l'évidence : la silhouette de Gennie dressée face à l'océan ne faisait pas tache dans son paysage. Elle ne choquait pas dans son coin d'univers, ne déparait pas ses horizons privés.

Grant lui en voulut de paraître à sa place dans *son* domaine, de s'intégrer avec cette choquante facilité à son bout de terre surplombant l'océan. Cette herbe, cette roche lui appartenaient en propre. Alors pourquoi en arrivait-il à se demander si cette portion de falaise sans Gennie n'allait pas lui paraître vide et désolée ?

Le vent qui soufflait de la mer plaquait ses vêtements contre elle, dessinant son corps mince et athlétique, ses rondeurs souveraines. Sa chevelure dansait autour d'elle, et le soleil y allumait des reflets de feu.

Un feu qui trouva en lui un écho fulgurant.

Sans se rendre compte de ce qu'il faisait, il lui prit le bras et la fit pivoter vers lui. Aucune surprise ne se lisait dans le regard qu'elle leva vers lui. Il ne vit dans ses yeux verts qu'un mélange d'excitation et d'éblouissement dont il savait que l'océan était l'origine.

— Hier soir je me demandais comment il était possible de vivre dans un endroit pareil, et ce matin je n'arrive plus à imaginer qu'on puisse vouloir habiter ailleurs, dit-elle d'une voix vibrante. Il est à vous, ce bateau de pêche amarré là-bas ?

Grant ne répondit pas immédiatement. Les yeux rivés sur son visage, il comprit qu'il avait été sur le point de l'attirer dans ses bras pour l'embrasser. Il s'en était fallu de peu. Au point qu'il lui semblait presque sentir le goût de ses lèvres sur les siennes.

Il fit l'effort de regarder dans la direction qu'elle lui indiquait.

— Oui, il est à moi.

Gennie lui fit le don spontané d'un vrai sourire.

— Je vous empêche de travailler. Si je n'avais pas été là, vous seriez parti pêcher à l'aube, je suppose.

Marmonnant une réponse inintelligible, Grant lui saisit le poignet et la tira *manu militari* vers son pick-up. Avec un soupir de défaite, Gennie renia les vœux d'amabilité qu'elle avait prononcés le matin même.

— Monsieur Campbell, faut-il absolument que vous soyez odieux vingt-quatre heures sur vingt-quatre ?

Grant s'immobilisa, le temps de lui jeter un regard brillant d'ironie.

— Oui.

— Je dois reconnaître que vous avez un certain talent, rétorqua-t-elle, hors d'haleine, lorsqu'il repartit à grands pas. Je connais peu de gens qui parviennent à être imbuvables avec une pareille constance.

— J'ai des années de pratique derrière moi.

Il lui lâcha le bras lorsqu'ils atteignirent le petit camion et se hissa sur le siège conducteur. Le soupçonnant d'être capable de l'abandonner sur place, Gennie contourna le véhicule et se hâta de grimper à bord.

Le moteur vrombit, troublant la perfection du silence, et le pick-up bondit en avant sur l'étroite piste cahoteuse. Gennie se retourna une dernière fois pour regarder derrière elle. Et comprit qu'il lui faudrait coûte que coûte revenir pour peindre le phare.

Elle faillit annoncer ses intentions à voix haute. Mais le profil buté de Grant n'incitait pas aux confidences.

D'ailleurs, à quoi bon essayer d'amadouer cette porte de prison ? Il n'y avait strictement rien à tirer de Grant Campbell, de toute façon. Cet homme avait la hargne chevillée au corps. Et rien ne l'obligeait à venir peindre en sa présence. Elle attendrait qu'il soit parti en mer pour pêcher ses homards ou ses poissons. Se renversant contre son dossier, Gennie croisa les mains sur ses genoux et sombra dans un mutisme aussi hostile que le sien.

Grant parcourut un bon kilomètre avant que les premiers symptômes de culpabilité ne commencent à lui titiller la conscience. La route était dans un état épouvantable et quasiment impraticable de nuit, avec une simple lampe électrique. Venir à pied jusqu'au phare en pleine tempête avait dû être une sacrée épreuve. Surtout pour une femme seule perdue dans un endroit inconnu.

Gennie devait être épuisée et à moitié morte de terreur en arrivant chez lui. Et au lieu de lui offrir un accueil réconfortant, il l'avait reçue comme un chien dans un jeu de quilles. Grant jeta un regard en coin dans sa direction. Il ouvrait la bouche pour lui présenter ses excuses lorsqu'elle leva le menton d'un air hautain.

— Vous pouvez vous arrêter là. C'est ma voiture.

Elle ne lui aurait pas parlé autrement si elle s'était adressée à son domestique. Ravalant ses paroles de regret, il opéra un brusque demi-tour, secouant sans remords sa passagère. Ni l'un ni l'autre n'ouvrirent la bouche lorsqu'il coupa son moteur.

Gennie sortit ses clés de voiture et débloqua le capot. Puis, les mains dans les poches arrière de son jean, elle attendit — toujours en silence — que Grant daigne s'intéresser à son moteur. Il releva les manches et sa tête disparut sous le capot. Marmonnant des commentaires à voix haute, il se mit à tripoter Dieu sait quoi. Gennie l'écouta soliloquer avec l'ombre d'un sourire. *Qui* ne finirait pas par parler tout seul en vivant retiré dans un phare avec les mouettes pour unique compagnie ? Cela dit, il lui arrivait par moments de faire la conversation avec elle-même, alors qu'elle avait un appartement en plein cœur du Vieux Carré, le quartier le plus animé de La Nouvelle-Orléans !

Grant retourna à son pick-up et sortit une caisse à outils de sous une bâche. Il prépara un assortiment de clés et se replongea dans son moteur. Vaguement inquiète, Gennie se plaça derrière lui pour regarder par-dessus son épaule. Il avait l'air de savoir ce qu'il faisait, a priori. Si elle devait passer un mois dans cet endroit reculé, elle aurait peut-être intérêt à s'outiller, elle aussi. Et à s'intéresser d'un peu plus près à la façon dont Grant procédait pour remettre sa voiture en état de marche.

Comme elle se penchait pour mieux suivre ses gestes, elle dut poser la main sur son dos pour ne pas perdre l'équilibre. Grant ne se redressa pas, mais il se tourna sur le côté et son bras effleura sa poitrine. Le contact aurait pu être anodin. Pourtant ils se pétrifièrent l'un et l'autre comme s'ils s'étaient électrocutés mutuellement.

Gennie se serait rejetée en arrière si le regard de Grant ne s'était pas soudain trouvé plongé dans le sien. Elle scruta ses yeux sombres et sentit la chaleur de son souffle sur ses lèvres. Un centimètre — un simple centimètre — séparait leurs visages. Comme dans un rêve, elle nota que sa main était remontée le long du dos de Grant et que ses doigts s'étaient crispés sur son épaule.

Grant crut suffoquer. Son ventre se noua. Prendre cette bouche si proche de la sienne pouvait soulager la tension. Ou l'exacerber, au contraire. Et il était incapable de déterminer quelle serait l'option la plus favorable, en l'occurrence.

— Que faites-vous ? demanda-t-il — sans colère, cette fois.

Dans un état second, Gennie continuait à sonder le regard de Grant. Captant son propre reflet dans ses pupilles, elle se demanda confusément comment elle avait atterri dans les yeux si profonds de cet homme.

— Pardon ? murmura-t-elle distraitement.

Grant n'aurait qu'un geste à faire : l'attirer contre lui et cueillir ces lèvres qui s'entrouvraient sur une invite silencieuse. Ne voyant aucune raison de s'interdire ce qui s'offrait si spontanément, il allait s'emparer de sa bouche lorsque la silhouette de Gennie dressée face à l'océan, juste derrière le phare, vint s'imposer à son esprit.

« Attention, Campbell. Ne joue pas avec le feu. Il n'est pas dit qu'avec celle-ci, tu puisses encore revenir en arrière. »

— Je vous demandais ce que vous faisiez, répéta-t-il d'une voix calme en laissant glisser son regard sur ses lèvres.

— Ce que je faisais ?

Sourcils froncés, Gennie se força à revenir sur terre.

— Je… euh… voulais regarder comment vous vous y preniez pour… euh…

Il plongea de nouveau le regard dans le sien, et les pensées de Gennie s'éparpillèrent.

— Comment je m'y prends pour quoi ? insista Grant, ravi d'avoir réussi à susciter une confusion aussi manifeste.

Elle s'humecta les lèvres.

— Je voulais voir comment vous procédiez afin de pouvoir effectuer la réparation moi-même si la panne se reproduisait.

Pour la première fois depuis la veille au soir, Grant sourit — lentement, délibérément. Avec une sorte de calme insolence qui fit battre sauvagement le cœur de Gennie. C'était le genre de sourire qu'arborerait un barbare avant de jeter sa compagne sur une épaule et de la prendre au fond de sa grotte.

Elle retint son souffle jusqu'au moment où Grant se détourna posément pour se remettre à ses réparations. Avec un soupir de soulagement, Gennie fit un pas en arrière. Il s'en était fallu de peu.

A quoi elle échappait précisément, elle n'aurait su le dire. Mais une chose était certaine : il y avait eu du danger dans l'air.

— Vous pensez qu'elle va démarrer ?

Gennie interpréta comme une réponse positive le marmonnement indistinct qu'il émit de sous le capot.

— Je l'ai confiée à un mécanicien, il y a quelques semaines, précisa-t-elle en se rapprochant prudemment.

— Je pense qu'il faudra changer vos bougies bientôt. Si j'étais vous je demanderais à Buck Gates de jeter un coup d'œil.

— Buck Gates ? C'est le mécanicien de la station-service ?

Grant se redressa. Il ne souriait plus mais une lueur amusée pétillait dans ses yeux sombres.

— Il n'y a pas de station-service à la Pointe des Vents. Ici, quand on a besoin d'essence, on va au port et on pompe. Et en cas de problème mécanique, on appelle Buck Gates. C'est lui qui répare les bateaux des pêcheurs. Et un moteur est un moteur.

Ces dernières phrases furent prononcées avec l'accent du coin et l'ombre d'un sourire.

— Essayez de la faire démarrer, pour voir ?

Gennie se glissa au volant en laissant sa portière ouverte. Au premier tour de clé, le moteur se mit joyeusement en marche. Sans même lui laisser le temps de pousser un soupir de soulagement, Grant referma le capot avec un claquement sec.

Coupant de nouveau le contact, Gennie le rejoignit alors qu'il rangeait ses outils.

— Le cottage des Lawrence est à environ un kilomètre d'ici sur votre gauche, précisa-t-il en hissant la caisse sur la plate-forme arrière du pick-up. Impossible de le manquer, sauf lorsqu'on erre à pied, de nuit, en pleine tempête, avec une lampe de poche qui n'éclaire pas à deux mètres.

Gennie faillit sourire. Et pria ardemment pour que Grant Campbell ne la laisse pas sur une bonne impression. Elle aimait autant pouvoir continuer à le détester tranquillement.

— Bien. Donc a priori je ne devrais plus me perdre en chemin ?

— Aucun risque… Ah, juste une chose : évitez de mentionner que vous avez passé la nuit au phare, ajouta-t-il avec désinvolture en se retournant. Je tiens à ma réputation.

Cette fois, Gennie dut se mordre la lèvre pour ne pas sourire.

— Quel genre de réputation cherchez-vous à défendre, au juste ?

Grant s'adossa contre la portière du pick-up.

— Les villageois me considèrent comme un type plutôt bizarre. Un peu caractériel. Résolument sauvage. S'ils apprennent que je ne vous ai pas jetée dehors dans la tempête, l'idée pourrait se mettre à circuler que, finalement, je suis plus approchable qu'il n'y paraît.

Cette fois, ce fut plus fort qu'elle : Gennie rit doucement.

— Vous avez ma parole : je ne parlerai à personne de l'accueil chaleureux que vous réservez au voyageur en détresse. Et si, d'aventure, on me posait la question, je me ferais un plaisir de leur dire que vous êtes grossier, désagréable et globalement infréquentable.

— Merci.

Il se détournait pour remonter dans son camion lorsque Gennie sortit son portefeuille.

— Attendez. Je ne vous ai pas encore réglé pour…

— Laissez tomber.

Elle posa la main sur sa poignée.

— Je ne veux pas être redevable envers vous.

— Ça c'est votre problème. Bougez votre véhicule de là, vous bloquez le passage.

Exaspérée une fois de plus par le personnage, Gennie regagna sa voiture au pas de charge. Ainsi les villageois le trouvaient un peu étrange ? En vérité, il était même pire que ça. Ce type était un cas limite. Une personnalité antisociale ! Elle se glissa au volant et fit claquer sa portière. S'interdisant de regarder dans son rétroviseur, Gennie roula aussi vite qu'elle le put compte tenu de l'état de la route. Lorsqu'elle atteignit l'embranchement pour le cottage, elle obliqua sur sa gauche sans tourner la tête ni même faire un signe de la main.

— Adieu, Grant Campbell, marmonna-t-elle. Et au plaisir de ne jamais te revoir.

Oubliant son hôte ténébreux de la nuit, Gennie cahota sur quelques mètres à peine avant de découvrir le cottage. Elle fut instantanément sous le charme. La maison était petite mais de proportions harmonieuses et s'insérait à merveille dans le paysage. Gennie eut aussitôt la vision d'une femme en robe soigneusement repassée, les cheveux roulés en chignon, étendant son linge au soleil. Sur la petite galerie en façade, elle imagina un pêcheur au visage buriné sculptant un morceau de bois avec son vieux couteau de poche.

Le cottage avait été peint en bleu vif mais la couleur s'était affadie avec les années pour se muer en un gris bleuté très pâle. L'arrière de la maison donnait sur une petite anse. Un vieil embarcadère d'aspect branlant s'étirait au-dessus des eaux calmes. Un saule avait été planté près de la rive, mais le vent implacable l'avait plié et tordu sans pitié.

Gennie coupa le moteur et fut frappée par le silence. Un silence paisible, rasséréant, qui l'aiderait à vivre et à travailler. Et pourtant, inexplicablement, le vacarme de l'océan frappant la roche devant chez Grant lui manquait déjà.

« Ah non ! », se dit-elle. Elle s'était juré de ne plus penser à cet individu. Et elle avait pour principe de toujours tenir ses promesses. Gennie descendit de voiture et sortit un premier carton de provisions du coffre. Les quelques marches de bois menant à la porte craquèrent sous ses pas. La serrure résista un peu mais finit par céder. La première chose qui frappa Gennie fut la propreté des lieux. Des draps recouvraient les meubles pour les protéger d'une poussière dont on aurait cherché en vain la moindre trace. La « veuve Lawrence » devait revenir régulièrement pour faire un brin de ménage. Cette pensée émut et attrista Gennie à la fois.

Les murs étaient peints en bleu pâle. Des marques plus claires ici et là indiquaient les endroits où des tableaux avaient été accrochés. Gennie traversa la maison avec son carton de provisions et trouva la cuisine à l'arrière. Le plan de travail en Formica avait été récuré de près et l'évier étincelait de blancheur. Gennie entreposa ses conserves sur la table et sortit sur une petite terrasse de bois abritée par un store. La journée était chaude et humide, et l'odeur de l'océan imprégnait l'atmosphère.

Le sol peint en blanc de la terrasse était, lui aussi, d'une propreté parfaite. *Trop* parfaite, d'ailleurs. Comme si toute vie avait été effacée du cottage. Même l'écho des existences qui s'y étaient déroulées en avait été effacé par le zèle ménager de sa propriétaire. Gennie préférait encore le désordre et la poussière qui régnaient dans le phare de Grant. Là, au moins, on sentait une vie, une présence.

— Une présence, oui, marmonna-t-elle. Mais des présences comme celle-là, on s'en passe, franchement !

Gennie secoua la tête et repoussa résolument le « caractériel un peu sauvage » de ses pensées. Le cottage n'était plus vide désormais. Et bientôt une présence l'animerait : la sienne. Décidée à imposer sa marque, elle retourna à sa voiture et vida le coffre.

Comme elle voyageait avec le minimum de bagages et qu'elle était organisée par nature, Gennie mit moins de deux heures à investir son nouveau domaine. Les deux chambres à coucher étaient petites et une seule était meublée. En faisant le lit, Gennie découvrit que le matelas était en plume. Ravie, elle s'amusa comme une petite fille à se rouler dessus et à s'y enfoncer. Dans la chambre vide, elle stocka tout son matériel de peinture. Lorsque les draps furent retirés des meubles et qu'elle eut accroché quelques-unes de ses propres toiles au mur, elle commença à se sentir chez elle.

Pieds nus et satisfaite d'elle-même, Gennie sortit faire un tour et s'aventura sur l'embarcadère. Quelques lattes craquèrent ; d'autres lui parurent un peu branlantes. Mais l'ensemble restait tout à fait fiable. Si elle s'achetait une barque ou un petit bateau à moteur, elle pourrait naviguer dans la crique, trouver de nouveaux endroits pour peindre. Rien ne l'empêchait de prolonger son séjour pendant une partie de l'automne, après tout. Elle n'avait pas fixé de terme précis à son voyage et pouvait se laisser porter librement par ses envies du moment.

Gennie savait que tôt ou tard, les liens qui l'attachaient à La Nouvelle-Orléans la ramèneraient dans sa ville natale. Mais pour l'instant, la bougeotte qui s'était emparée d'elle six mois plus tôt ne s'était toujours pas calmée.

La bougeotte… Les yeux noyés de larmes, Gennie secoua lentement la tête. Ce n'était pas l'amour du voyage qui l'avait poussée à quitter la Louisiane, mais la culpabilité et la souffrance. Plus d'une année déjà s'était écoulée — très exactement dix-sept mois, deux semaines et trois jours. Et elle voyait toujours aussi distinctement le visage de sa sœur.

En soi, c'était peut-être une bénédiction que sa mémoire d'artiste continue à lui restituer les traits d'Angela avec une telle acuité. Mais si elle conservait volontiers l'image de la jeune fille, belle et rayonnante, une autre vision, insoutenable celle-là, surgissait par moments : celle d'une Angela au visage de cire, au corps brisé et sans vie.

Morte à cause d'elle, Gennie.

Ce n'est pas ta faute. Combien de fois ne lui avait-on pas répété ces quelques mots, comme une litanie ? « Tu n'y peux rien, Gennie. Tu n'as pas à te sentir coupable. »

Mais le volant, c'était elle qui le tenait. Si ses réflexes avaient été plus prompts, si elle avait prêté plus d'attention à la route, si elle avait simplement *tourné la tête* et vu arriver la voiture sur sa droite qui s'apprêtait à griller le feu rouge…

Mille fois, elle avait revu la scène et, mille fois, elle avait dû s'incliner devant l'horrible évidence : ce qui était fait était fait et elle aurait beau retracer inlassablement les trajectoires des deux véhicules dans sa tête, elle ne ramènerait pas Angela à la vie.

Les accès de culpabilité se faisaient plus rares, le retour des souvenirs moins fréquent, même s'ils restaient toujours aussi douloureux. Ce qui l'avait sauvée, au fond, c'était sa peinture. Son art était suffisamment exigeant pour la détourner d'elle-même. Et chaque fois qu'elle s'était sentie flancher, sa création l'avait ramenée du côté de la vie.

Dans l'ensemble, le long voyage qu'elle avait entrepris dans le Nord avait été positif. S'éloigner de La Nouvelle-Orléans où le souvenir d'Angela avait été partout présent lui avait permis d'avancer dans son processus de deuil. Et sur le plan artistique, elle avait réussi à se recentrer sur la création en laissant les futilités de côté.

Il avait fallu qu'elle prenne ses distances avec La Nouvelle-Orléans pour se rendre compte que l'aspect marchand de son art risquait de prendre le dessus chez elle. Expositions, vernissages et mondanités diverses avaient fini par absorber une part trop importante de son temps. A travers ses vagabondages en Nouvelle-Angleterre, elle était revenue peu à peu à l'essentiel : la gouache, l'acrylique, l'aquarelle, le fusain. Et puis la toile et le papier.

Rebroussant chemin, Gennie regagna le cottage à pas lents. Dans un sens, la mort brutale de sa sœur l'avait remise en face de la réalité. Une réalité difficile — parfois même cruelle — mais élémentaire et vitale. Même dans les moments d'intense douleur, il y avait au moins cette continuité : celle la terre et du vent, du soleil et de l'eau. De la pierre des murs. De l'humanité vivante. Et cette réalité intemporelle et solide avait pris tout naturellement sa place dans sa peinture.

C'était ainsi, à sa façon, que Gennie était passée peu à peu de la révolte à l'acceptation. L'acceptation de la vie et de la mort qui en faisait partie. Jusque-là, son style avait été marqué par un certain flou. Elle avait recherché la délicatesse de la nuance, la subtilité des demi-teintes. Son univers avait été onirique et tendre. Pas tout à fait réel, mais si crédible, malgré tout…

Depuis six mois, elle était attirée par le quotidien, l'élémentaire. La réalité n'était pas toujours belle à voir. Mais en elle se cachait une force dont Gennie apprenait à se nourrir.

Elle prit une profonde inspiration. Oui, elle peindrait cette anse paisible, cette douceur, ce silence assoupi. Plus tard. Mais maintenant, il lui fallait le défi et la puissance. Autrement dit, l'océan.

Gennie regarda sa montre. Midi. A cette heure, Grant était sûrement en mer avec ses casiers et ses filets, à rattraper le temps précieux qu'elle lui avait fait perdre. A priori, elle disposerait d'au moins trois bonnes heures pour dessiner le phare et ses environs. Et son ours mal léché de propriétaire n'en saurait strictement rien.

D'ailleurs, même s'il était rentré de sa pêche, quelle importance ? Une seule silhouette de peintre assise sur un rocher avec un carnet de croquis sur les genoux ne suffirait pas à gâcher ses horizons. Et comme elle travaillait en silence, il ne serait pas incommodé par sa présence. Au pire, il pouvait se boucler dans son phare et oublier son existence.

Et elle se ferait un plaisir de lui rendre la pareille.

Le studio de Grant occupait tout le second étage du phare. Il avait abattu les cloisons et bénéficiait d'un excellent éclairage naturel principalement orienté vers le nord. Ses instruments de travail étaient soigneusement triés et répartis dans de petits casiers fermés par des couvercles de verre. Tout était organisé et placé de façon stratégique. Pas un crayon à papier ne traînait sur le sol. Il y avait des pinceaux et des brosses, des gommes et des crayons, des stylos et des compas. A première vue, on aurait pu se croire dans le bureau d'un architecte.

Une grande feuille de papier vierge était déjà fixée sur sa planche à dessin. Sur le mur blanchi à la chaux face auquel Grant travaillait étaient accrochés un miroir ainsi qu'une copie encadrée de *L'Enfant jaune*, une bande dessinée vieille de plus d'un siècle. De l'autre côté de la pièce se trouvaient sa radio ainsi qu'un poste de télévision et des piles impressionnantes de magazines et de journaux. Tout était rangé, classé, à portée de main. La pièce entière témoignait d'un ordre auquel Grant était religieusement attaché lorsqu'il travaillait à ses esquisses de mise en page ou lorsqu'il griffonnait ses textes.

Ce matin-là, il procédait sans hâte, avec une nonchalance amusée. Mais il lui arrivait aussi d'œuvrer dans une véritable frénésie. Non pas à cause d'une date limite à respecter — il avait toujours en moyenne un mois d'avance sur ses délais — mais parce que son inspiration le bousculait par moments et que sa main n'était pas toujours assez prompte pour suivre le rythme de sa pensée.

De temps en temps, il prenait une semaine ou deux simplement pour lire, s'informer, laisser ses idées germer. D'autres fois encore, il se surprenait à travailler une journée et une nuit entière d'affilée, parce qu'il était lancé et que son imagination fonctionnait en accéléré, ne lui laissant aucun répit.

La veille, tard dans la nuit, il avait terminé son scénario en cours. Mais une nouvelle idée venait de se former dans l'esprit de Grant. Et il ne pouvait résister à la tentation de la mettre sur papier. Déjà, il avait quadrillé sa feuille, s'était livré aux préparations sophistiquées que nécessitait son « art ». Grant soignait toujours ses détails avec une précision maniaque, même si les lecteurs qui lisaient ses pages en quelques secondes ne leur prêtaient aucune attention.

Quand tout fut prêt, il commença à dessiner. Ou à crayonner, plutôt. Le « héros » de ses minibandes dessinées prenait vie en quelques traits. C'était un homme tout à fait ordinaire. Et Grant tenait à la banalité de ce personnage que, dix ans auparavant, sa sœur avait désigné comme étant son alter ego.

Macintosh était un homme comme les autres, donc, un soupçon débraillé, avec un regard toujours un peu surpris. Un individu comme on en croisait tous les jours dans la rue, sans signe distinctif particulier. Trop maigre, il n'atteignait jamais à l'élégance vestimentaire, même lorsqu'il faisait des efforts pour briller. Macintosh n'avait rien d'un héros et il se faisait exploiter plus souvent qu'à son tour. Mais malgré le côté peu spectaculaire du personnage, Grant y était attaché.

L'entourage de Macintosh était également constitué d'une équipe assez diversifiée d'hurluberlus en tout genre. Grant s'était plus ou moins servi des amis, des connaissances qu'il avait eus à l'université pour créer ses personnages secondaires. C'était des gens normaux qui faisaient des choses normales, de façon totalement inhabituelle et désopilante. Tel était l'angle d'approche humoristique que Grant avait choisi.

Macintosh était déjà une vieille connaissance. Grant l'avait conçu lorsqu'il était aux Beaux-Arts. Puis il l'avait remisé dans un placard et s'était concentré sur les « arts nobles ». Pendant trois ans, il s'était donné à fond à la peinture. Il avait exposé et même vendu, et la critique avait parlé de lui comme « d'un jeune talent, original et prometteur ». Mais il avait découvert que la caricature lui procurait infiniment plus de plaisir.

A la fin, Macintosh avait gagné. Grant l'avait ressorti du fond de ses armoires et, en l'espace de sept ans, son personnage avait conquis l'Amérique. Il était désormais diffusé tous les jours dans les principaux quotidiens d'un bout à l'autre des Etats-Unis. Avec une version spéciale en couleur dans les suppléments du dimanche.

Les gens jetaient un coup d'œil sur Macintosh en buvant leur café ou dans le métro. Parfois même au lit avant de se lever. Des millions d'Américains attaquaient ainsi leur journée avec une aventure de Macintosh.

Grant savait que son rôle était d'amuser et d'amuser vite. En quelques mots, quelques images simples, son idée devait passer. Son dessin du jour — un gag en une bande comprenant une succession de croquis en noir et blanc — occupait l'attention entre dix et douze secondes, faisait sourire et était aussitôt oubliée.

Grant ne se faisait aucune illusion. Il ne créait pas du durable, mais du fugitif, du passager. Ce qu'il faisait était éternellement à refaire. Il investissait des heures et des heures de travail pour un résultat destiné à être parcouru puis laissé de côté.

Mais obtenir quelques milliers de sourires fugaces tous les matins était sa tâche. Sa mission dans l'existence.

Et pour la mener à bien, il avait besoin — il *exigeait* — qu'on lui fiche la paix. Le public ne connaissait de lui que ses initiales. Son contrat spécifiait noir sur blanc que son nom ne serait jamais révélé. Le respect de son anonymat comptait autant pour lui que son revenu annuel. Et il n'avait jamais transigé sur ce point.

Toujours au crayon à papier, Grant dessina Macintosh pestant avec force. Les coups frappés à sa porte le dérangeaient dans sa nouvelle marotte : sa collection de timbres dont ses amis se moquaient tant et plus.

Deuxième plan : Macintosh ouvrait sa porte et se trouvait face à une superbe créature, mouillée et fulminante. La belle, avait visiblement un caractère exécrable. Grant n'eut aucune difficulté à dessiner Gennie. Et il le fit avec jubilation. La transformer en personnage de bande dessinée, c'était neutraliser la femme en elle — autrement dit, neutraliser le danger. Une fois sur papier, il pouvait faire d'elle ce qu'il voulait ; la rendre aussi vulnérable et ridicule que les autres figures qui peuplaient l'univers de Macintosh.

Il n'y avait pas de place pour une femme dans sa vie, mais il était toujours à la recherche de nouveaux personnages. Ces figures sur le papier lui obéissaient au doigt et à l'œil ; il pouvait décider de leurs paroles, de leurs gestes et même des expressions de leur visage.

Il la baptisa Veronica en songeant que ce prénom sophistiqué lui allait comme un gant. Délibérément, il accentua les grands yeux légèrement bridés, exagéra le volume de la bouche sensuelle. Macintosh étant domicilié à Washington et non sur la côte du Maine, Grant transforma la panne de voiture en un pneu crevé au retour d'une réception huppée à la Maison Blanche. Pour dessiner son Macintosh ébloui par Veronica, Grant grimaça dans le miroir et s'inspira de son propre reflet.

Il travailla ainsi pendant deux heures, peaufinant l'histoire, la situation, le cadre, la réplique finale. Après avoir changé le pneu et fait le beau, Macintosh se retrouvait couvert d'éclaboussures, avec un billet de cinq dollars dans la main et un bégaiement durable tandis que le cabriolet de la belle Veronica démarrait en trombe, en soulevant une gerbe de boue dans son sillage.

Grant se sentit nettement mieux lorsqu'il eut terminé. Il avait mis Gennie à la place qui lui convenait : au volant d'une voiture qui s'éloignait de façon définitive. Il ne lui restait plus maintenant qu'à retravailler ses dessins à l'encre. Et il aurait évacué sa belle visiteuse de façon définitive.

Détailler le lieu où vivait Macintosh était simple. Grant connaissait sa maison aussi bien que la sienne. Et pourtant, ses dessins — qui devaient suggérer beaucoup en un minimum de traits — exigeaient une grande précision. Toute la maigre patience dont il disposait, il l'investissait dans son travail. Si bien qu'il ne lui en restait aucune pour les autres aspects de sa vie. L'après-midi tirait à sa fin lorsqu'il s'accorda enfin une pause pour reposer ses doigts crispés.

Grant s'étira, massa les muscles noués de son dos et découvrit qu'il mourait de faim. Le petit déjeuner était déjà loin. Il avalerait le premier truc qui lui tomberait sous la main. Puis il s'accorderait une longue marche sur la plage. Il lui restait encore deux quotidiens à lire et quelques heures à passer devant la télévision pour s'informer. Mais en priorité, il avait besoin de bouger, de prendre l'air et de se vider la tête.

Frottant ses yeux fatigués, il se dirigea vers la fenêtre. Sa main retomba d'un coup et il se pencha pour mieux regarder.

— Bon sang ! murmura-t-il entre ses dents serrées. Alors là, elle exagère.

Si encore il s'agissait d'un de ces touristes occasionnels qu'il devait parfois chasser de son territoire ! Quelques paroles cinglantes suffisaient à les éloigner de façon définitive.

Mais même de cette hauteur, il reconnaissait cette voluptueuse chevelure noire comme l'ébène.

Veronica était bel et bien partie ce matin au volant de sa voiture. Mais elle n'avait même pas attendu vingt-quatre heures pour opérer un retour fracassant…

3.

Quel que soit l'angle de vue ou la lumière, le lieu était une pure splendeur. Gennie avait déjà une demi-douzaine d'esquisses dans son carnet et elle savait qu'elle n'avait pas encore épuisé toute la beauté de cette avancée rocheuse prise en étau par l'océan. Plus elle regardait, plus elle était émerveillée par les mille nuances de la roche, par la clarté du ciel, par le mouvement de l'eau. Mais le phare aussi avait sa fonction dans ce paysage. Il était beau dans sa blancheur, sa rondeur, sa solidité indomptable.

Le phare de Grant symbolisait l'œuvre de l'homme face aux éléments. Si l'océan était puissant, l'homme était tenace. Et les deux forces en présence s'affrontaient, se conjuguaient et atteignaient à l'équilibre.

Gennie avait perdu la notion du temps. Depuis des heures qu'elle était assise là, rien n'était venu troubler le calme souverain qui régnait entre ciel, terre et océan. Alors qu'à La Nouvelle-Orléans, il lui était devenu très difficile de peindre en extérieur sans être dérangée par des curieux ou des amateurs d'art.

Il était rare qu'elle puisse aller quelque part désormais sans être reconnue. Même lorsqu'elle tentait de s'isoler dans le bayou, elle finissait par être repérée et suivie. Si bien qu'elle peignait de plus en plus souvent dans son atelier pour avoir la paix. Les six mois écoulés lui avaient redonné une liberté qu'elle avait oubliée : celle de l'anonymat.

Envahie par une sensation de paix profonde, elle crayonnait dans un état second, à mi-chemin entre concentration et rêverie. Et elle n'aspirait à rien d'autre au monde qu'à continuer ainsi, toujours.

— Qu'est-ce que vous me voulez encore ?

Mentalement préparée à une réaction de ce type, Gennie réussit à ne pas sursauter. Comme le bateau de pêche de Grant était toujours amarré à son ponton, elle en avait déduit qu'il devait se trouver dans les parages. Mais elle avait décidé de ne pas se laisser chasser comme une malpropre par l'irascible propriétaire du phare. En tant qu'artiste, elle se sentait le droit d'investir le lieu pour peindre. L'exigence à laquelle elle obéissait dépassait sa simple personne, après tout.

Songeant qu'il ne prenait pas son métier de pêcheur très au sérieux, elle se tourna lentement vers Grant. Et constata, sans grande surprise, qu'il était furieux une fois de plus. A croire que M. le Sauvage du Phare vivait dans un état de colère permanent. A part cela, il était fait pour cette existence rude, exposée au soleil et au vent, conclut-elle en plissant les yeux pour l'examiner d'un regard froidement professionnel. Peut-être prendrait-elle le temps de faire un croquis ou deux de lui, si elle avait quelques minutes à perdre.

— Bonjour, lança-t-elle en levant fièrement la tête.

Qu'elle le mesure ainsi du regard aurait pu amuser Grant en d'autres circonstances. Mais là, il n'avait qu'une envie : la pousser de son rocher et l'envoyer valser dans les airs jusqu'en bas sur la plage. Tout ce qu'il voulait c'était qu'elle s'en aille, et vite. Avant qu'il ne cède à la tentation de la prendre dans ses bras.

— Je vous ai demandé ce que vous vouliez.

— Oh, rien du tout, soyez sans crainte. Je fais juste quelques ébauches préliminaires… Vous pouvez retourner vous enfermer dans votre tour et continuer à vaquer à vos occupations, déclara-t-elle avec un dédain suave en concentrant de nouveau son attention sur l'océan.

Ainsi Madame lui signifiait son congé ? Grant vit rouge. Donner des ordres à des subalternes était apparemment sa grande spécialité. Et elle le faisait avec une assurance confondante.

— Vous vous trouvez sur une propriété privée.

— Ah oui ?

L'idée de la balancer du haut du rocher devenait décidément très tentante.

— Autrement dit, vous êtes en infraction.

Gennie lui jeta un regard indulgent par-dessus son épaule.

— Vous n'avez encore jamais songé à mettre une clôture électrique ? Ou à hérisser une palissade haute de trois mètres ? Ça limiterait un peu vos horizons, mais vous seriez certain de ne jamais voir personne.

Tout en faisant aller et venir son crayon sur le papier avec des gestes rapides et sûrs, elle poursuivit aimablement :

— Cela dit, je comprends parfaitement que vous ayez envie de préserver votre coin de paradis, Grant. Mais je vous promets de respecter votre environnement. Je ne laisserai ni mégots ni cannettes ni sacs plastiques derrière moi.

Elle lui parlait du ton gentiment apaisant dont use un adulte face à un enfant pénible. Grant était sur le point de l'agripper par les cheveux et de la soulever ainsi de son rocher, lorsque son regard tomba sur le crayon et la feuille de papier. Ravalant le juron qu'il avait au bord des lèvres, il se pencha pour mieux regarder.

Gennie ne savait pas seulement dessiner : il avait sous les yeux l'œuvre d'une artiste de talent. Elle ne restituait pas que des lignes et des courbes, mais le mouvement même du paysage. Autre point important : elle n'avait pas cherché à maquiller la réalité du lieu sous le masque d'une beauté paisible. Tout n'était que heurts et ruptures, puissance en mouvement. Elle avait su capter la rudesse et la simplicité. Et toute la force des éléments en présence.

Grant fronça les sourcils. Mais pas de colère cette fois. Il était tout simplement fasciné. Gennie n'avait ni le style ni les mains d'un simple peintre amateur. Il attendit en silence qu'elle ait terminé, puis il lui prit le carnet des mains.

— Hé ! protesta Gennie, prête à se ruer sur lui pour récupérer son bien.

— Taisez-vous cinq minutes, O.K. ?

Elle obéit mais seulement lorsqu'elle comprit qu'il n'avait pas l'intention de jeter son travail à l'eau. Se rasseyant sur son rocher, elle regarda Grant tourner les pages de son carnet une à une. De temps en temps, il s'attardait sur une esquisse qu'il prenait le temps d'examiner plus longuement.

Gennie nota que les yeux de Grant étaient plus sombres que jamais. D'un geste impatient, il repoussa les cheveux que le vent ramenait devant ses yeux. Un pli de concentration barrait son front. Ses lèvres étaient serrées, son expression attentive, comme s'il était en train de se former un jugement.

Voir ses œuvres soumises au regard critique d'un marin pêcheur solitaire du fin fond du Maine aurait dû la frapper comme un épisode comique. Mais Gennie ne riait pas en l'occurrence. Elle ressentait la même tension au niveau des tempes, le même nœud dans l'estomac que lorsqu'elle préparait une exposition importante.

Levant les yeux du carnet d'esquisses, Grant scruta longuement le visage de la jeune femme assise devant lui. Seul le bruit régulier du ressac et le tintement clair des bouées s'élevaient dans le silence. Voilà donc pourquoi les traits de Gennie lui avaient paru vaguement familiers. Mais les photos qu'il avait vues dans la presse ne la montraient pas à son avantage. Elle était infiniment plus belle en réalité.

— Grandeau, murmura-t-il enfin. Vous êtes Genviève Grandeau.

En d'autres circonstances, Gennie n'aurait pas été particulièrement surprise qu'on reconnaisse son style pictural. A New York, dans le milieu artiste, en Californie ou à Atlanta, elle jouissait d'une assez grande notoriété. Mais ici ? A la Pointe des Vents ? Alors qu'il se basait non pas sur un de ses tableaux, mais sur de simples croquis préliminaires ?

— Comment avez-vous deviné ? s'exclama-t-elle, intriguée.

Il tapota le carnet avec sa paume.

— Votre technique. Votre style… Qu'est-ce que la crème de La Nouvelle-Orléans fait ici, à la Pointe des Vents ?

L'ironie du ton blessa Gennie.

— Je prends une année sabbatique, répondit-elle sèchement en tendant la main pour qu'il lui rende son bien.

Mais Grant ne semblait pas pressé de le lui restituer.

— C'est assez surprenant de trouver une artiste de votre genre dans un coin reculé comme celui-ci. Vous êtes tout sauf un peintre ombrageux et solitaire, Genviève Grandeau. On voit d'ailleurs régulièrement votre nom à la page mondaine des journaux et des magazines. Vous n'étiez pas fiancée à un comte italien, l'année dernière ?

— Pas un comte, non, un baron. Et nous n'étions pas fiancés… Vous vous changez les idées entre deux sorties en mer en lisant la presse à scandale, Grant ?

La lueur de colère dans ses yeux verts amusa Grant.

— Je suis un lecteur assidu de pas mal de journaux, en fait. Quant à vous, vous vous débrouillez pour figurer dans le New *York Times* à peu près aussi souvent que vous apparaissez dans les tabloïdes.

Gennie secoua la tête avec une royale arrogance.

— Voyez-vous, Grant, pour moi, le monde se divise en deux catégories de personnes. Il y a les gens qui vivent *vraiment* et ceux qui se contentent de regarder les autres exister.

— Apparemment, tout le monde aime vous regarder exister, Genviève. Les paparazzi vous adorent.

Grant glissa les pouces sous sa ceinture et ne put s'empêcher de sourire. De nouvelles idées pour Veronica se pressaient dans sa tête. Il semblait inévitable désormais qu'elle revienne persécuter Macintosh sur quelques épisodes supplémentaires.

Gennie tapota le rocher de la pointe de son crayon.

— Il faut bien que les journalistes gagnent leur vie, eux aussi.

— A ce propos, il me semble me souvenir d'un combat en duel qui se serait déroulé en Bretagne, il y a quelques années.

Un sourire inattendu éclaira les traits de Gennie.

— Si vous croyez ce genre d'idioties, c'est que vous êtes très crédule.

— Vraiment ? rétorqua Grant, séduit par la spontanéité de sa réaction. Et moi qui pensais que tous vos amants éblouis étaient prêts à s'entretuer pour vous.

— Oui, c'est cela, bien sûr. Et je peux vous vendre une parcelle de terrain sur Mars aussi, pendant que vous y êtes. Surtout, signez votre chèque sans tarder, elles sont en promotion.

Grant décida qu'il était plus sûr de continuer à la taquiner que de se concentrer sur son sourire. Ce dernier lui donnait très sérieusement le tournis.

— N'essayez pas de changer de sujet… Il me semble qu'avant le comte, il y avait un metteur en scène célèbre, non ?

— Le baron, rectifia patiemment Gennie. Le comte auquel vous pensez était français. Il a été un des premiers à défendre mon œuvre.

— Vous avez eu une vaste sélection de… défenseurs.

— Et vous, vous avez l'air particulièrement bien informé, rétorqua-t-elle, amusée. Vous êtes amateur de peinture ou de potins mondains ?

— Les deux, répondit-il sans hésiter. Mais maintenant que j'y pense, cela fait un bon moment que je ne lis plus rien à votre sujet. Apparemment, vous vivez votre congé sabbatique dans la plus grande discrétion. La dernière fois que j'ai lu votre nom dans la presse, c'était… voyons voir…

Grant se tut brusquement. Il aurait mieux fait de réfléchir avant d'ouvrir la bouche. Tous les détails lui revenaient, à présent : l'accident de voiture qui avait coûté la vie à sa sœur — la très belle photo de Genviève Grandeau, prise à son insu au moment de la mise en bière. Même le voile qu'elle portait n'avait pu cacher entièrement son visage dévasté par le chagrin.

Gennie le regardait sans sourire. Son expression était absente, étrangement placide.

— Je suis désolé, dit-il.

Elle sentit ses jambes se dérober. Ces mots-là, elle les avait entendus des milliers de fois, pourtant. Mais la sincérité avec laquelle ils avaient été prononcés la touchait au cœur même de son chagrin. Il était étonnant que les mots d'excuse d'un parfait inconnu l'affectent à ce point.

— C'est sans importance, murmura-t-elle.

Le vent sur son visage était si frais, si vivant. Ce n'était pas le lieu pour s'appesantir sur un deuil. Elle penserait à Angela plus tard, lorsqu'elle serait seule, dans le silence du cottage. Ici, elle pouvait respirer profondément et sentir la puissance de l'océan se communiquer à elle.

— Ainsi vous passez tout votre temps libre à lire les faits divers et à vous régaler de potins. Pour quelqu'un qui s'intéresse au monde, vous avez choisi un drôle de lieu pour vivre.

Grant fut impressionné par la rapidité avec laquelle elle avait réussi à se ressaisir et à dominer son émotion. Elle était forte — beaucoup plus forte qu'elle n'en donnait l'impression.

— Les gens m'intéressent, c'est vrai. Mais de loin.

Un sourire malicieux joua sur les lèvres de Gennie.

— Vous ne les aimez pas vraiment, autrement dit. Vous vivez en reclus. Dans quelques années, on dira de vous que vous êtes bourru.

— Il faut être vieux pour être « bourru ».

— C'est vous qui le dites. Aucun dictionnaire ne le précise, que je sache.

— Certaines lois sont tacitement admises.

— Vous ne me paraissez pas être le genre de personne à vous soucier des lois, Grant Campbell.

— Ça dépend si elles m'arrangent ou non.

Gennie rit doucement puis son regard tomba sur le carnet d'esquisses.

— Vous ne m'avez pas dit ce que vous pensiez de mes dessins ?

Sa question parut amuser Grant.

— Un peintre de votre niveau se soucie-t-il encore de l'opinion des amateurs ?

— Si je vous le demande…

Grant prit le temps de la regarder longuement avant de répondre :

— Votre travail est toujours très personnel, très attachant. Il se passe très bien de la publicité tapageuse qui est faite autour.

— De votre part, je considère qu'il s'agit d'un compliment. Allez-vous m'accorder librement la permission de venir peindre ici ? Ou faudra-t-il que je me batte pied à pied pour l'obtenir ?

Grant fronça de nouveau les sourcils. Gennie nota, amusée, que cette expression lui était tellement habituelle que le pli en restait inscrit sur son front en permanence.

— Pourquoi ici, précisément ?

Gennie soupira.

— Et moi qui commençais à penser que vous étiez réceptif.

D'un geste large du bras, elle désigna l'espace autour d'elle.

— Faut-il vraiment que je vous précise pourquoi ? Si vous aimez la peinture, vous connaissez la raison aussi bien que moi, Grant. Il y a quelque chose ici qu'on ne trouve pas ailleurs. Une force qui a à voir avec la mort et avec la vie — un bouillonnement qui est à la fois guerre et paix. Cela, je peux le capter, le mettre au moins en partie sur le papier, sur la toile. Et si je peux le faire, cela devient une nécessité, vous comprenez ? De toute façon, je serai poussée à revenir. Ce sera plus fort que moi.

— La dernière chose que je souhaite voir ici, c'est une nuée de reporters flanqués de quelques nobles européens en exil.

Gennie haussa un sourcil à la fois hautain et amusé. Grant songea qu'à sa place, le pauvre Macintosh serait déjà tombé à genoux. Elle avait une façon de le regarder de haut qui suscitait en lui une envie presque irrépressible de la faire rouler sous lui à même le sol pour lui montrer qu'il était homme et qu'elle était femme. Et rien de plus.

— Cela m'ennuie pour vous que vous croyiez si aveuglément à tout ce qui se dit dans la presse, susurra-t-elle de sa voix de velours. Mais je peux vous donner ma parole que je ne rameuterai pas mes chers amis, les paparazzi. Je m'engage même à renoncer à la demi-douzaine d'amants que vous semblez vouloir m'attribuer à tout prix.

— A tort, vous voulez dire ?

Elle soutint froidement son regard.

— Ça, c'est mon problème, pas le vôtre. En revanche, je suis prête à signer un contrat en lettres de sang — votre sang de préférence — et à vous verser une somme en dédommagement puisqu'il s'agit de votre phare. Mais je peindrai ce lieu, avec ou sans votre coopération.

— Le droit à la propriété privée ne semble pas être un concept très parlant pour vous, Genviève Grandeau.

— Et les droits fondamentaux de l'artiste, vous vous en souciez ?

A la grande surprise de Gennie, il éclata de rire. Sous le charme, elle laissa le son joyeux résonner en elle. Grant avait un très beau rire. Très masculin. Très troublant, aussi.

— Contrairement à ce que vous pensez, je me soucie beaucoup des droits fondamentaux des artistes.

— Tant qu'ils ne se mettent pas en travers de votre chemin, c'est ça ?

Grant poussa un soupir de frustration. Elle avait touché la corde sensible en lui. Il se sentait trop solidaire de son art pour la chasser froidement de chez lui.

— Allez-y, peignez, acquiesça-t-il, conscient qu'il allait regretter sa décision. Mais évitez de traîner dans mes pattes, d'accord ?

Avec un léger sourire, Gennie se percha de nouveau sur son rocher.

— C'est entendu. Ce que je veux, c'est votre falaise, votre maison, votre océan… Mais vous n'avez rien à craindre personnellement, Grant. Je n'ai pas de visées sur vous.

C'était de la provocation pure et simple. Et ils le savaient l'un et l'autre. Mais Grant n'en mordit pas moins à l'appât.

— Vous ne me faites pas peur, Genviève.

— Vraiment ?

« A quel jeu joues-tu ? » se demanda-t-elle, effarée. Mais c'était plus fort qu'elle. Il la prenait pour une séductrice grand teint, une dévoreuse d'hommes. Alors pourquoi ne pas lui en donner pour son argent ?

Debout sur son rocher, elle le dépassait de quelques centimètres. Laissant perler un rire plus léger que le tintement des bouées au loin, elle posa les mains sur ses épaules et plongea son regard dans le sien.

— Ainsi je vous laisse de marbre, Grant ? Comme c'est étonnant… J'aurais pourtant juré que je vous faisais un certain effet. Je me trompe donc à ce point ?

Il réprima fermement l'élan de désir que suscita sa question. Elle le narguait, le provoquait. Et elle finirait par gagner s'il n'y prenait pas garde.

— Désolé de vous décevoir, mais l'attirance, ça ne se commande pas. Vous n'êtes pas mon type.

Une irrésistible lueur de colère scintilla dans les yeux verts de Gennie.

— Et vous en avez un, de type, au moins ?

— Bien sûr. J'aime les femmes plus douces, plus calmes. Et moins agressives, surtout, mentit-il effrontément.

Gennie faillit le gifler.

— Je vois. Vos amies, vous les préférez muettes. Et du genre qui ne réfléchit pas trop, surtout.

— L'intelligence ne me dérange pas chez une femme. Au contraire. Mais j'aime qu'elle sache se laisser désirer. Je suis sensible à la blondeur, aux peaux claires, à une féminité moins ostentatoire que la vôtre… Non, je n'ai aucun mal à résister à vos charmes, Genviève.

Là encore, il s'agissait d'une provocation. Mais Gennie tomba tête première dans le panneau.

— Ah tiens… Vérifions, cela.

Elle se pencha sur les lèvres de Grant sans se donner le temps de réfléchir aux conséquences.

Les mains que Grant tenait enfoncées dans ses poches se serrèrent jusqu'à former des poings. Au contact de la bouche de

Gennie contre la sienne, sa réaction fut immédiate et explosive. Et l'onde de choc refusait de se dissiper.

S'il la serrait contre lui, maintenant, il était perdu. Il mit toute sa volonté à résister à la tentation de l'arracher de son rocher et de la prendre sur place. Mais il ne parvint à se soustraire à ses manœuvres de séduction pour autant. Incapable de faire un pas en arrière pour s'en aller, il sentit la bouche de Gennie glisser sensuellement sur la sienne. Les fantasmes les plus échevelés se bousculaient dans sa tête. Il en oubliait qui il était et où il se trouvait.

« La sorcière ! » pesta-t-il, conscient que ses pensées s'embrumaient dangereusement. Depuis le début, il avait vu juste à son sujet. Il sentit le sol basculer lentement sous ses pieds ; le rugissement de l'océan s'intensifia au point d'occuper l'intégralité de son champ sonore. Tous ses sens étaient envahis par Gennie et rien que par Gennie. Il baignait dans un lit de saveurs chaudes, mystérieuses, épicées, féminines. Subtiles et pénétrantes. Pendant une fraction de seconde, ce fut comme si une porte s'entrouvrait pour lui sur un univers inconnu. Il se vit franchir le seuil, dépasser les frontières de la perception ordinaire. Accéder à quelque chose dont les hommes ignoraient tout et que les femmes comprenaient peut-être.

Juste au moment où il allait se laisser emporter par une sorte de grand flux cosmique, Grant revint à lui-même. Il sentit son corps se crisper comme si on lui avait tiré une balle dans le ventre. Et il comprit qu'il venait de traverser quelques instants de vulnérabilité absolue.

Gennie, elle, se rejeta en arrière comme sous l'effet d'un choc électrique. Grant sentit ses mains trembler sur ses épaules. Elle avait les yeux écarquillés et ses lèvres entrouvertes exprimaient une stupéfaction éperdue.

— Il… il faut que je file, bégaya-t-elle sous le choc.

Oubliant son carnet de croquis, elle descendit de son rocher et se prépara à battre fort peu glorieusement en retraite. Elle n'avait plus qu'une hâte : se retrouver seule dans sa voiture.

Mais Grant la saisit sans ménagement par le bras et la fit pivoter vers lui. Il respirait vite — très vite — et son regard était étrangement fixe.

— Je me suis trompé. Finalement, j'ai beaucoup de mal à résister à vos charmes, Genviève.

« Mon Dieu, qu'ai-je fait ? » se demanda Gennie, saisie de panique. Comment avait-elle pu prendre l'initiative de déclencher ce raz-de-marée ? Elle en tremblait, elle qui ne tremblait jamais. De peur ? Oui, plus que de peur, même : de terreur. Affronter la tempête et l'obscurité ne l'effrayait plus. Ce n'était rien comparé à ce qui se passait là.

— Ecoutez, Grant, je… je crois que nous ferions mieux de… de ne pas…

— Je le crois tout aussi fermement que vous, Gennie, murmura-t-il en l'enveloppant dans ses bras. Mais c'est trop tard maintenant. Il aurait fallu y réfléchir avant.

Avant même qu'il ait fini de parler, sa bouche couvrit la sienne. Une bouche dure, impérieuse, exigeante. Si exigeante que Gennie se sentit emportée, dévorée, en danger d'anéantissement. Comment avait-elle pu s'imaginer comprendre quoi que ce soit au feu, aux flammes, à l'ardeur, à la passion ? Les traduire sur une toile n'était rien comparé à ces turbulences qui faisaient reculer les frontières mêmes de son être.

C'était comme si quelque chose de Grant se déversait en elle, parcourait vaisseaux et capillaires pour se déposer au cœur même de ses cellules. Par quelle mystérieuse alchimie il s'insinuait en elle, Gennie n'aurait su le dire, mais rien ne prouvait qu'elle parviendrait un jour à se libérer d'une pareille emprise.

Levant les mains pour le repousser, elle l'attira plus étroitement contre elle. Les doigts de Grant se perdaient dans ses cheveux, s'y agrippaient sans douceur. Les forces élémentaires de la falaise, de l'océan, du vent s'étaient emparées d'eux et régnaient sans partage. Lorsqu'il lui tira la tête en arrière, ses lèvres s'entrouvrirent, sa langue se mêla à la sienne.

Ce qu'elle trouvait là, dans les bras de Grant, ne l'avait-elle pas cherché toute sa vie ? Cette libération, cette brûlure, ce désir qui l'écorchait vive ? Jamais elle ne s'était sentie remplie ainsi d'un autre être au point d'oublier qu'il existait autre chose au monde que cet homme, ces bras, cette bouche. Elle avait pressenti ce pouvoir chez Grant. Mais en faire réellement l'expérience, découvrir une puissance qui rendait faible, et une faiblesse qui vous rendait forte, c'était basculer dans un univers où elle n'avait plus aucun repère.

La peau râpeuse de Grant frotta contre la sienne, suscitant une douleur intime qui la fit gémir de plaisir. Et leurs bouches affamées se cherchèrent de plus belle.

« Laisse-toi aller. » L'ordre monta de quelque part au fin fond d'elle-même. Et Gennie s'autorisa à sentir, à lâcher. Le cri des mouettes qui avait perdu sa mélancolie sonnait comme un chant d'allégresse. Et l'océan continuait à frapper rythmiquement la terre, comme s'il la prenait dans un déferlement d'orageuse passion.

Gennie tanguait, tanguait. Le bord de la falaise n'était pas loin. Un pas, deux pas, et elle basculerait par-dessus bord pour partir dans le vide. Et même si la chute devait être dure, ces quelques secondes de liberté absolue ne justifiaient-elles pas tous les risques ? Elle poussa un soupir qui était à la fois de triomphe et de défaite.

Grant jura et le son étouffé mourut sur les lèvres de Gennie juste avant qu'il ne trouve la force de s'écarter d'elle. Le piège qu'il s'était promis d'éviter à tout prix, il venait de tomber dedans, comme un débutant. Il avait mordu à l'hameçon, comme le premier poisson stupide venu, et maintenant qu'il était ferré, comment s'extirper de cette dangereuse folie ?

Baissant les yeux, il regarda Gennie. Un air de douceur flottait sur ses traits, elle avait les joues rosies, les lèvres humides et gonflées, et ses paupières étaient encore mi-closes.

Vulnérable en apparence, certes. Mais il savait que cette fragilité même était dangereuse. Il la voyait scintiller dans ses yeux verts, la petite lueur de triomphe qui signait le pouvoir immémorial de la femme.

Furieux, il la foudroya du regard.

— J'ai envie de vous, oui. Il se pourrait même que je vous prenne. Mais ce sera quand et où je voudrais, vous m'entendez ? Lorsque *je* serai prêt. Si c'est à des petits jeux de pouvoir que vous voulez jouer, contentez-vous de vos barons et de vos comtes.

Grant pivota sur ses talons et s'éloigna à grands pas. Muette de stupéfaction, Gennie le suivit des yeux jusqu'à ce qu'il eût disparu à l'intérieur du phare. C'était donc tout ce que leur baiser avait représenté pour lui ? Un jeu comme n'importe quel homme pouvait en jouer avec n'importe quelle femme ? Juste une flambée de désir anonyme ? Il n'avait pas ressenti comme elle ce vertige proche de la douleur qui parlait d'intimité, d'unité, de destin ?

Comment pouvait-il lui balancer ses comtes et ses barons à la figure, après ce qu'ils venaient de vivre ?

Les yeux clos, Gennie passa une main tremblante dans ses cheveux. Quelle idiote elle faisait ! Elle était à côté de la plaque, bien sûr. Affabulant et rêvant tant et plus. Il n'y avait pas d'unité possible entre un homme et une femme qui n'étaient rien l'un pour l'autre. Et l'intimité qu'elle avait cru déceler n'était rien de plus qu'une banale excitation physique. Elle avait toujours été ainsi faite : de l'insignifiant, elle cherchait à faire de l'extraordinaire, parce qu'elle était une rêveuse à l'imagination fertile.

« Oublie-le. Laisse-le s'enfermer dans sa solitude grincheuse. Concentre-toi sur ta peinture. » Gennie se baissa pour récupérer son carnet d'esquisses et son crayon et se dirigea vers sa voiture en se forçant à ne pas regarder en arrière.

— C'est à cause du contexte que tu as perdu la tête, espèce de bécasse, marmonna-t-elle en se glissant au volant. Cet élan de passion ne vient pas de ton gardien de phare, mais de la fabuleuse énergie qui se dégage des lieux.

Les mains de Gennie tremblaient toujours lorsqu'elle atteignit le cottage. Elle inspira l'air calme et serein, écouta le silence, suivit des yeux le vol des hirondelles qui regagnaient leur nid. La lumière était douce et endormie, l'atmosphère agréablement lénifiante.

C'était cela qu'elle devrait capter sur le papier au lieu de se frotter aux turbulences de l'océan, aux hurlements du vent, à l'âpre résistance de la roche. Pourquoi ne resterait-elle pas ici, près du cottage, pour se laisser imprégner par la paix des eaux immobiles ? Lancer un défi à la nature la plus féroce, n'était-ce pas se condamner à y succomber corps et âme et à ne plus jamais s'en relever ?

Soudain écrasée par la fatigue, Gennie descendit de voiture et déambula jusqu'au ponton. Parvenue à l'extrémité du débarcadère, elle s'assit, les jambes pendant dans le vide, et regarda le soleil chuter lentement sur l'horizon. Le souvenir des lèvres de Grant sur les siennes restait présent — trop présent, même. Jamais elle n'avait connu d'homme qui embrassait ainsi, avec tant de force et de vulnérabilité à la fois.

Cela dit, elle était loin d'avoir l'expérience que Grant lui prêtait en la matière. Elle n'était pas solitaire, loin de là. Elle avait quelques bons amis et un vaste réseau de relations. Mais tout ce qu'elle faisait, en vérité, était lié de près ou de loin à sa peinture.

70

Elle appréciait les à-côtés de son succès. Après des semaines d'enfermement et de travail acharné, elle ne voyait pas d'inconvénient à être entourée, reconnue, et même un peu encensée. L'image plutôt bohème que la presse avait donnée d'elle l'amusait. Que la vocation de l'artiste soit solitaire, elle en faisait chaque jour l'expérience. Alors pourquoi ne pas goûter aux côtés glamour de sa vocation lorsque l'occasion se présentait ?

Il y avait même des moments où la Genviève imaginaire que décrivaient les reporters lui montait à la tête. Des moments où elle était tentée de se confondre avec le personnage. Mais la fascination ne durait jamais très longtemps. Dès qu'elle se bouclait de nouveau dans son atelier, elle oubliait la mondaine et redevenait peintre à part entière.

Que diraient les paparazzi qui lui attribuaient une si belle collection d'amants s'ils apprenaient que Genviève Grandeau, artiste célébrée, enfant du grand monde et chouchou des médias, était encore vierge à vingt-six ans ?

Avec un léger rire, Gennie se renversa en arrière pour se placer en appui sur les coudes. Elle avait été mariée à sa peinture si longtemps qu'un amant lui avait toujours paru superflu. Jusqu'au moment où… Le premier réflexe de Gennie fut de refouler la pensée qui se formait. Mais elle se traita mentalement de lâche et alla jusqu'au bout de sa prise de conscience.

Elle n'avait jamais ressenti le besoin d'avoir un amant jusqu'au moment où elle avait rencontré Grant Campbell.

Le regard renversé vers le ciel où apparaissaient les premières étoiles, elle laissa remonter en bloc les sensations, le vertige, les aspirations que Grant avaient libérées en elle. Elle aurait fait l'amour avec lui sans une hésitation.

Et il l'avait rejetée.

Non, c'était pire que cela même. Le rejet était douloureux, humiliant, mais acceptable. Tandis que Grant l'avait repoussée

avec une hautaine arrogance, comme si ce qu'elle lui avait offert
était parfaitement méprisable.

Il avait dit qu'*il* la prendrait lorsqu'*il* serait prêt à le faire.
Comme s'il était en face d'une pochette surprise !

Gennie plissa les yeux de fureur. Grant Campbell allait voir ce
qu'il allait voir. Se levant d'un bond, elle retourna à grands pas
vers le cottage. On ne rejetait pas Genviève Grandeau comme si
elle n'était qu'un objet de consommation courante. C'était des
« petits jeux » qu'il voulait ? Parfait. Il allait en avoir.

4.

— Si cette espèce de reclus acariâtre pense avoir réussi à me chasser, je lui réserve une belle surprise !

Dans un grand déchaînement de fureur matinale, Gennie acheva de rassembler son matériel de peinture. Elle n'était pas du genre à se laisser rejeter par qui que ce soit. Et surtout pas par ce sauvage arrogant et stupide.

— Grant Campbell, tu peux te préparer à m'avoir sur les bras encore un bon moment ! fulmina-t-elle. Je ne partirai que lorsque je jugerai bon de m'en aller. Et en attendant, tu vas t'apercevoir de ma présence.

Pour commencer, elle peindrait ce qu'elle avait à peindre, bien sûr. Son art passait en priorité. Mais pendant qu'elle serait là-bas, elle en profiterait pour donner une petite leçon à cet imbécile de marin pêcheur imbu de sa personne. Et Dieu sait qu'il la méritait. Repoussant les cheveux qui lui tombaient sur les yeux, Gennie ferma bruyamment le couvercle de sa boîte de peinture.

Ainsi, il pensait qu'elle voulait jouer à des « petits jeux ». Eh bien, il allait en découvrir toute une gamme. Et elle se chargeait de fixer les règles.

Gennie avait passé vingt-six ans de sa vie à regarder sa grand-mère faire tourner la tête des hommes. Avec un sourire affectueux, elle songea que son ancêtre était au fond une maîtresse femme. A presque soixante-dix ans, sa grand-mère vibrait encore d'énergie et de charme. Et elle continuait à obtenir ce qu'elle voulait des hommes. Qu'ils aient sept ou soixante-dix-sept ans.

Elle aussi était une Grandeau. La séduction, elle avait ça dans le sang.

— Il a l'intention de me « prendre » n'est-ce pas ? Mais seulement quand il sera prêt à le faire ?

Gennie en aurait hurlé d'indignation. De plus en plus furieuse, elle prit une blouse de peintre et la fourra dans un panier. Tout en se jurant qu'elle ne partirait pas de ce phare avant d'avoir vu Grant Campbell ramper comme un cloporte à ses pieds !

La colère qui l'avait tenue éveillée la moitié de la nuit avait effacé les souvenirs éblouis qu'elle avait conservés de leurs baisers. Oubliés aussi le désir, l'émotion, la violente bouffée de passion. La rage était tellement plus gratifiante que la tristesse et la dépression ! Gennie puisait une immense satisfaction dans ses projets de vengeance. Animée d'une énergie guerrière, elle se sentait capable de soulever des montagnes, de défaire à mains nues une armée entière de Grant Campbell en puissance.

Une fois son matériel de peinture rassemblé dans l'entrée, elle passa dans sa chambre pour s'examiner dans le miroir suspendu au-dessus du vieux secrétaire. Considérant son reflet avec le regard critique du peintre évaluant son modèle, elle estima que la structure du visage était équilibrée, les traits bien dessinés, les nuances du teint et de la chevelure en harmonie.

— Bien… Voyons maintenant ce qu'on peut faire…

Avec la calme détermination d'un Indien appliquant ses peintures de guerre, Gennie sortit sa trousse de maquillage et appliqua une touche de vert sur ses paupières. Discret, il soulignait la couleur inhabituelle de ses yeux. Sur ses lèvres, elle se contenta de mettre un peu de gloss. Juste ce qu'il fallait pour rendre une bouche tentante. Puis, gratifiant son reflet dans la glace d'un sourire féroce, elle appliqua un soupçon de parfum au creux de l'oreille.

Question tenue, il faudrait qu'elle se contente d'un jean et d'un débardeur, hélas. Elle pouvait difficilement s'asseoir sur un rocher pour peindre, avec une jupe serrée et des talons. Mais le jean avait son charme aussi. Pressée de mettre Grant Campbell à genoux et savourant d'avance le moment où elle lui éclaterait de rire au nez, Gennie s'apprêtait à quitter le cottage lorsqu'elle entendit une voiture approcher. Sa première pensée fut pour Grant et son cœur se mit à battre furieusement dans sa poitrine.

Juste une montée d'adrénaline due à l'affrontement qui se préparait, bien sûr.

Gennie alla voir à la fenêtre et découvrit non pas le pick-up de Grant, mais un break d'âge vénérable. La veuve Lawrence en descendit avec un grand plat recouvert d'un torchon. Surprise et vaguement mal à l'aise, Gennie ouvrit à sa propriétaire.

Mme Lawrence avait sans doute vécu, aimé et travaillé dans ce cottage pendant la plus grande partie de sa vie. Comment pouvait-elle accepter de trouver une étrangère installée chez elle, dans la maison qu'elle avait partagée avec son mari décédé ?

Sa visiteuse darda sur elle le regard de ses petits yeux vifs.

— Déjà debout et en pleine activité, on dirait. Vous êtes matinale pour une fille de la ville.

Gennie aurait serré spontanément ses mains entre les siennes, si la veuve ne s'était pas cramponnée à son plat.

— Nous les peintres, nous aimons la lumière du matin. Je vous en prie, entrez, madame Lawrence.

— C'est que j'voudrais pas déranger, voyez. Mais j'ai pensé que quelques muffins vous feraient peut-être plaisir.

Oubliant ses projets de peinture pour le moment, Gennie ouvrit la porte en grand.

— J'ai un faible pour les muffins. Et je les apprécierai d'autant plus si vous acceptez de boire un petit café avec moi.

Après une imperceptible hésitation, Mme Lawrence passa le seuil.

— Ma foi, c'est pas de refus. Faudrait pas que je traîne, par contre. Je dois être à la poste pour l'ouverture.

Gennie lui prit le plat des mains et se dirigea vers la cuisine.

— Je ne connais pas d'odeur plus appétissante que celle des muffins faits maison, commenta-t-elle pour tenter de dissiper le fond de malaise entre elles. Mais j'avoue que j'ai rarement le courage de cuisiner pour moi toute seule.

— Pour sûr que c'est plus joyeux quand on a une famille à nourrir.

Gennie ressentit un élan de compassion qu'elle n'osa pas exprimer. Elle entreprit de faire le café en laissant Mme Lawrence se replonger dans ses souvenirs.

— Vous vous êtes installée ici sans problème, alors ?

— Tout à fait, opina Gennie en sortant deux assiettes. Ce cottage correspond exactement à ce que je recherchais. Votre maison est très belle, madame Lawrence... Ça n'a pas dû être facile pour vous de la quitter ? ajouta-t-elle après une légère hésitation.

Mme Lawrence eut un vague mouvement d'épaules qui semblait évoquer la fatalité.

— Faut bien s'adapter, murmura-t-elle. Le toit a tenu le coup, avant-hier soir, avec cette tempête ?

Gennie la regarda un instant sans comprendre. Puis se ressaisit in extremis alors qu'elle s'apprêtait à répondre qu'elle n'avait pas passé sa première nuit au cottage.

— Je n'ai pas eu de problème, non.

Elle vit le regard attentif de Mme Lawrence se promener sur les meubles familiers. Le plus simple serait peut-être de parler ouvertement de son deuil, non ? C'était ce que tout le monde avait affirmé pour Angela. Mais à l'époque, elle avait refusé de l'entendre. Avec le recul, cependant, elle commençait à se demander si elle n'avait pas eu tort de s'enfermer dans le silence.

— Vous avez vécu ici longtemps, madame Lawrence ?

— Vingt-six ans. Nous avons emménagé ici juste après la naissance de mon second garçon. Il est médecin à l'heure où je vous parle, précisa la veuve avec fierté. Mon fils aîné, lui, travaille sur une plate-forme pétrolière. Celui-là, il a la mer dans le sang.

— Ils ont bien réussi l'un et l'autre, commenta Gennie en apportant les tasses. Vous devez être contente.

— Pour ça, oui. Ils vivent mieux que s'ils étaient restés ici à faire le métier de leur père.

— Votre mari était pêcheur ?

Mme Lawrence hocha la tête.

— Mon Matthew, il pêchait le homard, oui. Comme tout le monde ici, d'ailleurs. Matthew était un des meilleurs, à la Pointe des Vents. Il est mort sur son bateau. D'une hémorragie cérébrale, qu'ils m'ont dit. Et au fond, c'est tant mieux. Mon homme, il n'aurait pas voulu s'en aller autrement que sur son homardier. Je pense qu'il est parti content pour son dernier voyage.

Gennie sourit. Un jour, peut-être, elle pourrait parler de la disparition d'Angela avec cette même simplicité, cette même acceptation.

— Et cela ne vous dérange pas de vivre au village ?

— Je me suis habituée. En vieillissant, on est content d'avoir du monde autour de soi. Et au moins, je n'ai plus à prendre cette fichue route toute cabossée deux fois par jour. Mon Matthew, ça le rendait fou. Si vous l'aviez entendu pester. Il disait que c'était pas humain d'avoir à cahoter comme ça pour arriver chez soi !

— Je le comprends.

Tentée par les odeurs appétissantes qui s'élevaient du plat, Gennie retira le torchon à carreaux rouges et blancs.

— Mmm… Des muffins aux myrtilles. Mes préférés… J'en ai vu plein, des myrtilles, sur le bord de la route en me promenant.

— Tant qu'il fera bon, elles continueront à mûrir.

Avec un sourire satisfait, Mme Lawrence la regarda mordre dans un des petits cakes.

— Une jolie fille comme vous, ça va s'ennuyer, toute seule, dans ce coin perdu, non ?

Gennie secoua la tête.

— Non, au contraire. J'ai besoin de m'isoler pour peindre.

— Ils sont de vous, les tableaux que j'ai vus dans le séjour ?

— Oui. J'espère que ça ne vous dérange pas que je les ai accrochés là ?

— Sûrement pas non. J'ai toujours aimé les belles peintures. Vous faites du beau travail.

Gennie sourit, aussi touchée par le compliment que si elle avait eu une critique dithyrambique dans une revue d'art prestigieuse.

— Merci. Il y a plusieurs endroits ici que j'ai envie de peindre, précisa-t-elle en songeant à Grant. Si jamais je décidais de rester quelques semaines de plus que prévu…

— Vous n'aurez qu'à passer me le dire à la poste.

— C'est entendu.

Gennie but une gorgée de café.

— Vous avez dû connaître le phare lorsqu'il était encore en activité ? demanda-t-elle avec désinvolture, bien décidée à pêcher quelques informations sur Grant Campbell.

— Bien sûr. Depuis ma petite enfance. Et on voyait tourner le fanal d'ici. Maintenant, ils ont des systèmes de radar. Mais c'est grâce à ce phare que mon père et mon grand-père ont pu naviguer sans danger.

Il y avait sûrement quantité d'histoires intéressantes qui circulaient à la Pointe des Vents. Des histoires de marins, de tempête et d'épouvante. Et Gennie savait qu'elle aurait plaisir un jour à les entendre. Mais pour le moment, c'était l'actuel occupant du phare qui éveillait sa curiosité.

— J'ai rencontré l'homme qui y habite en ce moment, révéla-t-elle d'un ton détaché. J'ai l'intention d'aller peindre sur cette pointe. C'est un endroit fabuleux.

La veuve haussa les sourcils d'un air surpris.

— Et vous croyez qu'il vous laissera faire ?

Apparemment, Grant était connu au village pour son caractère inhospitalier. Gennie sourit.

— J'ai obtenu un accord à l'arraché. Mais il a fallu que je négocie ferme.

Mme Lawrence parut dûment impressionnée par sa prestation.

— Cela fait cinq ans maintenant que le jeune Campbell a racheté le phare. Et il tient à sa tranquillité. Nous, au village, on évite d'aller l'embêter. Mais il arrive que des touristes s'aventurent dans son coin. Il leur crie après tellement fort qu'ils détalent tous comme des lapins.

Gennie leva les yeux au ciel.

— Ça ne m'étonne pas. C'est un ours, cet homme-là.

La veuve lui jeta un regard avisé.

— Ma foi, il vit sa vie sans rien demander à personne. Et il est plutôt bien de sa personne, non ? Les gars d'ici l'ont emmené une fois ou deux sur leurs homardiers. Mais il paraît que ce n'est pas un bavard.

Surprise, Gennie faillit s'étrangler avec son muffin.

— Parce qu'il ne pêche pas pour vivre ?

— Je ne sais pas trop ce qu'il fait au juste. Mais une chose est sûre : il paye ses factures rubis sur l'ongle.

Intriguée, Gennie se demanda à quoi un homme comme Grant Campbell pouvait bien occuper ses journées.

— Ah tiens, c'est étonnant. Comme il possède un bateau de pêche, je pensais que… Il ne doit pas recevoir beaucoup de courrier, j'imagine ?

Mme Lawrence eut un léger sourire.

— Ce n'est pas lui qui en reçoit le moins… Je vous remercie pour le café, mademoiselle Grandeau. Et je suis contente que vous vous plaisiez au cottage.

Gennie se leva sans insister. Il était clair qu'elle devrait se contenter de ces bribes d'information. Au moins dans un premier temps.

— J'espère que vous reviendrez me voir bientôt, madame Lawrence.

La veuve hocha la tête et se dirigea vers la porte.

— Si vous avez le moindre problème, faites-le-moi savoir. Dès que le temps aura tourné, vous serez obligée d'allumer la chaudière. Elle est parfois un peu bruyante. Il ne faudra pas vous affoler.

— Je m'en souviendrai quand je la mettrai en marche. Merci.

Suivant des yeux Mme Lawrence qui regagnait sa voiture, Gennie songea à Grant. Il ne faisait pas partie des gens d'ici, c'était clair. Et pourtant, il lui avait semblé déceler une discrète affection dans la voix de la veuve. Le fait qu'il « vivait sa vie sans rien demander à personne » inspirait sans doute une forme de respect chez ces gens rudes et naturellement peu expansifs.

Cinq ans qu'il vivait en reclus sur sa pointe rocheuse battue par l'océan. C'était long. Très long. Qu'est-ce qu'un homme aussi jeune pouvait bien entreprendre à longueur de journée dans un phare ?

Avec un haussement d'épaules, Gennie se baissa pour récupérer son attirail de peintre. La façon dont il occupait son temps n'était pas son problème. La façon dont il allait ramper à ses pieds, en revanche, la fascinait indiscutablement...

Le seul repas auquel Grant accordait de l'importance était le petit déjeuner. Pour le reste, il se contentait de grignoter un bout de pain, du fromage, ou n'importe quoi d'autre qui lui tombait sous la main. Ce matin-là, il avait déjeuné à l'aube parce qu'il avait été incapable de tenir en place dans son lit. Puis il était sorti en bateau faute de parvenir à se mettre au travail. Autrement dit, Gennie — tranquillement endormie dans son cottage à trois pas de là — avait réussi à perturber à la fois son sommeil, son activité professionnelle et son appétit.

Et à gâcher sa journée qui plus est.

En temps normal, il aurait apprécié de naviguer tôt le matin, de voir le jour se lever lentement sur la mer, de sentir la froide caresse de l'aube sur son visage. Il aurait jeté une ligne à l'eau et, avec un peu de chance, il aurait pêché de quoi faire son dîner.

Mais il n'avait pas eu plaisir à sentir son bateau filer sur l'eau, ce matin. Ensommeillé, la tête lourde, il n'avait qu'une hâte : rentrer. Son état d'esprit n'était pas propice à la pêche. Si bien qu'au lieu de faire diversion, sa balade en mer avait achevé de l'exaspérer.

Le soleil avait à peine dépassé la ligne d'horizon lorsqu'il avait regagné son ponton d'amarrage. A présent, le même soleil était au zénith mais Grant n'avait toujours pas recouvré sa sérénité. Seule la discipline acquise avec l'habitude le tenait encore rivé à sa planche à dessin. Mais il n'avait pas réussi à faire grand-chose, à part fignoler un peu son travail de la veille.

Gennie l'avait perturbé dans ses rythmes les plus élémentaires. Et le pire, c'est qu'elle continuait à lui trotter dans la tête. Il avait l'habitude d'être travaillé par ses personnages. Mais ses « héros », eux, lui appartenaient. Alors que Gennie n'avait pas sa place dans son univers. Il avait essayé d'en faire une figure parmi d'autres. Mais elle refusait de rester sagement cantonnée sur le papier.

Genviève Grandeau, songea-t-il tout en passant méticuleusement à l'encre la longue chevelure de Veronica. Elle faisait partie des quelques rares peintres dont il aimait inconditionnellement le travail. Il appréciait l'absence d'artifice dans ses tableaux, sa réceptivité, sa finesse. Elle peignait avec élégance et une passion dévorante, et cependant contenue sous une apparence de rêveuse douceur.

Grant se souvenait d'un de ses paysages peints au cœur du bayou. Les ombres laissaient entrevoir des secrets, le crépuscule appelait à des nuits brûlantes. Même la brume qui flottait au-dessus de l'eau stagnante semblait résonner du murmure des amants. La fausse sérénité du tableau l'avait attiré et il avait été fasciné par la façon dont elle avait capté la lumière, entre chien et loup. Il se souvenait d'avoir été déçu d'apprendre que la toile avait déjà trouvé un acquéreur. Sinon, il l'aurait achetée sans même se soucier d'en connaître d'abord le prix.

La tension sensuelle qui flottait dans ses compositions formait un contraste toujours intéressant avec le calme qui y régnait en apparence. Mais quoi d'étonnant si la riche sensualité de Gennie transparaissait dans sa façon de peindre ? Elle avait de toute évidence une vie amoureuse bien remplie. S'il n'avait pas eu l'occasion de l'embrasser, il aurait sans doute pris tous les articles la concernant pour ce qu'ils paraissaient être : les habituelles inventions des reporters de la presse à scandale.

Mais depuis qu'il avait senti sa bouche s'animer sous la sienne, Genviève Grandeau était devenue une obsession. Et il n'était sûrement pas le seul à subir le phénomène. Ivre de son pouvoir,

Gennie jouait avec les hommes, consciente qu'elle n'avait qu'à les approcher pour les réduire en esclavage.

Les mâchoires crispées, Grant se força à terminer le dessin de Veronica. Une seule consolation : il avait réussi à s'arracher de ses griffes à temps. Et il avait eu la satisfaction de la planter là.

Enfin… de la planter là, peut-être. Mais cela n'avait pas suffi à le libérer d'elle pour autant. Grant émit un rire amer. Impossible d'oublier Genvièvre Grandeau, une fois qu'on y avait goûté. Plus qu'un corps de femme, c'était du feu liquide, un concentré de sensualité pure qu'il avait serré entre ses bras. Lorsqu'il l'avait embrassée, un grand vide s'était creusé en lui. Un vide qu'elle était venue remplir entièrement.

Ainsi procédaient les sirènes. Elles souriaient, elles chantaient, attiraient les hommes vers leur perte. Grant secoua la tête. Il était suffisamment retors lui-même pour ne pas tomber dans le piège éculé de la séduction.

De toute façon, vu ce qu'il lui avait balancé à la figure, elle ne mettrait sûrement plus les pieds au phare. Ce qui résolvait le problème par élimination de l'adversaire… Grant jeta un coup d'œil du côté de la fenêtre mais refusa de se lever pour vérifier qu'aucune silhouette de peintre aux longs cheveux noirs ne se profilait à l'horizon. Il reprit son pinceau et passa une heure à travailler, avec Gennie toujours présente en arrière-plan, hantant ses pensées sans relâche.

Satisfait d'avoir, contre toute attente, terminé dans les temps, Grant nettoya ses pinceaux. Et comme l'épisode suivant était déjà écrit et dessiné dans sa tête, son humeur s'améliorait à vue d'œil. Il remit de l'ordre dans son atelier, rangea scrupuleusement son matériel et laissa ses dessins sécher sur la planche.

Avec le plaisir de la tâche accomplie, il descendit dans la cuisine pour voir ce qu'il pouvait se mettre sous la dent. Allumant la radio, il sourit lorsqu'on mentionna le comité d'éthique, ainsi qu'un sénateur dont la figure caractéristique revenait fréquemment dans Macintosh. Il devait à peine avoir douze ans lorsqu'il avait commencé à caricaturer les hommes politiques. Et il avait toujours continué sur sa lancée.

Son goût pour la satire faisait que certains journaux publiaient ses dessins en page intérieure, dans la rubrique politique. Pour Grant, il importait peu que son Macintosh figure ici ou ailleurs. Tout ce qui l'intéressait, c'était que son message passe.

Adossé contre le plan de travail, il fit un sort à un paquet de biscuits tout en écoutant les informations. Connaître l'actualité à fond, cerner les tendances et les modes était une partie essentielle de son travail. Mais pour l'instant, il n'avait pas l'intention de s'attaquer à son nouveau scénario. Il lui fallait d'abord de l'air et du soleil.

S'il sortait, ce n'était pas parce qu'il s'attendait à rencontrer Gennie, bien sûr. Mais seulement parce qu'il était convaincu qu'il ne la trouverait pas sur son chemin.

Naturellement, la première chose qu'il vit en mettant le nez dehors fut l'ondine sur son rocher. Grant tenta de se convaincre que c'était bel et bien un élan de contrariété qui montait en lui. Comment aurait-il pu s'agir d'autre chose ? C'était *toujours* une source d'irritation pour lui lorsqu'on venait envahir sa solitude.

Rien ne le forçait à passer devant elle, cela dit. Gennie était occupée à peindre. Et avec le vent qui ramenait ses longs cheveux dans ses yeux, elle ne l'avait pas vu sortir. Il suffirait qu'il parte dans la direction opposée et qu'il se dirige vers le nord en descendant sur la plage…

La lumière oblique du soleil caressait les bras nus de Gennie, effleurait son profil. « Maintenant, Campbell ! Détourne-toi maintenant et tu oublieras sa présence. »

Jurant et pestant tant et plus, Grant se dirigea droit sur elle.

Gennie l'avait repéré, bien sûr. Dès l'instant où la porte du phare s'était ouverte, elle avait senti qu'elle n'était plus seule. Pendant une fraction de seconde, son pinceau était resté immobile, comme suspendu. Puis il avait repris son mouvement sur la toile.

Le moment était venu de livrer bataille. Et de remporter la victoire. Plissant les yeux, elle porta le pinceau à ses lèvres et jaugea son travail. Pas mal du tout, dans l'ensemble. Elle était satisfaite de sa composition ainsi que des couleurs qu'elle avait mélangées jusqu'à présent. Chantonnant doucement, elle entendit les pas de Grant approcher.

Inclinant la tête comme pour mieux examiner son œuvre, elle commenta sans se retourner :

— Alors, ça y est ? Vous vous êtes décidé à sortir de votre caverne ?

Grant s'immobilisa à quelques pas, se plaçant délibérément là où il ne pouvait voir sa toile.

— Vous cherchez les ennuis, apparemment, Genviève. Cela m'étonne de vous.

En bougeant à peine la tête, Gennie tourna lentement les yeux vers lui. Son sourire était discret. Et infiniment provocateur.

— Si vous pensiez *réellement* ne pas me revoir ici, c'est que vous n'êtes pas très psychologue, Grant.

Les mâchoires de Grant se crispèrent. Ses gestes, son sourire, ses attitudes, tout chez elle était calculé pour séduire. Il le savait, il le voyait et pourtant son corps réagissait quand même. Un élan de désir lui traversa les reins.

— Et *vous*, vous n'êtes pas très prudente, rétorqua-t-il d'une voix menaçante.

— Je vous avais dit que je reviendrais, Grant. Et en règle générale, je fais ce que je dis.

Tournant franchement la tête vers lui, elle laissa son regard s'attarder sur sa bouche.

— Vous voulez voir ce que j'ai peint jusqu'à présent ?

— Non.

Gennie avança les lèvres en une jolie moue boudeuse.

— Vraiment ? Et moi qui vous prenais pour un amateur d'art !

Reposant son pinceau, elle passa la main dans ses cheveux.

— Qui êtes-vous, au juste, Grant ? s'enquit-elle d'une voix mi-moqueuse mi-caressante.

— Je suis ce que j'ai choisi d'être.

— Vous avez bien de la chance.

Elle se leva posément et retira sa blouse de peintre à manches courtes pour la laisser tomber nonchalamment à côté d'elle.

— Vous voulez que je vous dise ce que je vois en vous ? s'enquit-elle en s'approchant de lui jusqu'à le toucher.

Il ne répondit pas mais son regard ne quitta pas le sien.

— Un solitaire, murmura-t-elle. Avec un visage de boucanier, des mains de poète et les façons d'un butor… Il me semble que vous n'avez pas choisi grand-chose, là-dedans, à part les manières de rustre.

Grant résista héroïquement à la lueur de défi dans son regard, à l'appel de ses lèvres insolentes.

— Si ça peut vous faire plaisir de penser ça…, commenta-t-il, les mains fermement enfoncées dans les poches.

— Plaisir est un grand mot, rétorqua-t-elle en reculant pour se placer dos à la mer. Cela dit, le côté brut de décoffrage n'est pas pour me déplaire. Ce n'est pas toujours un gentleman que recherche une femme.

Ainsi placée, avec l'océan en arrière-plan, elle ressemblait plus que jamais à quelque émanation marine, une créature de Poséidon.

— Parce que vous êtes une « dame », vous, Genviève ?

— Ça dépend si ça m'arrange ou non, rétorqua-t-elle, imitant son ton et son attitude.

Réagissant à la provocation, Grant la rejoignit en deux pas. Il résista à la tentation de la prendre par les épaules et de la secouer furieusement. Mais leurs corps étaient si proches que seul le vent s'insinuait encore dans l'interstice.

— Où cherchez-vous à en venir, au juste ?

Elle ouvrit de grands yeux innocents.

— J'essaye de nouer une conversation. Est-ce que cela vous pose un problème ? Vous en avez perdu l'habitude à ce point ?

Serrant les poings dans ses poches, Grant pivota sur lui-même avec brusquerie.

— Je vais me promener.

Gennie glissa son bras sous le sien.

— Quelle idée délicieuse ! Je vous accompagne.

— Je ne vous ai pas proposé de venir, vociféra-t-il en s'immobilisant net.

Elle battit des cils.

— Ah, ça y est ! Vous recommencez à me faire du charme avec vos manières de brute. Attention à vous, Grant. Vous êtes dangereusement irrésistible.

Grant ne put s'empêcher de sourire. Il était toujours le premier à rire de lui-même lorsque son comportement tournait à la caricature.

— Bon. Très bien. Venez si vous y tenez vraiment.

Déterminée à le faire souffrir avant la fin de l'après-midi, Gennie se lança à sa suite, même si Grant ne faisait aucun effort pour adapter son rythme au sien. Une fois qu'ils eurent contourné le phare, il se mit à dévaler la falaise avec toute l'assurance de l'habitué des lieux qu'il était. Gennie s'immobilisa un instant pour examiner la pente abrupte. D'un bond léger, Grant sautait d'avancée rocheuse en avancée rocheuse, comme s'il dégringolait les marches d'un escalier. Juste en dessous, l'océan grondait, lançant ses vagues puissantes à l'assaut de la plage.

Gennie déglutit. Mais reculer maintenant serait concéder à Grant une victoire trop facile. Rassemblant son courage, elle se plaça dos à la pente et commença à descendre. Les premiers mètres furent difficiles. Puis elle ne ressentit plus que le plaisir de chercher ses appuis, de jouer avec son équilibre. Le grondement de l'océan se faisait plus puissant à mesure qu'elle approchait du niveau de la plage et elle sentait la fraîcheur des embruns lui picoter la peau.

Grant arriva en bas et se retourna pour constater que Gennie n'était pas très loin derrière lui. Même s'il avait espéré la voir encore perchée en haut de la falaise, il ne fut pas autrement surpris qu'elle se soit lancée ainsi à sa suite. Geneviève Grandeau était une femme de caractère, pas une délicate fleur de serre. Même s'il aurait été enchanté de pouvoir la reléguer dans cette catégorie. Cette fille-là avait beaucoup trop de vitalité pour être admirée à distance.

Par réflexe, il lui prit la main pour l'aider à franchir les derniers mètres. Gennie sauta, et son corps effleura le sien à l'atterrissage. Mais ce ne fut pas tant la sensation tactile que son parfum qui lui monta à la tête. La première fois qu'il lui avait ouvert sa porte et qu'elle lui était tombée dans les bras, c'était l'odeur de la pluie qu'il avait captée sur elle. L'eau de toilette qu'elle portait aujourd'hui était tout aussi subtile mais infiniment plus sensuelle. Dans la claire lumière de l'après-midi, Gennie sentait le jasmin et la nuit.

Furieux d'être sensible à des tactiques de séduction aussi grossières, Grant la relâcha sans un mot et partit le long de la plage étroite et rocailleuse où se répercutaient le cri des mouettes et l'écho bruyant du ressac.

Plutôt satisfaite du tour que prenaient les événements, Gennie lui emboîta le pas avec un secret sourire. « Inutile de fuir, tu ne me résisteras pas, Grant Campbell. Je sens que tu vacilles déjà et c'est à peine si j'ai commencé à sortir mes premières armes. »

— C'est ainsi que vous occupez votre temps lorsque vous n'êtes pas bouclé dans votre tour mystérieuse ? s'enquit-elle en ajustant son pas au sien.

— C'est ainsi que vous occupez votre temps lorsque vous ne jouez pas à la reine de la nuit dans les clubs sélects de La Nouvelle-Orléans ?

Rejetant ses longs cheveux dans son dos, Gennie lui reprit le bras.

— Oh, nous avons déjà beaucoup parlé de moi hier. J'aimerais en savoir plus sur Grant Campbell. Etes-vous un savant fou se livrant à de dangereuses expériences dans votre laboratoire ultrasecret ?

Il tourna vers elle un regard amusé.

— En ce moment, je m'occupe surtout de ma collection de timbres.

Intriguée, Gennie oublia momentanément sa mission séduction.

— J'ai l'impression qu'il y a un double sens dans ce que vous me dites là. Mais lequel ?

Haussant les épaules, Grant poursuivit son chemin en se demandant pourquoi il acceptait ce contact, cette présence, ce jeu de questions et de réponses. C'était beaucoup plus qu'une activité physique qu'il venait chercher sur cette bande de plage désolée qu'il arpentait quotidiennement. Il n'y avait que là qu'il parvenait à se vider la tête. Et il avait besoin de ces marches solitaires pour relâcher la pression.

Il n'avait jamais autorisé personne à l'escorter ici, sur la plage. Même ses propres personnages ne l'accompagnaient pas jusque-là. Mais au lieu de ressentir la présence de Gennie comme un poids intolérable, il était presque heureux de l'avoir là, à son côté.

— C'est une retraite cachée, murmura-t-elle, interrompant le fil de ses pensées.

Il lui jeta un regard surpris.

— Pardon ?

D'un geste de sa main libre, Gennie désigna la roche austère.

— C'est un lieu où vous venez pour vous couper de tout le reste… Ma grand-mère avait une vieille demeure coloniale magnifique. Tout y était superbe ; les meubles, les tableaux, les tissus. Mais la seule pièce là-bas où je pouvais rester pendant des heures, c'était un coin du grenier, sombre et poussiéreux avec un vieux rocking-chair brisé et des malles pleines d'objets inutiles.

Levant les yeux vers lui, elle sourit.

— Je n'ai jamais pu résister à une retraite cachée.

Grant songea à la demeure de ses parents à Georgetown où il avait eu son refuge, lui aussi. Une pièce sans charme particulier. Mais qui lui avait offert l'essentiel : la solitude, ses piles de bandes dessinées, son carnet de dessins.

— Une retraite n'est cachée que si personne d'autre n'en connaît l'existence.

Gennie rit doucement et glissa tout naturellement sa main dans la sienne.

— Pas forcément. Parfois, un secret à deux, c'est encore plus fort.

Elle s'arrêta pour regarder une mouette plonger en poussant un cri aigu et raser la surface des eaux.

— C'est quoi, ces îles, là-bas ?

Perturbé de ne pouvoir se résoudre à lui lâcher la main, Grant contempla l'océan d'un œil sombre.

— Pour la plupart, ce sont juste des rochers à nu.

Gennie lui jeta un regard déçu.

— C'est tout ? Pas d'os blanchis ni de trésors cachés ?

Il ne put s'empêcher de sourire.

— Les gens d'ici parlent parfois d'un crâne qui se mettrait à gémir à l'approche des tempêtes.

— Et à qui était-il, ce crâne ? voulut savoir Gennie, prête à savourer toute histoire qu'il voudrait bien inventer à son intention.

— Un marin, improvisa Grant. Il convoitait la femme de son capitaine ; une créature fascinante avec des yeux comme une sorcière des mers et une chevelure plus noire que la nuit.

Malgré lui, il prit une poignée des cheveux de Gennie et les laissa filer entre ses doigts.

— Parfois, elle venait lui parler, le frôler en secret, attiser son désir. Un soir alors qu'il la suppliait de se donner à lui, elle lui promit qu'elle serait sienne pour toujours. Mais à une condition : qu'il vole tout l'or à bord ainsi que la chaloupe. Fou d'amour, le marin s'exécuta et embarqua la belle. Pendant deux jours et deux nuits, il rama sans trêve, poussé par une seule obsession : posséder cette femme enfin. Mais lorsque, enfin, la côte fut en vue, elle sortit son sabre et lui trancha la tête. Depuis, son crâne est resté sur le rocher et gémit son désir frustré pour l'éternité.

Amusée, Gennie inclina la tête.

— Mmm… Très édifiant, comme histoire. Et qu'est devenue la femme du capitaine ?

— Elle a investi son or, triplé ses profits et est devenue un respectable pilier de la communauté.

Avec un léger rire, Gennie reprit la marche à son côté.

— Et la morale finale, c'est quoi ? Ne jamais croire aux promesses d'une femme ?

— Lorsqu'elle est belle, c'est effectivement très dangereux.

—Vous avez déjà eu la tête tranchée, Grant, pour dire une chose pareille ?

Il émit un rire bref.

— Non.

Elle soupira.

— Dommage. J'imagine qu'on peut en conclure que vous résistez à toute tentation ?

— Disons que je suis vigilant.

— Ce n'est pas très romantique.

— J'ai d'autres soucis en tête que la romance.

Gennie lui jeta un regard scrutateur.

— Les timbres, par exemple ?

— Entre autres, oui.

Ils marchèrent un moment en silence, entre océan et falaise. Seuls quelques bateaux de pêcheurs apparaissaient ici et là, comme des points minuscules, ajoutant encore à l'impression d'immensité.

— Vous venez d'où ? demanda Gennie sur une impulsion.

— Du même endroit que vous.

Elle mit un instant à comprendre, puis rit doucement.

— La question n'est pas biologique mais géographique, Grant.

— J'ai mes origines un peu plus au sud.

— Voilà qui est lumineux, comme information… Et de la famille ? Vous avez de la famille ?

Il s'arrêta pour scruter ses traits avec curiosité.

— Pourquoi me posez-vous toutes ces questions ?

Avec un soupir appuyé, Gennie secoua la tête.

— Ça s'appelle « converser aimablement entre gens civilisés », monsieur Campbell. Il s'agit d'une nouvelle tendance, très en vogue, qui se répand dans toutes les couches de la société.

— Ma tendance à moi, c'est l'anticonformisme.

— Ah vraiment ? Vous me confondez, ironisa-t-elle.

— Vous êtes très forte pour ouvrir de grands yeux innocents, Genviève.

— Merci.

Elle se baissa pour prendre un coquillage à demi fossilisé.

— Mais vous préféreriez que je commence, peut-être ? Pour vous montrer que je suis de bonne volonté, je vais vous raconter quelque chose au sujet de ma famille…

Gennie réfléchit un instant puis songea que Grant se sentirait sans doute plus concerné par le parcours d'un être en marge que par les destinées plus classiques qu'avaient connues ses parents et grands-parents.

— J'ai un cousin éloigné que j'ai toujours considéré comme l'élément le plus intéressant de tout l'arbre généalogique. Même s'il n'est pas un Grandeau à proprement parler.

— Et comment le qualifieriez-vous, alors, s'il n'est pas un « Grandeau » ?

— C'était la brebis galeuse, celui dont on ne parlait jamais qu'à mots couverts, entre membres distingués de la famille. Lui s'en moquait éperdument. Il a toujours vécu exactement comme il l'entendait. Naturellement, je n'ai jamais eu l'occasion de le rencontrer étant enfant, même s'il m'arrivait de surprendre des bribes d'histoires à son sujet. Je suis tombée sur lui tout à fait par hasard, à une de mes propres expositions. Et ce qui est extraordinaire, c'est qu'entre nous, ça a collé tout de suite. Je ne le vois pas souvent, mais nous avons gardé le contact. J'ai même appris qu'il s'était marié, il y a environ un an. Là, ça a fait scandale chez les Grandeau.

— Pourquoi ? Il a épousé une danseuse du ventre avec un diamant dans le nombril ?

Gennie éclata de rire. Elle était ravie que Grant s'intéresse suffisamment à son récit pour plaisanter sur le sujet.

— Eh bien, non, figurez-vous. Il semble qu'il ait fait un superbe mariage, au contraire. Une jeune femme riche, intelligente et belle, issue d'une famille très en vue. C'est ainsi que la brebis galeuse, qui avait même fait quelques mois de prison étant jeune, s'est retrouvée à la tête d'une belle fortune. Un modèle de réussite, en somme. Je peux vous assurer que toute la famille a ri jaune.

Gennie songea avec affection à son cousin comanche. Justin avait connu une ascension sociale fulgurante. Et il ne s'était même pas abaissé à faire un pied de nez à tous ceux qui l'avaient longtemps regardé de haut.

— J'adore les histoires qui finissent bien, commenta Grant.

Elle lui jeta un regard en coin.

— Mais vous n'avez pas l'intention de me raconter la vôtre pour autant, n'est-ce pas ? Vous avez tort, vous savez. Plus vous vous tairez, plus j'aurai envie de savoir. A votre place, j'inventerais quelque chose.

Une lueur amusée pétilla dans les yeux noirs de Grant.

— Je suis le benjamin d'une famille de douze enfants, lui confia-t-il avec tant de sérieux qu'elle faillit le croire. Mes parents étaient des missionnaires sud-africains. A l'âge de six ans, je me suis perdu dans la jungle et j'ai été adopté par une tribu de lions. J'ai gardé de cet épisode un goût marqué pour la viande de zèbre. A douze ans, j'ai été capturé par des chasseurs et vendu à un directeur de cirque. Pendant cinq ans, je me suis produit tous les soirs sous le chapiteau. J'étais la vedette incontestée du spectacle.

— Et on vous appelait l'Enfant Lion, compléta Gennie, aux anges.

— Naturellement. Une nuit de tempête, le feu a éclaté en pleine représentation et j'ai pu m'enfuir pendant le moment de panique qui s'est ensuivi. J'ai erré longtemps, vêtu de peaux de bête, dérobant ici ou là un poulet ou un mouton. Finalement, j'ai été recueilli par un ermite alors que je venais de le sauver des griffes d'un grizzli.

— En maîtrisant l'ours à mains nues, précisa Gennie gravement.

Grant secoua la tête.

— C'est moi qui raconte l'histoire. L'ermite m'a appris à lire et à écrire. Sur son lit de mort, il m'a révélé où il cachait ses économies de toute une vie, sous forme de lingots d'or. Après avoir organisé pour lui les funérailles de Viking dont il rêvait, je l'ai laissé partir sur son drakkar en flammes et je suis revenu à la civilisation.

— Mais au lieu de faire fortune à Wall Street avec votre or, vous avez investi dans le timbre poste.

— C'est en gros ce qui s'est passé, en effet.

— Mmm… Je comprends qu'après avoir vécu une vie aussi terne, vous préfériez garder le silence sur votre parcours.

— Si mon récit vous a paru rébarbatif, vous ne pouvez vous en prendre qu'à vous-même. Vous me l'avez réclamée, mon histoire.

— Vous auriez pu la romancer un peu, ajouter un soupçon de fiction.

— Désolé. J'ai toujours manqué de fantaisie.

Avec un rire joyeux, Gennie abandonna la tête contre son épaule.

— Oui. J'ai l'impression que vous avez une imagination singulièrement pauvre, en effet.

Le rire de Gennie lui courut sur la peau comme un frisson. Il se vit soudain en Macintosh stupidement ébloui par sa Veronica, et secoua la tête. Pourquoi la laissait-il se coller à lui comme ça ?

— J'ai à faire, maintenant, annonça-t-il avec brusquerie. On va remonter par là.

Grimper le long de la falaise était plus facile que de descendre, constata Gennie. Elle n'en resta pas moins cramponnée à la main de Grant, lui adressant de temps en temps un sourire qui le faisait marmonner Dieu sait quoi. Réfléchissant à la tactique à suivre, Gennie glissa son coquillage dans la poche de son jean et lui tendit l'autre main lorsqu'il eut atteint le sommet. Il jura haut et fort, mais il l'attrapa quand même et la hissa ainsi sur le bord de la falaise.

Une fois sur le plat, elle resta debout face à lui, si près que leurs corps se touchaient presque. Grant respirait vite alors même qu'il venait de grimper sans effort. Enchantée de ses effets, elle lui adressa un sourire vibrant.

— Alors, ça y est ? Vous me quittez pour retourner à vos timbres ?

Se dressant sur la pointe des pieds, elle lui effleura les lèvres.

— Amuse-toi bien, chuchota-t-elle.

Puis elle dégagea ses mains des siennes et repartit vers son chevalet. Elle n'avait pas fait trois pas lorsque Grant la retint par le bras. Le cœur de Gennie se mit à battre la chamade. Mais elle n'en tourna pas moins vers lui un regard nonchalant.

— Tu veux quelque chose ?

Un désir si violent brillait dans ses yeux sombres qu'elle en eut le souffle coupé. La gorge sèche, elle faillit se dégager et prendre la fuite sans demander son reste. Mais il était hors de question de reculer à présent qu'elle tenait sa victoire.

Lorsqu'il l'attira contre lui, elle rit doucement.

— Apparemment, oui, tu veux quelque chose, chuchota-t-elle en nouant les bras autour de sa taille.

Dès l'instant où la bouche de Grant s'empara de la sienne, la tête de Gennie se vida de tout contenu rationnel. Elle oublia ses intentions, ses projets, ses buts et sa vengeance. Ce fut exactement comme la première fois : avec le souffle de la passion, vint un sentiment de justesse, d'harmonie ainsi qu'un tourbillon confus d'envies, de désirs, d'aspirations ardentes. S'ouvrir à lui était si naturel qu'elle le fit sans réfléchir et avec une simplicité qui arracha à Grant un grognement de triomphe.

Il l'attira plus près. Sa langue explora ses lèvres avant de venir se mêler à la sienne tandis que ses mains descendaient le long de ses flancs pour épouser ses hanches. Les yeux clos, elle se remémora le choc qu'elle avait ressenti le premier soir en découvrant les mains de Grant… C'était des mains fortes, des mains magiques de sculpteur qui faisaient picoter la peau partout où elles passaient. Les yeux clos, elle imagina ses paumes allant et venant sur son corps libéré de toute barrière. Avec un gémissement étouffé, elle but goulûment à ses lèvres, absorbant tout ce que son baiser pouvait lui donner.

Se plaquant contre lui, elle offrit, exigea sans qu'il parvienne à prendre et à donner assez vite pour les satisfaire l'un et l'autre. La bouche de Grant ravageait la sienne sans pitié mais elle lui rendait la pareille, avec un même élan farouche.

Ce fut au moment précis où elle allait se laisser tomber sur le sol en l'entraînant avec elle que la peur de Gennie se réveilla. Ce n'était pas l'oubli qu'elle était venue chercher entre les bras de Grant mais la vengeance. Or, elle avait été à deux doigts de lui donner ce qu'elle n'avait encore jamais donné à personne.

Saisie de panique, Gennie se rejeta en arrière.

— Très agréable, commenta-t-elle avec un léger sourire. Même si vos techniques sont un peu… primitives à mon goût.

Grant ne répondit pas. Il respirait fort et vite et une sorte de brouillard rougeâtre flottait devant ses yeux. Pour la seconde fois, elle l'avait vidé entièrement de lui-même pour le remplir d'elle. Il la voulait à lui. Maintenant. Entièrement et sans mélange.

Le besoin était impérieux — si puissant qu'il lui déchirait la poitrine et les reins.

Ils étaient seuls, loin de tout et il était plus fort qu'elle. Le cœur de Gennie palpitait sous ses doigts comme un oiseau terrifié. Qu'est-ce qui l'empêchait de prendre ce qu'elle lui avait fait miroiter avec ses regards, ses allusions, ses sourires ?

Non.

Les bras de Grant retombèrent sans force contre ses flancs. Il ne répondrait pas à la provocation par la force brutale. Personne ne pouvait l'amener à tomber aussi bas. Furieux, il la foudroya du regard.

— Tu sais que tu t'aventures sur des terrains sacrément mouvants, Genviève. Tu n'as pas peur des conséquences ?

D'un mouvement orgueilleux de la tête, elle rejeta sa lourde chevelure en arrière.

— J'ai le pied sûr, répondit-elle doucement en se retournant sur un dernier sourire.

Les jambes comme du coton, elle dut compter ses pas jusqu'à son chevalet. Ses mains tremblaient lorsqu'elle se pencha pour rassembler son matériel de peinture. Et le sang qui rugissait à ses oreilles couvrait jusqu'au fracas du ressac. Mais il n'en restait pas moins qu'elle avait remporté le premier round.

Le premier round, oui. Le seul ennui, c'est qu'elle n'avait plus qu'une hâte : passer au suivant.

5.

La suite des événements se fit cependant attendre. Trois jours de suite s'écoulèrent sans donner lieu à une nouvelle rencontre. Gennie revint tous les matins pour peindre mais ne vit aucun signe de la présence de Grant. Le phare restait silencieux et rien ne semblait bouger derrière les fenêtres closes.

Au matin du quatrième jour, le bateau de Grant avait disparu de son ponton d'amarrage. Et le phare paraissait plus vide et plus abandonné que jamais. Elle passa trois heures sans bouger devant son chevalet, jusqu'au moment où le changement de lumière l'obligea à remballer son matériel. Grant n'avait toujours pas réapparu lorsqu'elle repartit pour le cottage.

A plusieurs reprises, au cours de ces longues journées solitaires, elle avait été tentée de redescendre sur la plage, à l'endroit où il l'avait emmenée. Mais elle n'eut pas le cœur de le faire en son absence. Il lui aurait été plus facile de pénétrer dans le phare sans y avoir été invitée que de retourner dans sa « retraite cachée » à l'insu de Grant. Même si elle brûlait de retourner sur l'étroite bande rocheuse au bord des eaux fougueuses pour en capter l'atmosphère sous la pointe de son crayon, elle aurait eu l'impression de violer son territoire le plus secret, le plus préservé.

Au début, Gennie avait cru qu'elle finirait sa toile en paix, délivrée de toute autre préoccupation que celle de peindre.

Grant l'avait rejetée puis elle lui avait rendu la pareille. Œil pour œil, dent pour dent. Libérée de son obsession de vengeance, elle aurait dû l'être de Grant par la même occasion.

Mais il se produisit tout le contraire : les formes, les couleurs qui naissaient sous son pinceau le maintenaient en permanence présent à son esprit. Il était si fortement lié au lieu qu'elle ne parvenait plus à le dissocier du paysage. Même si elle ne l'avait pas revu depuis trois jours. Même si sa silhouette dégingandée n'apparaissait pas dans sa composition.

A chaque coup de pinceau, Gennie sentait quelque chose de Grant circuler en elle. Elle peignait l'océan, le ciel et l'herbe, mais c'était sa substance à lui qui se déposait sur la toile. Depuis toujours, elle avait le sentiment qu'une minuscule fraction de son être entrait dans chacun de ses tableaux pour y rester fixée à tout jamais. Mais dans celui-ci, elle n'était pas seule. Grant s'y mêlait également. Et sans que sa volonté y soit pour quelque chose.

Rien d'étonnant donc si le paysage qu'elle créait était plus viril, plus dur que ce qu'elle peignait d'ordinaire. Le fait que ces lignes fortes, masculines surgissent de sous son pinceau l'excitait étrangement. Gennie savait qu'elle obéissait à une nécessité en exécutant ce tableau. Et elle savait également qu'elle le donnerait à Grant, une fois qu'elle l'aurait terminé.

Car il ne pouvait appartenir à personne d'autre que lui.

Il ne s'agirait pas de sa part d'un signe d'amitié ou d'une marque d'affection. C'était juste une fatalité. Elle ne se sentait pas le droit de vendre cette toile. Et elle savait que si elle la gardait pour elle, ce paysage la hanterait sans relâche. Alors avant de quitter la Pointe des Vents, elle lui ferait don de cette peinture.

Et peut-être qu'à sa manière, ce serait elle qui le hanterait lui ?

Tous les matins donc, elle venait peindre au phare. Et tous les matins, elle se sentait possédée par une compulsion à terminer vite. Mais Gennie savait que la hâte ne lui était pas permise. Elle devait avancer par petites touches prudentes, au contraire. En prenant le temps d'absorber ce qui l'entourait pour le restituer sur la toile.

Les après-midi, elle retournait au cottage et dessinait fiévreusement la crique, la maison, le saule chétif près de l'embarcadère. Poussée par une agitation croissante, elle décida, le quatrième jour, de passer quelques heures à la Pointe des Vents. Elle n'avait pas encore fait un seul croquis du village ni de ses habitants. Et puis ça lui donnerait l'occasion d'aller saluer Mme Lawrence. Voir du monde lui ferait du bien. Elle avait besoin de diversion pour ne pas rester focalisée sur Grant tout le temps.

En ce milieu d'après-midi de fin d'été, la Pointe des Vents paraissait plus calme et endormie que jamais. Les bateaux de pêche n'étaient pas encore revenus au port et une légère brume de chaleur adoucissait les contours, ajoutant encore à l'impression de somnolence. Gennie gara sa voiture au bout du village et déambula dans les rues. Ici, elle avait envie de croquer les jardinets, les potagers, les vieilles bâtisses de bois. C'était un monde très différent du phare. Un autre univers également que le cottage. Mais l'océan omniprésent reliait ces trois pôles et les unifiait.

Gennie marcha longtemps, sans but défini. Ce village, elle le savait, resterait inscrit dans sa mémoire. Mais pour elle, la Pointe des Vents, ce serait toujours et avant tout l'océan, le phare… et l'homme qui s'y cachait.

Grant avait-il l'intention de l'éviter jusqu'à son départ ou aurait-elle l'occasion de le revoir ? Il lui coûtait de se l'avouer, mais il lui manquait. Déjà, elle avait la nostalgie de son expression féroce, de ses paroles incisives, du sourire aussi fugitif qu'inattendu qui glissait parfois sur ses traits, du cynisme amusé qui pétillait dans ses yeux sombres.

Plus dur encore était d'admettre qu'elle ne parvenait pas à oublier les brûlants émois physiques qu'il avait été le premier à susciter.

Gennie s'assit sur un banc et se demanda s'il existait d'autres hommes, ailleurs, susceptibles de provoquer en elle une flambée de désir similaire. Mais elle avait la plus grande peine à se représenter ces amants hypothétiques. Etrangement, elle ne voyait que Grant Campbell pour l'initier à une sexualité dont elle ignorait encore jusqu'au B.A.BA. Ce n'était pas avec un homme attentionné et chevaleresque qu'elle rêvait de franchir le pas. Elle n'avait pas besoin d'un protecteur prêt à voler à sa rescousse. Et cela pour la bonne raison qu'elle n'avait rien d'une créature désemparée.

Grant Campbell était l'antithèse du galant homme. Et une femme un tant soit peu dépendante l'exaspérerait jusqu'à le rendre fou. Songeant à leur première rencontre, Gennie ne put s'empêcher de rire. Non, une chose était sûre : Grant n'avait aucune vocation pour le repêchage des femmes en détresse. De même qu'elle n'était pas douée pour le rôle de la frêle damoiselle pâmée. Ils étaient beaucoup trop indépendants l'un et l'autre pour supporter de tomber dans ce genre de stéréotypes.

Cela dit, si elle n'était pas à la recherche du preux chevalier, elle n'avait pas non plus l'intention de tomber dans les bras d'une espèce d'ogre aux mœurs vaguement primitives. Or Grant semblait avoir quelques-unes des caractéristiques requises pour se classer dans cette catégorie.

Gennie secoua la tête et constata qu'elle avait dessiné Grant sans même s'en apercevoir. Arrondissant les lèvres en une moue sceptique, elle examina son croquis. Et estima que pour un portrait fait de mémoire, elle s'en était tirée de façon plus qu'honorable. Les sourcils étaient froncés, les yeux plissés de colère. On reconnaissait le visage mince, le nez aristocratique, la chevelure indisciplinée. Quant à la bouche…

A son corps défendant, Gennie sentit un tressaillement de désir la parcourir. Elle avait dessiné sa bouche telle qu'elle l'avait perçue au moment où il allait l'embrasser. Une bouche sensuelle, ardente, décidée. Fermant un instant les yeux, elle retrouva la saveur de ses baisers sur ses lèvres. Gennie frissonna. Elle n'était donc plus nulle part à l'abri de cette folle attirance ? Même ici dans cette rue paisible où flottaient les odeurs du port de pêche et des fleurs de la fin de l'été ?

Avec un léger soupir, Gennie glissa son crayon à papier derrière une oreille et se dirigea vers le bureau de poste. Son entrée fit apparemment grande impression sur un adolescent qu'elle trouva en discussion avec Mme Lawrence. Agé d'environ seize ans, le jeune homme ouvrit de grands yeux en la voyant. Et lorsqu'elle le salua d'un sourire, elle vit sa pomme d'Adam monter et descendre presque convulsivement.

Mme Lawrence posa un paquet de courrier sur la banque.

— Tu ferais mieux d'aller porter ces lettres à M. Fairfield, Will, déclara la veuve. Il doit commencer à se demander ce que tu fabriques.

— Oui, m'dame.

L'adolescent prit sa pile sans quitter Gennie des yeux. Le courrier lui échappa des mains et se répandit sur le sol. Gennie se baissa pour l'aider à le ramasser, suscitant des rougeurs violentes et quelques balbutiements inaudibles.

— Will Turner ! s'impatienta Mme Lawrence avec un sourire en coin. Ramasse-moi ces lettres et file !

— Tenez, Will, vous en avez oublié une, intervint gentiment Gennie en lui remettant l'enveloppe qu'elle venait de récupérer.

La mâchoire de l'adolescent tomba. Rouge comme une pivoine, il trébucha deux fois en sortant du bureau de poste. Mme Lawrence rit doucement.

— Espérons qu'il ne tombera pas du trottoir.

— J'imagine que je devrais être flattée, observa Gennie éberluée. Je n'avais encore jamais fait un effet pareil à un homme !

— Le pauvre garçon en est tout retourné, acquiesça Mme Lawrence. Il n'aurait pas été plus impressionné s'il avait vu arriver Jésus, Marie et les douze apôtres !

Gennie s'approcha du guichet en riant.

— En fait, je n'étais pas entrée ici pour jeter le trouble dans le cœur des adolescents mais pour vous dire un petit bonjour et vous remercier pour vos muffins.

Le regard de Mme Lawrence tomba sur le carnet d'esquisses qu'elle tenait à la main.

— Vous avez l'intention de dessiner le village ?

Gennie hocha la tête.

— J'ai juste fait quelques croquis jusqu'à présent. Mais je suis toujours sous le charme. On sent quelque chose ici, à la Pointe des Vents, que l'on ne trouve nulle part ailleurs.

Sur une impulsion, elle remit le carnet à la postière et attendit le verdict pendant que Mme Lawrence, avec son calme et son sérieux habituels, examinait chacun de ses dessins.

— Pour sûr que vous connaissez votre métier, finit par commenter la veuve. Vous avez une façon de voir les choses que nous n'aurons jamais, nous autres.

Mme Lawrence eut un de ses fins sourires lorsqu'elle tomba sur le portrait de Grant.

— Tiens, tiens… Il n'a pas l'air très rassurant.

— Ça correspond au personnage, non ?

— Bah… un homme, faut pas non plus que ce soit tout guimauve. Pour ma part, je préfère ceux qui ont du caractère.

La veuve jeta un regard vers la porte et referma posément le carnet d'esquisses.

— Bonjour, monsieur Campbell, lança-t-elle avec un sourire.

Pendant une fraction de seconde, Gennie ouvrit des yeux énormes et regarda Mme Lawrence avec une expression qui ne devait guère différer de celle de Will Turner, quelques minutes auparavant.

— Bonjour, madame Lawrence, dit la voix grave et parfaitement posée de Grant juste derrière elle.

Tournant la tête, Gennie huma l'odeur de l'océan qui semblait faire partie intégrante du personnage. Grant la salua d'un signe de tête accompagné d'un long regard énigmatique.

Songeant à l'adolescent écarlate et bégayant, Gennie se ressaisit in extremis.

— Toujours vivant, Grant ? Je commençais à me demander si tu étais entré en hibernation.

— J'ai eu pas mal de choses à faire ces derniers jours, répondit-il avec indifférence. J'ignorais d'ailleurs que tu étais toujours dans le coin.

Grant eut la satisfaction de voir une lueur de contrariété briller dans les yeux verts de sorcière. C'était une maigre consolation, cela dit, par rapport aux trois journées interminables qu'il venait de passer. Il ne comptait plus le nombre de fois où il s'était détourné de sa planche à dessin pour aller à la fenêtre la regarder peindre.

— Je suis encore à la Pointe des Vents pour au moins un mois, déclara-t-elle d'un ton de défi.

Mme Lawrence posa un gros paquet de courrier devant Grant, puis sortit une pile de journaux qu'elle lui remit également. Gennie eut le temps d'entrevoir l'adresse d'un expéditeur de Chicago avant que Grant ne récupère le tout.

— Merci.

Sourcils froncés, Gennie suivit sa haute silhouette des yeux. Une douzaine de lettres ainsi qu'une bonne dizaine de quotidiens figuraient dans sa pile. Comment expliquer qu'un homme qui vivait en reclus dans un phare et habitait un village qui ne comptait même pas un seul feu rouge lise un journal comme le *Washington Post* ?

Sidérée, elle se prépara à quitter le bureau de poste à son tour.

— Il n'est pas vilain garçon, ce Grant Campbell, n'est-ce pas ? commenta la voix amusée de Mme Lawrence dans son dos.

Gennie marmonna quelque chose qui pouvait passer pour un acquiescement.

— Au revoir, madame Lawrence.

Reprenant son exploration du village, Gennie songea que ce n'était pas son problème si Grant-le-Reclus recevait autant de courrier qu'un ministre. Peu lui importait ce que cet individu pouvait lire, faire ou penser. L'essentiel — puisqu'ils étaient en guerre — c'était qu'elle ait réussi à lui lancer quelques pointes. Même s'il ne s'était pas privé de lui assener une belle vacherie de son côté.

Gennie s'attarda un moment pour croquer quelques habitants. Puis elle décida de pousser jusqu'au cimetière. Le calme qui y régnait était encore différent de celui qu'elle avait trouvé au village. L'herbe haute entre les tombes ployait doucement sous la brise. Quelques mouettes survolèrent la petite église toute blanche avant de poursuivre vers l'océan.

Gennie trouva un endroit pour s'asseoir sur un carré d'herbe fraîchement tondue. Elle respira l'odeur du foin coupé et s'étonna que ce point minuscule sur la carte comporte tant de richesses, tant de beauté. Même si elle restait six mois de plus à la Pointe des Vents, elle n'aurait toujours pas fait le tour de ce qu'elle avait envie d'y peindre.

L'agitation qu'elle ressentait depuis sa rencontre surprise avec Grant retomba dès qu'elle se mit à dessiner. Elle n'aurait sans doute pas le temps de faire toutes les aquarelles, toutes les peintures à l'huile qu'elle désirait. Mais elle aurait au moins les croquis qu'elle pourrait retravailler par la suite.

Dans un mois, lorsqu'elle serait de retour à La Nouvelle-Orléans, ces dessins constitueraient les seules traces palpables qu'elle conserverait de la Pointe des Vents, du phare... et de Grant.

Gennie tournait la page pour commencer une seconde esquisse lorsqu'une ombre tomba sur le papier. Une onde de chaleur courut sur sa peau, son pouls s'emballa. Sans même avoir à se retourner, elle sut qui se tenait derrière elle.

Portant une main en visière au-dessus de ses yeux, elle leva la tête.

— Eh bien... Deux rencontres dans une même journée...

— La Pointe des Vents n'est pas New York. C'est difficile d'éviter de se croiser... Tu as fini ce que tu voulais peindre au phare ?

— Pas encore, non. Mais je ne peux venir que le matin. L'après-midi, je n'ai pas la bonne lumière.

Grant se laissa tomber dans l'herbe à côté d'elle.

— Et du coup, tu viens immortaliser la Pointe des Vents ?

— A ma manière, oui, répondit-elle d'un ton détaché en recommençant à faire courir son crayon sur la feuille.

N'avait-elle pas su, tout au fond d'elle-même, qu'il viendrait la rejoindre ?

— Tu t'amuses toujours avec tes timbres ? demanda-t-elle après un temps de silence.

— Non. Je me suis mis à la musique classique, cette fois.

Lorsqu'elle tourna la tête pour lui jeter un regard interrogateur, Grant se contenta de sourire.

— La musique classique ? répéta-t-elle, sourcils froncés.

— Oui, pourquoi ? Ça te surprend ? Tu as pourtant dû être élevée dans une atmosphère musicale, non ? Une touche de Brahms après le dîner, à l'heure du café et des cigares ?

— Nous écoutions plutôt Ravel ou Debussy… Qu'as-tu fait de ton courrier, au fait ?

— Je l'ai posé.

— Je n'ai pas vu ton pick-up.

— Parce que je suis venu en bateau.

Lui prenant son carnet d'esquisses des mains, il se mit à le feuilleter.

— Pour quelqu'un qui défend si jalousement son territoire, tu n'es absolument pas respectueux de celui d'autrui, protesta-t-elle, indignée.

— C'est vrai.

Sans le moindre scrupule, il repoussa sa main tendue lorsqu'elle chercha à lui reprendre son travail. Pendant qu'elle fulminait en silence, il continua à tourner les pages, en faisant quelques commentaires ici et là. Gennie retint son souffle lorsqu'il tomba sur son propre portrait. Il inclina la tête pour l'examiner un moment en silence. Puis, à la grande surprise de Gennie, il eut un large sourire.

— Pas mal.

— C'est mieux que « pas mal », protesta-t-elle. Je considère qu'il est particulièrement bien réussi. Ton expression furibonde est bien rendue, non ?

— C'est donc comme ça que tu me vois !

Grant agit sur une impulsion.

— A moi de jouer.

Il cueillit le crayon qu'elle tenait toujours entre ses doigts, trouva une page vierge dans le carnet et, au grand étonnement de Gennie, se mit à dessiner à son tour. Sifflotant gaiement, il traçait des lignes hardies, avec une aisance qui dénotait une

108

habitude certaine. Il plissa un instant les yeux pour ajouter quelques ombres, puis il lui jeta le carnet sur les genoux.

Intriguée, elle baissa les yeux. C'était elle, indiscutablement — même si la caricature était féroce. Le regard était impérieux, deux traits hautains formaient les pommettes, et le menton était levé. Avec ses lèvres entrouvertes et son port de tête orgueilleux, elle avait l'air d'une reine offensée. Gennie examina le dessin pendant dix bonnes secondes avant d'éclater de rire.

— Espèce de chien ! protesta-t-elle, ravie. On dirait que je me prépare à faire décapiter l'un de mes laquais.

Grant soupira. Si seulement elle avait réagi par la colère en le foudroyant d'un regard offusqué ! Il aurait décrété qu'elle était vaine, suffisante et dépourvue de tout humour. Et il aurait pu tourner la page. Mais avec le rire joyeux de Gennie qui tintait à ses oreilles, il était sous le charme.

Perdu, autrement dit.

— Gennie…

Le son presque tendre de la voix de Grant fit que le rire, soudain, s'étrangla dans sa gorge. L'air autour d'eux parut se figer, comme si l'herbe, les fleurs, l'océan se concentraient dans une attente immobile. Il n'y eut plus alors d'autre mouvement au monde que celui des doigts de Grant effleurant sa joue, ramenant ses cheveux derrière une oreille.

Lorsqu'il se pencha sur ses lèvres, Gennie ne bougea pas, mais attendit en retenant son souffle. Pendant une fraction de seconde, il demeura en suspens, puis sa bouche vint caresser la sienne.

C'était une bouche sans arrogance aucune. Elle n'affirmait rien, mais questionnait, hésitait, folâtrait un peu. Et néanmoins, Gennie sentit comme un trait de feu descendre le long de sa colonne vertébrale. Lorsque les doigts de Grant se crispèrent dans sa nuque, elle comprit qu'il avait ressenti le même choc électrique —une décharge puissante suivie d'une sensation de faiblesse, de flottement.

Les êtres humains étaient-ils censés entrer en lévitation et planer comme les mouettes au-dessus de l'océan ? se demanda-t-elle confusément. Et comment la simple pression de deux bouches accolées pouvait-elle générer une telle richesse de sensations ? Il y avait eu d'autres hommes, d'autres baisers, pourtant. Mais ce qui se passait là était radicalement différent — sans comparaison possible avec tout ce qu'elle avait pu appeler « embrasser » jusqu'à présent.

Et ce n'était pas un rêve pour autant. Tous ses sens étaient actifs, en éveil : elle goûtait le souffle de Grant sur ses lèvres, son odeur d'océan était dans ses narines ; elle discernait ses traits et l'entendait gémir son nom.

En réponse à son appel, Gennie ferma les yeux et se laissa fondre contre lui. Avec l'abandon, vint la douleur — inattendue et si violente qu'elle en eut des tremblements. Tout d'abord, ce fut l'incompréhension. Comment pouvait-il y avoir souffrance alors qu'elle ressentait un tel bien-être ?

Une petite voix singulièrement forte et lucide lui répondit que l'amour faisait mal. Toujours. Mais comment pourrait-il être question *d'amour*, tout à coup ? Ce serait de la folie d'imaginer qu'elle était en train de tomber amoureuse. Ce n'était pas du tout ce qu'elle désirait.

Ce qu'elle désirait, c'était… c'était…

Lui.

La réponse s'imposa avec une telle clarté que Gennie connut un instant de pure panique.

— Grant, non !

Elle voulut se dégager mais il la retint d'une main posée au creux de sa nuque.

— Non, quoi ?

— Je ne voulais pas… Nous ne devrions pas… Je ne…

Les joues en feu, elle ferma les yeux, horrifiée de se trouver réduite à cet état de balbutiante confusion.

— C'est très clair, comme explication, ironisa Grant gentiment. Tu pourrais me reformuler ça en termes à peu près cohérents ?

Gennie se releva si vite qu'elle dut lutter un instant contre le vertige.

— Ce n'est pas un endroit pour… pour pratiquer ce genre d'activité.

Il se leva à son tour — avec une aisance remarquable de son côté.

— Quel genre d'activité ? Nous échangions un baiser, c'est tout. C'est tout aussi « tendance », après tout, que de nouer des conversations amicales. Et ça devient une habitude pour moi, de t'embrasser.

Il lui souleva les cheveux pour les laisser couler entre ses doigts.

— Je suis un homme d'habitudes, tu sais. Une fois que l'une d'elles m'est acquise, je m'y cramponne.

— Il faudra pourtant que tu renonces à celle-ci, murmura-t-elle en détournant les yeux.

Les mains sur ses épaules, il laissa errer sur ses traits un regard intense, pénétrant.

— Tu es un drôle de mélange, Geneviève. Tantôt, tu te conduis comme une séductrice rompue à tous les secrets de son art, tantôt comme une vierge offensée. C'est un peu fatigant, ces revirements.

Gennie se drapa aussitôt dans sa fierté.

— Certains hommes se fatiguent pour pas grand-chose, lança-t-elle sèchement.

— En effet, oui, acquiesça Grant en se détournant. Et il arrive même un moment où ils se lassent complètement.

Tout en écoutant le bruit décroissant de ses pas, Gennie se pencha pour récupérer son carnet d'esquisses. L'ironie du sort voulut qu'il se soit ouvert à la page où elle avait dessiné le portrait de Grant. Gennie lui jeta un regard noir.

— Sale type arrogant, marmonna-t-elle en récupérant ses affaires.

Elle épousseta son jean, sortit du cimetière avec un air de calme dignité puis songea qu'elle n'en avait rien à faire, au fond, de garder ou non la face.

Renonçant à sa stupide fierté, elle se mit à courir.

— Grant ! Attends !

Il s'immobilisa avec une mimique impatiente.

— Quoi encore ?

Hors d'haleine, elle se planta devant lui. Et se demanda ce qu'elle allait bien pouvoir lui dire. Tout ce qu'elle savait, c'était qu'elle ne voulait pas le voir disparaître de sa vie de façon définitive.

— On fait la paix ? proposa-t-elle sur une impulsion en lui tendant la main. S'il te plaît !

Le « s'il te plaît » eut raison de l'irritation de Grant. Il serra la main tendue et la garda un instant dans la sienne.

— Pourquoi cet élan pacifiste, tout à coup ?

— Je ne sais pas. On pourrait tenter de s'entendre au lieu de se faire la guerre. Pourquoi pas ?

Il enroula lentement autour de son doigt la chaîne en or qu'elle portait à son cou.

— On ne risque rien à essayer. Et comment procède-t-on ?

Bonne question. Comment procédait-on pour s'entendre avec quelqu'un qui, au moindre effleurement, vous procurait des palpitations ? Mais si Gennie ne voulait pas succomber au vertige, elle n'avait pas l'intention de détaler comme un lapin pour autant.

— Je te dois un repas, déclara-t-elle sur une impulsion. Si je t'offre un dîner, nous serons quittes.

— Il n'y a pas de restaurants à la Pointe des Vents.

— Je peux cuisiner.

— Tu m'as déjà préparé un petit déjeuner.

— Oui, mais c'était *ta* nourriture. D'ailleurs, ça tombe bien. J'avais justement l'intention de faire une corvée de courses.

Grant réfléchit un instant à sa proposition.

— Tu veux acheter de quoi dîner et venir au phare ?

Pas au phare, non, décida Gennie sur-le-champ. Le phare était un lieu beaucoup trop chargé en souvenirs sensuels. Mais s'ils se retrouvaient dans un *autre* type de décor, ne noueraient-ils pas aussi un *autre* type de relation ?

— Pourquoi pas le cottage ? Il y a un petit barbecue en brique, sur la terrasse. Si tu aimes la viande, je peux nous faire griller un steak.

— Va pour le steak.

— Parfait, déclara-t-elle en lui prenant la main. Allons faire nos courses.

— Hé, ne cours pas comme ça, protesta Grant lorsqu'elle l'entraîna à grands pas.

— Ne commence pas à te plaindre. Où achète-t-on la viande ici ?

— A trente kilomètres, sur la côte.

— Zut, s'exclama-t-elle en s'immobilisant net.

Grant sourit et lui passa un bras autour des épaules.

— Pas de panique. Nous allons peut-être trouver notre bonheur chez Leeman, le vendeur de fruits et légumes. Il lui arrive de proposer un morceau de bœuf à l'occasion.

— Hou là… Et il le sort d'où, son bœuf ?

— Mieux vaut ne pas trop se poser la question, rétorqua Grant, toujours avec un large sourire, en poussant la porte du magasin.

113

Gennie le suivit avec un enthousiasme plus que modéré. Jusqu'au moment où elle découvrit que la viande vendue par Leeman venait d'une ferme des environs et que la garantie d'origine apparaissait sur l'étiquette. Elle acheta également de la salade et, satisfaite de ses acquisitions, entraîna Grant dans la rue.

— Il ne nous reste plus qu'à trouver une bouteille de vin et l'affaire sera dans le sac.

— Chez Fairfield, alors. Mais ne t'attends pas à trouver un vaste choix de grands crus.

— Allons jeter un œil. Ça ne nous engage à rien.

Lorsqu'ils traversèrent la rue, un jeune garçon qui passait à bicyclette jeta un rapide regard à Grant, puis rentra la tête dans les épaules et se mit à pédaler de plus belle.

— Tiens, tiens… Un de tes admirateurs, peut-être ? s'enquit Gennie, pince-sans-rire.

— La semaine dernière, je l'ai surpris derrière chez moi, sur la falaise, avec trois de ses copains. Autant te dire que je les ai fait détaler.

— Tu es vraiment un chic type, Grant. Ça te perdra d'avoir le cœur aussi tendre.

Grant se mit à rire. Il se souvint de son accès de fureur lorsque les cris des gamins l'avaient dérangé. Puis de son inquiétude à l'idée que l'un des enfants s'était peut-être rompu le cou en dévalant les rochers.

— Qu'est-ce que tu veux ! Je n'ai pas l'occasion de parler souvent. Il faut bien que je me délie la langue de temps en temps en vitupérant après quelques innocents.

— Mmm… Edifiant. Et tu chasserais vraiment un chien malade à coups de pied ?

— Oh, seulement s'il circule sur mon territoire.

Gennie leva les yeux au ciel, poussa un soupir démonstratif et entra chez l'épicier. Au fond du magasin, Will Turner se tourna, la vit, et laissa tomber le pot de cornichons qu'il tenait à la main. Le teint uniformément écarlate jusqu'à la pointe de ses oreilles, il abandonna le pot sur place et balbutia :

— Je… je peux vous aider ?

Gennie s'avança vers lui.

— Il me faudrait du charbon de bois.

— J'en… j'en ai en réserve, balbutia l'adolescent. Vous voulez un sac de deux ou de cinq kilos ?

Déchirée entre le fou rire et la compassion, Gennie fit un réel effort pour garder son sérieux.

— Deux kilos suffiront.

— Je vais vous chercher ça tout de suite.

Will recula d'un pas et alla donner du coude dans une pile de boîtes de conserve qui s'effondra avec fracas. L'adolescent disparut sans demander son reste. Un grand bruit se fit entendre. Puis vint la voix irritée de Fairfield dans l'arrière-boutique demandant à Will « d'arrêter de courir comme un dératé et de faire attention où il mettait les pieds ». Portant la main à sa bouche, Gennie fut à deux doigts de pouffer.

Songeant à Macintosh et à Veronica, Grant se sentit en empathie immédiate avec le pauvre Will Turner.

— Tu as vu dans quel état tu as mis ce pauvre garçon ? Il en a pour un mois à hurler à la lune toutes les nuits en souffrant comme un malade. Tu étais vraiment obligée de lui sourire ?

Avec un haussement d'épaules, Gennie se pencha en avant pour examiner la maigre sélection de vins et lire les étiquettes.

— A cet âge-là, ce sont des phénomènes purement hormonaux, Grant. Il faut juste laisser le temps au temps, et attendre que ça se stabilise.

Les bras croisés sur la poitrine, Grant laissa glisser son regard sur un certain postérieur gainé de jean et poussa un bref soupir.

— Tu as raison. Cela ne devrait guère prendre plus de trente ou quarante ans, marmonna-t-il.

Gennie repéra un bourgogne qui lui parut correct et le sortit triomphalement du rayon.

— Et voilà. Ce soir, ça va être la fête.

Sur ses entrefaites, Will revint avec son sac de charbon.

— Je vous ai aussi amené des cubes d'allumage, au cas où.

— Oh, merci, c'est vraiment très gentil, s'exclama Gennie en sortant son portefeuille.

— Euh… il faut être majeur pour acheter du vin, déclara Will gravement.

Le sourire de Gennie s'élargit et il rougit de plus belle.

— Je suppose que vous avez plus de vingt et un ans ?

Incapable de résister à la tentation, elle désigna Grant.

— Lui, oui, en tout cas.

Pour la première fois, le regard de l'adolescent se détacha de Gennie. Grant vit un tel mélange d'envie et d'admiration dans les yeux de Will qu'il ne put s'empêcher de lui poser une main amicale sur l'épaule.

— Elle est canon, hein ? lui glissa-t-il en aparté lorsque Gennie eut quitté le magasin.

Will soupira.

— *Pour ça…*, murmura-t-il.

Grant allait se détourner pour partir lorsque l'adolescent le retint par la manche.

— Alors comme ça, vous allez dîner avec elle, et tout et tout, m'sieur Campbell ?

Haussant les sourcils, Grant réussit à garder son sérieux. Ce « et tout, et tout » pouvait évoquer différentes choses. Mais les images qui s'imposaient à son esprit auraient fait rougir le pauvre Will de plus belle.

— Rien n'est encore joué, marmonna-t-il, se surprenant à utiliser une des expressions consacrées de Macintosh. Mais nous allons dîner ensemble, oui.

Quant au reste… Avec un léger sourire, Grant sortit rejoindre Gennie.

— C'était quoi, ces messes basses, au juste ? s'enquit-elle, les bras croisés sur la poitrine.

— Une conversation entre hommes, ma chère.

— Oh, pardonnez-moi, s'exclama-t-elle en prenant son air de Scarlett O'Hara offensée.

Sous le charme, Grant éclata de rire et l'embrassa au vu et au su de toute la Pointe des Vents. Comme le baiser s'éternisait, on entendit un grand fracas à l'intérieur de l'épicerie.

— Pauvre Will, murmura Grant. Encore une pile de boîtes de conserve qui s'effondre. Je peux imaginer ce qu'il ressent… Mais je ferais mieux de regagner mon bateau si je veux être à l'heure au cottage pour le dîner, et tout et tout.

Déconcertée par cette légèreté qui ne lui ressemblait pas, Gennie secoua la tête.

— « Et tout et tout » ?

— Je devrais arriver dans une demi-heure, fit-il en s'éloignant avec un signe joyeux de la main.

117

6.

Les jambes comme du coton, Gennie poussa la porte du cottage. Et se répéta pour la énième fois que c'était complètement idiot de se mettre dans un état pareil pour *rien*.

Il s'agissait juste d'un repas improvisé — deux adultes, une côte de bœuf et une bouteille de bourgogne qui ne valait peut-être même pas son prix. Quoi de plus terre à terre que du charbon de bois, des cubes d'allumage pour barbecue et quelques feuilles de salade ?

Si seulement elle n'avait pas une imagination si fertile ! C'était effarant, cette tendance qu'elle avait à se raconter des histoires. Un peu de tendresse inattendue, une brise douce et elle se voyait déjà engagée pour la vie. Ridicule. Totalement et parfaitement ridicule.

Gennie posa ses achats dans la cuisine et songea avec une pointe de regret qu'elle aurait dû acheter des bougies pour mettre un peu d'ambiance dans l'austère cottage de Mme Lawrence. Et si seulement elle avait eu une radio, ils auraient pu mettre un peu de musique et…

Consternée par le tour que prenaient ses pensées, Gennie secoua la tête. Mais à quoi songeait-elle, bon sang ? Non seulement elle aurait eu l'air ridicule avec sa musique et ses bougies, mais elle ne voulait à aucun prix vivre une histoire avec Grant. Une amitié, oui. A la rigueur. Mais certainement rien qui aille au-delà.

Elle lui cuisinerait un repas pour le remercier de l'avoir accueillie sous son toit. Et elle aurait plaisir à converser avec lui car elle le trouvait intéressant, malgré ses côtés rébarbatifs. Mais elle veillerait avec le plus grand soin à ne pas lui tomber dans les bras.

Inutile de se leurrer : la tentation serait forte — surtout après le baiser qu'ils avaient échangé au cimetière. Mais il était temps que son bon sens reprenne le dessus. Non seulement Grant Campbell était fondamentalement désagréable, mais il s'agissait d'un homme beaucoup trop compliqué à son goût. Elle était trop complexe de son côté pour se lancer dans une aventure avec un homme aussi riche en particularités bizarres.

Gennie prit le sac de charbon et passa sur la terrasse pour préparer le barbecue. Les ombres s'allongeaient sur l'herbe. L'air était calme, immobile, presque sans un souffle. Elle entendrait arriver Grant bien avant que la silhouette de son bateau ne se dessine au large.

La lumière était comme du lait — très légèrement opaque, onctueuse, apaisante. On entendait le léger clapotis des vagues contre les piliers du ponton et le bourdonnement des insectes. Puis, à peine perceptible encore, le son d'un moteur sur l'eau…

Soudain pétrifiée par l'émotion, Gennie faillit se verser les deux kilos de charbon de bois sur les pieds. Secouant la tête, elle reprit ses préparatifs. Et dire qu'elle avait la réputation d'être si mondaine, si adulée, si sûre d'elle ! Genviève Grandeau — élément respecté de la communauté artistique internationale et rejeton d'une des familles les plus prestigieuses de La Nouvelle-Orléans — était au bord de l'effondrement nerveux parce qu'elle s'apprêtait à partager un morceau de viande et trois feuilles de salade avec l'occupant d'un vieux phare désaffecté.

Les grands de ce monde étaient décidément en plein déclin.

— Oui, peut-être… Et alors ? murmura-t-elle avec un petit sourire, en reposant son sac de charbon pour se porter à la rencontre de Grant.

Grant prit un virage serré pour entrer dans la crique et l'eau jaillit dans son sillage. Riant aux éclats, Gennie courut jusqu'à l'extrémité du ponton et lui fit de grands signes. Elle avait hâte qu'il soit là, en fait. Maintenant seulement, elle se rendait compte à quel point elle avait appréhendé de passer la soirée toute seule. Mais elle n'avait pas envie pour autant de la partager avec n'importe qui. Même s'il devait la mettre hors d'elle, c'était avec Grant Campbell qu'elle voulait dîner ce soir.

Grant longea le ponton au ralenti puis coupa son moteur, ramenant d'un coup le silence dans la crique. Les eaux agitées par son passage battaient doucement les piliers de l'embarcadère et on entendait le crissement des insectes s'enivrant des derniers pollens.

— Quand m'emmènes-tu faire un tour en mer, alors ? demanda-t-elle en attrapant le cordage qu'il lui lançait.

— Pourquoi ? C'était prévu au programme ?

Grant sauta sur le ponton. Les mains enfoncées dans les poches de son jean, elle le regarda procéder pendant qu'il amarrait son bateau d'une main experte.

— Je ne sais pas si *c'était* prévu au programme, mais en tout cas, ça l'est maintenant. Je pensais m'acheter une barque pour faire le tour de la crique. Mais j'aimerais autant m'aventurer plus loin.

— Une barque ? s'étonna Grant en se redressant.

Elle lui jeta un regard de défi.

— Et alors ? Je suis pour ainsi dire née sur le fleuve. J'ai le pied aussi marin que toi, Campbell.

Il lui prit la main et l'examina d'un œil critique.

120

— On a de la peine à imaginer que ces jolies paumes lisses aient laissé filer beaucoup de cordages.

Gennie entrelaça ses doigts aux siens.

— Nous sommes pourtant tous un peu marins dans la famille. Mon arrière-arrière-grand-père vivait déjà de ce qu'il rapportait de la mer.

— Tu as un ancêtre pêcheur ?

— Mmm… En quelque sorte. Pêcheur de ducats et de marchandises dérobées dans les cales d'autrui.

Une lueur amusée scintilla dans le regard de Grant.

— Un pirate ! J'ai l'impression qu'il t'intéresse plus que les comtes et les ducs disséminés dans ton arbre généalogique.

— Bien sûr. La plupart des gens trouvent des aristocrates parmi leurs ascendants, pour peu qu'ils poussent leurs recherches assez loin. Les pirates, c'est déjà beaucoup plus rare. Et celui-ci était bon.

— Bon de cœur ?

— Non, efficace, rectifia-t-elle en riant. Il avait quasiment soixante ans lorsqu'il a pris une retraite bien méritée à La Nouvelle-Orléans. Ma grand-mère vit toujours dans la maison qu'il a construite.

— Avec l'or arraché à de malheureux marchands.

— Bah… Ils savaient le risque qu'ils couraient, non ? La vie était une vaste loterie et chacun tentait sa chance à sa façon. Soit on ramassait des fortunes, soit on se retrouvait avec la tête tranchée d'un coup de sabre, comme ton ami le marin.

Grant saisit une mèche de ses cheveux entre ses doigts.

— Tout ça ne m'encourage pas à t'emmener au large sur ma modeste chaloupe. Compte tenu de ton ascendance, c'est plus sûr de te cantonner sur la terre ferme.

Tirant doucement sur sa chevelure, il l'amena contre lui. Gennie maintint son équilibre en posant une main à plat sur sa poitrine. Mais au lieu de résister, elle se dressa sur la pointe des pieds pour aller à la rencontre de ses lèvres.

Grant maintint sa bouche sur la sienne sans pour autant exercer de pression, comme s'il hésitait à aller plus loin. Ils demeurèrent ainsi en suspens l'un et l'autre, maintenant entre eux une distance à peine perceptible et néanmoins réelle. Ils étaient comme à mi-chemin entre le oui et le non, libres encore de reculer comme d'aller de l'avant.

Au même moment, ils s'écartèrent l'un de l'autre et échangèrent un regard.

— Il serait temps que j'aille allumer le barbecue, déclara Gennie doucement.

— Tu crois que tu vas t'en sortir ou tu préférerais que je m'en charge ? s'enquit Grant en lui emboîtant le pas.

— Mon cher monsieur Campbell, je crains que votre vision des femmes du Sud ne repose sur des préjugés ineptes. Je serais capable de faire la cuisine sur n'importe quoi, même un rocher chauffé au soleil.

— Et de laver le linge à mains nues dans un torrent furieux.

— Ni mieux ni moins bien que toi, rétorqua Gennie plus gravement. Je reconnais que tu as un certain avantage sur moi lorsqu'il s'agit de mécanique. Mais dans la plupart des autres domaines, nos compétences sont à peu près égales.

— S'agit-il d'un vibrant plaidoyer pour le mouvement des femmes ?

Gennie lui jeta un regard méfiant.

— Pourquoi ? Tu t'apprêtes à faire quelque commentaire aussi stupide que sarcastique sur la condition féminine ?

— Certainement pas, non. Je considère que vos revendications sont parfaitement légitimes. Ce que certaines femmes obtiennent avec une déconcertante facilité en tant qu'individu reste parfois inaccessible aux femmes dans leur ensemble. Et il est important qu'elles se battent pour que les privilèges de quelques-unes deviennent des droits pour toutes... Tu as entendu parler de Winnie Winkle ? C'était une bande dessinée des années vingt qui abordait les thèmes de la libération féminine bien avant que le mot « féministe » n'entre dans les mœurs.

Gennie s'appuya en riant contre le barbecue.

— Là, j'avoue que tu m'impressionnes. Je ne t'imaginais pas en grand spécialiste de la question de la femme. Et comment se fait-il que tu sois familier des bandes dessinées des années vingt ?

— Ces connaissances remontent à mes années d'études, répondit Grant, évasif, en lui prenant les allumettes des mains.

Il se pencha pour mettre le feu au charbon de bois et les flammes s'élevèrent, les forçant à reculer l'un et l'autre.

— Tu as étudié où, au fait ?

— A Georgetown.

— Ils ont une excellente école des beaux-arts là-bas.

Il marmonna un vague acquiescement.

— Tu l'as faite ou non ? insista Gennie.

Le regard rivé sur le barbecue, Grant huma l'odeur du feu qui lui rappelait son enfance.

— Pourquoi cette question ?

— Parce que le portrait de moi que tu as tracé en trois coups de crayon tout à l'heure montre que tu as à la fois le talent, l'aisance et la pratique. Qu'en fais-tu dans la vie courante ?

— Qu'est-ce que je fais de quoi ?

— De tes dons, précisa-t-elle patiemment. Si tu avais été peintre, j'aurais entendu parler de toi.

— Je ne suis pas peintre, affirma-t-il en soutenant son regard.

— Alors, que fais-tu de ta vie ?

— Je fais ce que j'ai à faire. Tu ne devais pas nous préparer une salade ?

— Grant...

— Bon, bon, d'accord. Inutile de monter sur tes grands chevaux. Je me charge de la laitue.

Comme il se détournait pour passer dans la cuisine, Gennie le rattrapa par le bras.

— Je ne te comprends pas, Grant.

Il haussa les sourcils.

— T'ai-je demandé de me comprendre ?

Dans les yeux de Gennie, Grant ne vit pas seulement de la frustration mais un éclair de tristesse. Comme s'il l'avait rejetée et trahie. Pour la première fois depuis qu'il consacrait sa vie à Macintosh, il fut tenté de s'excuser pour le mystère qu'il entretenait autour de sa profession.

Il lui effleura la joue avec une douceur qui ne lui ressemblait pas.

— Laisse-moi te dire une chose, Gennie : je ne serais pas ici si j'étais capable de garder mes distances avec toi. Cela te suffit-il de le savoir ?

Gennie hésita. La réponse était à la fois oui et non. Si elle n'avait pas redouté les conséquences, elle lui aurait avoué qu'elle se sentait tout aussi incapable de fuir leur attirance de son côté. L'élan qui s'était ébauché dans le cimetière prenait rapidement de l'ampleur. Et Dieu sait jusqu'où il pouvait les mener.

Elle sourit et glissa les mains dans les siennes.

— Je m'occupe de la salade.

Ensemble, ils s'activèrent dans la cuisine, argumentant avec bonne humeur sur l'art d'assaisonner la verdure. Puis ils s'assirent dehors dans l'herbe pendant que la viande grillait.

Gennie respirait les odeurs de fumée, de cuisine et d'herbe sèche. Les dernières chaleurs de l'été généraient une torpeur confortable, marquée d'un soupçon de nostalgie. De temps en

124

temps, Grant et elle échangeaient quelques mots sans poids qui glissaient dans le silence sans le troubler.

Des instants précieux à cueillir et à conserver en vue de l'hiver inéluctable, comme ces fleurs séchées que l'on collecte dans un herbier. Gennie ferma les yeux. Elle retrouvait, intactes, ses impressions de petite fille, lorsque les vacances semblaient ne jamais devoir finir et que l'école paraissait encore loin — très loin — même si le mois d'août tirait à sa fin.

Pourquoi fallait-il que la magie des beaux jours devienne si poignante dans ses derniers sursauts, lorsque l'automne approchait à grands pas ? Etait-ce parce que l'été jetait ses derniers feux qu'elle tombait ainsi amoureuse sans raison définie ?

— A quoi penses-tu ? demanda Grant.

Elle sourit et renversa une dernière fois la tête en arrière pour contempler le ciel.

— Il serait temps que je m'occupe de cette côte de bœuf.

Il lui attrapa le bras et la fit basculer sur le dos.

— Non.

— Pourquoi ? Tu es amateur de viande carbonisée ?

— Pas spécialement. Mais ce n'était pas à ton barbecue que tu pensais.

Du bout des doigts, il lui effleura les lèvres. Bien que le geste soit désinvolte, Gennie en ressentit les effets jusqu'à l'extrémité des orteils.

— Je pensais à l'été, admit-elle doucement. Et à sa tendance à se terminer avant qu'on en ait vraiment fini avec lui.

— Il en va ainsi de tout ce qui est bon.

Dressé sur un coude, juste au-dessus d'elle, Grant plongea ses yeux dans les siens et la regarda sourire. Il ne se souvenait pas d'avoir jamais vu quelqu'un sourire de cette façon, comme si une lumière irradiait de son visage. La tête vide de toute pensée, soudain, il se pencha pour cueillir cet éclat. Douces, tièdes, déjà offertes, les lèvres de Gennie s'ouvrirent sous les siennes.

Tout était si simple avec elle. L'odeur de l'herbe froissée, les parfums de l'été, la fumée du feu qui s'élevait en spirales légères. Ce n'était pas seulement cette bouche ardente qu'il voulait posséder, mais ce cou, ces épaules, cette minceur et ces courbes, cette douceur et cette force. En sachant qu'il l'avait désirée ainsi dès le premier regard.

Mais s'il cédait à son attirance maintenant, ses nuits ne seraient plus jamais paisibles. Rien ne prouvait que la fin de l'été mettrait fin à sa fascination. Et il ne voulait pas passer l'hiver torturé par des souvenirs trop brûlants.

Soulevant la tête, il vit ses yeux verts de sorcière, à peine entrouverts. D'un seul regard, si elle le voulait, cette femme pouvait le mettre à genoux. Conscient de jouer avec le feu, Grant s'écarta et la tira sur ses pieds.

— Au travail, la cuisinière ! Nous ferions mieux de nous occuper de cette côte de bœuf si nous ne voulons pas nous contenter de la salade.

Gennie posa prudemment un pied sur le sol avant de se risquer à faire un pas. Elle avait toujours pensé que ce genre de phénomène ne se produisait que dans les livres, mais ses jambes se dérobaient *réellement* sous elle. Son corps entier n'était que vibrations. Alors que ses articulations, elles, avaient la consistance de la marmelade.

Posant la viande sur un plat, elle précéda Grant à l'intérieur de la maison. Par un accord tacite, ils n'abordèrent à table que des sujets indifférents. Ils se tenaient prudemment sur la défensive, comme s'ils refusaient l'un et l'autre de tirer les conséquences de ce qui se passait entre eux.

« Nous ne sommes pas faits l'un pour l'autre », songeait obstinément Gennie.

« Je n'ai pas de temps à consacrer à une relation amoureuse », se disait Grant comme en écho.

126

Plus secouée qu'elle ne voulait l'admettre, Gennie vida la moitié de son verre de vin d'un trait pendant que Grant, sourcils froncés, fixait sans le voir le contenu de son assiette.

— Comment est la viande ? s'enquit-elle en désespoir de cause pour rompre le silence pesant.

— Pardon ?…. Ah, la viande ! Elle est excellente !

Chassant la sensation de malaise, Grant se concentra sur son repas et finit par s'y consacrer avec enthousiasme.

— En fait, tu cuisines presque aussi bien que tu peins. Où as-tu appris à faire la tambouille, toi qui es née dans une maison pleine de domestiques ?

— Premièrement, les barbecues, ça a toujours été une spécialité familiale. Et deuxièmement, lorsqu'on vit seul, on a intérêt à se mettre à la popote si on ne veut pas être condamné à passer son temps dans les restaurants.

Il ne put résister à la tentation de la taquiner un peu, alors qu'elle buvait son bourgogne dans les solides verres à eau qu'elle avait achetés à la Pointe des Vents.

— Tu as été photographiée dans les restaurants les plus prestigieux du monde libre et d'ailleurs, Genviève.

Refusant de mordre à l'appât, Gennie se renversa contre son dossier.

— C'est pour ça que tu es abonné à autant de journaux ? Pour lire comment les autres vivent pendant que tu hibernes dans ton phare ?

Grant réfléchit un instant.

— C'est exactement ça, oui, finit-il par acquiescer. Ça résume assez bien ma situation.

— Et tu ne trouves pas que c'est un peu dédaigneux, comme attitude ?

Il contempla pensivement le fond de son verre.

— Oui, sans doute.

Gennie éclata de rire.

— Qu'est-ce que tu reproches à l'humanité, Grant ?

Il lui jeta un regard surpris.

— Mais rien du tout, pourquoi ? J'aime bien les gens. Certains beaucoup plus que d'autres, bien sûr. Mais je n'ai aucune objection de principe contre l'être humain en tant que catégorie. C'est juste que je ne supporte pas d'être importuné.

Se levant pour rassembler leurs assiettes, Gennie secoua la tête.

— Tu ne ressens jamais le besoin d'être au coude à coude dans une foule ? D'entendre le son de milliers de voix autour de toi ?

Grant faillit répondre que la foule, le coude à coude et les cris, il en avait eu plus que sa part jusqu'à l'âge de dix-sept ans. Mais il eût été inexact d'affirmer qu'il était complètement dégoûté de l'humanité pour autant. Il lui arrivait d'avoir besoin d'une bonne dose de compagnie. Passer une semaine chez les MacGregor, par exemple, lui avait fait le plus grand bien, même s'il ne s'en était rendu compte qu'en rentrant.

— J'ai quelques moments de faiblesse grégaire, admit-il. Mais ils restent assez rares.

Il se leva pour finir de débarrasser pendant que Gennie faisait couler de l'eau chaude dans l'évier.

— Nous sommes privés de dessert ? s'enquit-il en passant un coup d'éponge sur la table.

Elle jeta un regard par-dessus son épaule et vit qu'il posait la question avec le plus grand sérieux. Incroyable. Il ingurgitait des quantités impressionnantes de nourriture sans avoir une once de graisse pour autant. Etait-ce de l'énergie nerveuse ? Un métabolisme particulièrement rapide ? Secouant la tête, Gennie retourna à sa vaisselle en se demandant pourquoi elle s'obstinait à essayer de comprendre quelque chose au fonctionnement physique ou mental de cet individu.

— Je dois avoir deux Esquimau dans le congélateur.

Avec un sourire satisfait, Grant alla se servir.

— Tu en veux un ?

— Non merci… Tu manges ta glace par plaisir ou pour éviter d'avoir à essuyer la vaisselle ?

— Les deux. Le plaisir et la paresse, ça se concilie assez bien, non ?

Il vint s'adosser près d'elle contre le plan de travail.

— Quand j'étais jeune, je pouvais en manger des douzaines, de ces trucs-là.

Gennie rinça une assiette et la posa dans l'égouttoir.

— Et maintenant ?

— Ça n'a pas tellement changé, en fait. Mais tu n'en as malheureusement que deux en stock.

— Si tu étais poli, tu partagerais un peu.

— Si j'étais poli, oui, acquiesça-t-il en continuant à lécher sa glace.

Avec un éclat de rire, Gennie lui envoya quelques gouttes d'eau à la figure.

— Monstre ! Allez… sois sympa, fais preuve d'un peu d'humanité, pour une fois.

Il tendit l'Esquimau et le maintint à un centimètre de ses lèvres. Les mains enfoncées jusqu'aux coudes dans l'eau savonneuse, Gennie ouvrit la bouche.

— Juste un petit bout, hein ? la prévint Grant.

Lui jetant un regard offensé, elle se pencha pour mordiller délicatement la glace. Puis, d'un air de défi, elle se hâta d'en croquer une part conséquente.

— Chienne ! protesta Grant, dépité.

Gennie éclata de rire.

— Allez, je serai généreuse, pour une fois : je t'autorise à prendre le second. C'est juste que je manque de volonté lorsque quelqu'un me mange une glace sous le nez.

— Ah oui ? Et tu as d'autres faiblesses comme ça ? s'enquit Grant en lapant ostensiblement ce qui restait de son Esquimau.

— Quelques-unes.

Secrètement troublée, Gennie déambula jusqu'à la terrasse. Le cri aigu des hirondelles annonçait le crépuscule.

— Les jours raccourcissent, murmura-t-elle.

Les nuages blancs rosissaient à l'horizon et les dernières fumées du barbecue s'élevaient dans la lumière dorée. Déjà les premières couleurs de l'automne teintaient les feuilles des quelques rares buissons.

Lorsque les mains de Grant se posèrent sur ses épaules, elle se cala confortablement contre lui et ils regardèrent le soir tomber en silence.

Grant tenta de se souvenir quand il avait partagé un coucher de soleil pour la dernière fois, mais aucune image ne survint. Avait-il d'ailleurs jamais eu envie d'assister à la fin du jour en une autre compagnie que la sienne ?

Avec Gennie, tout paraissait d'une simplicité presque effrayante. Serait-il désormais condamné à penser à elle chaque fois qu'il verrait le soir approcher ?

— Parle-moi du plus bel été de ta vie, Gennie, murmura-t-il, les yeux rivés sur l'horizon.

Elle songea à un mois de juillet passé en Italie, sur les collines autour de Florence. A une croisière sur le yacht de son père dans la mer Egée. Mais c'était à un autre été, beaucoup moins spectaculaire, qu'étaient attachés ses plus grands souvenirs de bonheur.

— Je logeais chez ma grand-mère, murmura-t-elle. Mes parents étaient partis à Venise, pour un second voyage de noces. Je me souviens du parfum des magnolias et des journées brûlantes. Le temps semblait s'étirer jusqu'à l'infini. Juste devant la fenêtre de ma chambre, il y avait un vieux chêne dégoulinant de mousses. Le soir, je m'asseyais sur une branche et je regardais le ciel. Je devais avoir treize ans, je crois. Il y avait un garçon qui travaillait dans les écuries, juste à côté.

Gennie rit doucement, la tête renversée contre le torse de Grant.

— Maintenant que j'y repense, il ressemblait un peu à Will, je crois !

— Et tu lui vouais un amour éperdu.

— Tout à fait. Je passais mes journées à nettoyer les stalles et à étriller les chevaux rien que pour le bonheur ineffable de le voir passer de loin. Et le reste du temps, je noircissais des pages et des pages dans mon journal intime. J'ai même composé deux ou trois poèmes enflammés.

— Que tu gardais soigneusement cachés sous ton oreiller.

— Apparemment, le cœur des filles de treize ans n'a pas de secrets pour toi.

Grant songea à sa sœur Shelby et sourit en posant le menton sur le haut de la tête de Gennie. De ses cheveux montait comme une odeur de pétales froissés, de santal et de fleur d'oranger.

— Et il t'a fallu combien de temps pour obtenir ton premier baiser ?

— Dix jours. Je me considérais comme initiée aux mystères les plus profonds de la vie. J'étais devenue une femme au sens plein du terme.

— A treize ans, c'est normal. Toutes les filles en passent par là.

— Je vois que tu es un grand spécialiste de l'âme adolescente… Toujours est-il qu'un jour, j'ai trouvé Angela en train de pouffer avec mon journal sur les genoux. Je l'ai pourchassée en hurlant dans toute la maison. Elle avait…

Gennie se raidit lorsqu'une vague de chagrin la submergea, aussitôt suivie par une seconde, puis une troisième encore. Avant que Grant ait pu resserrer son étreinte pour la retenir, elle s'avança sur la terrasse et scruta le ciel assombri.

— Elle avait dix ans, acheva-t-elle dans un murmure. Je l'ai menacée de la tondre si elle osait me trahir.

— Gennie…

Elle secoua la tête lorsque la main de Grant vint lui caresser les cheveux.

— Il va bientôt faire nuit. On entend déjà les premiers grillons. Tu devrais rentrer chez toi si tu ne veux pas être obligé de naviguer dans le noir.

Grant hésita. S'en aller maintenant, la laisser à sa douleur serait facile. Tellement plus facile que de rester. Consoler n'était pas dans sa nature. Il n'avait jamais eu beaucoup de talent pour la douceur.

Et pourtant ce fut plus fort que lui.

Passant un bras autour de ses épaules, il la guida jusqu'à la vieille balancelle de bois abritée par le store.

— Rien ne presse, j'ai tous les feux réglementaires sur mon bateau. On peut prendre le temps de s'asseoir un moment… Tu sais que cette balancelle me rappelle ma grand-mère ? Elle avait une maison sur la côte Est du Maryland. C'était un endroit incroyablement paisible. Je me souviens que l'horizon était si plat qu'on avait l'impression qu'il avait été tracé à la règle. Tu as déjà visité la baie de Chesapeake ?

— Non, murmura Gennie, les yeux clos, en se détendant contre lui. Mais continue à me parler de ta grand-mère et de la côte du Maryland.

— Des champs de tabac, aussi loin que porte le regard. Et des crabes que l'on pêchait au bord de l'eau. Il fallait prendre un bac pour aller jusqu'à la maison de ma grand-mère. Elle ressemblait à ce cottage, d'ailleurs. C'était le même style d'habitat. Avec juste un étage en plus. Mon père et moi, nous n'avions que la route à traverser avec nos cannes à pêche pour nous retrouver au bord de l'eau.

Puisant dans sa mémoire, Grant poursuivit ses évocations, laissant remonter des scènes, des images depuis longtemps oubliées. Il livrait ses souvenirs en vrac, sans se soucier de cohérence, conscient qu'il n'avait rien d'autre à lui offrir pour la distraire de son chagrin que ces fragments décousus qui constituaient la trame muette d'une existence.

Gennie se détendait peu à peu. Sa tête reposait sur l'épaule de Grant et elle se laissait bercer par les grincements monotones de la balancelle qu'il maintenait en mouvement. Le son de sa voix lui faisait du bien, même si le sens de ce qu'il disait glissait sur elle sans l'atteindre. Tandis que Grant parlait, parlait, elle ferma les yeux, sombrant peu à peu dans une somnolence fiévreuse.

— Oh, Gennie, c'est trop bête que tu n'aies pas pu assister à la méga surprise-partie organisée par Franck ! dit sa sœur d'un ton désolé.

Détournant son attention du trafic, Gennie contempla sa passagère avec affection. Angela aux cheveux d'or… Elle rayonnait ce jour-là plus encore que de coutume. Même la pluie froide de février sur La Nouvelle-Orléans ne parvenait pas à altérer son éclat. Gennie avait toujours pensé qu'il n'existait pas d'être plus solaire que sa sœur.

— Je peux t'assurer que j'aurais préféré faire la fête avec toi ici, plutôt que de passer une semaine à me geler à New York, rétorqua-t-elle en riant.

— Tu parles ! On ne gèle pas sous les feux de la rampe !

— Tu crois ça, toi ?

Angela se blottit plus près.

— Allez, avoue : je suis sûre que pour rien au monde, tu n'aurais manqué cette exposition.

Gennie sourit car c'était l'exacte vérité.

— Parle-moi de ta fête, Angela.

— Ah, c'était *génial* ! Un bruit d'enfer ; une musique de fous. Et il y avait tellement de monde qu'on se marchait sur les pieds. Le tout dans une ambiance délirante… La prochaine fois que notre cousin Franck organisera une grande fiesta sur sa péniche, jure-moi que tu te débrouilleras pour y assister !

Gennie lui adressa un clin d'œil affectueux.

— Tu dis ça, mais je n'ai pas l'impression que tu as eu le temps de déplorer mon absence !

— Détrompe-toi ! Je ne risquais pas de t'oublier. J'ai passé la moitié de la nuit à répondre aux questions de tes admirateurs.

Avec un haussement d'épaules amusé, Gennie s'immobilisa devant un feu de circulation qui venait de passer au rouge. La pluie tombait à verse et elle avait mis les essuie-glaces en position rapide.

— Angela Grandeau, arrête de feindre l'innocence ! Tu sais pertinemment qu'ils se servent de moi comme prétexte pour entrer en conversation avec toi et ne plus te lâcher ensuite.

— Faux ! Mais il y a eu un homme, en revanche…

— Un homme ?

Gennie tourna un regard brillant de curiosité vers sa sœur. Elle était si jolie, songea-t-elle, attendrie.

— Parle, Angie !

Angela rougit.

— Un homme oui. Il est superbe, Gennie. Tu ne peux pas imaginer. Quand il est venu me parler, j'en bégayais. Pas moyen de sortir une phrase à peu près cohérente.

— Toi ?

— Oui, moi… J'étais devant lui, comme une idiote, à rougir et à dire n'importe quoi. Ça ne l'a pas trop découragé, cela dit, puisqu'on s'est revus tous les jours, cette semaine. Je suis follement amoureuse de lui, Gennie.

— Déjà ! Au bout d'une semaine ?

— Je l'étais au bout de trois secondes. Oh, Gennie… ne sois pas si pragmatique. Il faut absolument que tu le rencontres. C'est l'homme de ma vie, je le sais.

Gennie passa la première et se prépara à accélérer.

— Eh bien… ça promet ! J'ai hâte de le voir, ton Roméo !

Angela rejeta son opulente chevelure dorée dans son dos et éclata de rire lorsque le feu passa au vert.

— Je suis sur un petit nuage, Gennie. La vie est tellement merveilleuse !

Le rire d'Angela fut la dernière chose que Gennie entendit avant le hurlement de freins qui avait mis fin à son existence. Tournant la tête, elle vit la voiture arriver droit sur elles en soulevant des gerbes d'eau sous ses roues. Il était trop tard pour freiner, trop tard pour changer de direction, trop tard pour faire quoi que ce soit. Déjà, c'était l'explosion du métal heurtant le métal. Une lumière aveuglante. La douleur. L'obscurité.

— *Non !*

Tétanisée par la terreur, Gennie se redressa en sursaut. Il y avait des bras autour d'elle. Des bras qui la tenaient fort. Et des grillons chantaient dans l'herbe.

Des grillons ? Pourquoi des grillons ? Quelques secondes auparavant à peine, elle était encore en voiture avec Angela et la pluie tombait dans les rues de la ville.

Ouvrant lentement les yeux, elle vit la crique plongée dans l'obscurité. Et Grant qui lui murmurait des paroles de réconfort.

Gênée, elle se dégagea, rejetant nerveusement ses cheveux dans son dos.

— Je suis désolée, j'ai dû m'assoupir. On peut dire que je fais une piètre compagnie ! Tu aurais dû me donner un grand coup de coude dans les côtes et…

— Gennie, arrête ! ordonna-t-il en se levant pour l'attraper par le poignet.

Elle s'effondra dans ses bras comme une poupée de chiffon. Désemparé, Grant la berça contre lui.

— Ne pleure plus, Gennie… C'est fini, maintenant. Tout va bien.

— Oh, mon Dieu, je suis désolée. Cela ne m'était plus arrivé depuis des semaines.

Elle enfouit son visage contre la chemise de Grant.

— Au début, tout de suite après l'accident, ça recommençait chaque fois que je fermais les yeux.

Il lui embrassa le front.

— Viens te rasseoir.

— Non, je ne peux pas. Il faut que je marche un moment.

Elle se cramponna à lui quelques instants, comme pour puiser un peu de sa force.

— Ça ne te dérange pas de faire quelques pas avec moi ?

— Pas du tout.

En la maintenant fermement contre lui, Grant l'entraîna au bord de la crique.

— Parle-moi de ce qui vient de se passer, Gennie.

— Ce sont les images de l'accident qui défilent. Parfois, dans mes rêves, je réussis à éviter l'autre voiture. Mais quand je me réveille, c'est encore plus affreux.

Grant hocha la tête. La savoir en proie à ce genre de cauchemars lui faisait mal. Il savait ce que c'était. Il en avait enduré une longue série de son côté.

— C'est normal de réagir ainsi, Gennie. Avec le temps, les images s'estompent peu à peu.

— Je sais. Le processus est déjà en cours. Je rêve d'elle beaucoup moins souvent… Le plus terrible, c'est l'implacable précision avec laquelle je revois la scène. Comme si j'avais mémorisé chaque goutte d'eau sur le pare-brise. Et même la forme et l'aspect des flaques au bord de la chaussée. Et puis la voix d'Angela, surtout. Une voix vibrante, rieuse. Elle était tellement belle, Grant ! Et pas seulement physiquement. Elle était généreuse, pleine de vie, avec un vrai talent pour le bonheur. Et amoureuse, en l'occurrence. Elle venait juste de me l'apprendre lorsque je l'ai tuée.

Refermant les doigts sur ses épaules, Grant la secoua avec force.

— Qu'est-ce que tu racontes ?

Elle prit une profonde inspiration.

— C'était ma faute. Je n'ai rien fait pour éviter cet accident. Rien. Il aurait suffi que je jette un regard sur ma droite et j'aurais pu anticiper. C'est le côté passager qui a pris tout l'impact. Moi je m'en suis tirée avec un léger traumatisme crânien et quelques bleus. Et elle…

— Tu crois vraiment que tu te sentirais mieux si tu avais été gravement blessée ? l'interrompit-il avec brutalité. Que tu sois triste, d'accord. Que tu pleures, d'accord. Mais tu n'as pas à endosser la responsabilité de la disparition de ta sœur.

— J'étais au volant, Grant. C'était à moi d'assurer sa sécurité.

— Exact. Et c'est ce que tu as fait. Dans la limite de ce que tu peux maîtriser. Mais tu n'es pas toute-puissante : tu n'as aucune prise sur le comportement des autres automobilistes.

Gennie déglutit pour réprimer une nouvelle montée de larmes.

— Tu ne comprends pas, chuchota-t-elle. Je l'aimais tant… Elle était comme une partie de moi. Une partie vitale, nécessaire. Lorsqu'on perd un être aussi proche, c'est comme si on se trouvait amputé d'une part de soi-même.

Il comprenait très bien, au contraire. Et pas seulement la souffrance, mais aussi le besoin d'accuser, de nommer un coupable pour lui faire endosser tous les torts. Gennie s'était retournée contre elle-même. Lui contre son père.

Mais le mécanisme à la base n'était-il pas plus ou moins le même ?

— Ça veut dire qu'il faut que tu apprennes à vivre avec cette amputation.

— Tu parles sans savoir, Grant.

Il prononça malgré lui les mots qu'il aurait préféré taire.

— Mon père a été tué lorsque j'avais dix-sept ans. Et j'avais besoin de lui comme tu avais besoin de ta sœur.

Gennie laissa tomber sa tête contre sa poitrine.

— Oh, mon Dieu… Et comment as-tu fait ? demanda-t-elle dans un souffle.

— J'ai commencé par haïr — pendant longtemps. Ça, ça a été la phase la plus facile. L'acceptation, c'est nettement moins simple, en revanche. Chacun trouve sa propre formule pour y arriver.

— Et quelle a été la tienne ?

— C'est quand j'ai fini par admettre que je n'aurais rien pu faire pour empêcher que ça arrive que je suis parvenu, peu à peu, à accepter sa disparition.

Ecartant Gennie de lui, il lui souleva le menton.

— C'est la même chose pour toi. Tu n'aurais rien pu faire non plus.

Elle hocha la tête.

— En fait, il est plus supportable de penser que nous aurions pu agir et que nous ne l'avons pas fait, que d'accepter notre impuissance.

Grant fut impressionné par sa lucidité.

— Je ne me l'étais encore jamais formulé de cette façon. Mais c'est exactement ça, oui.

— Merci, Grant… Je sais que tu n'avais pas envie de me parler de la perte de ton père. Et c'est pareil pour moi en ce qui concerne Angela. J'évite d'aborder le sujet quand je peux. Nos

138

chagrins, notre sentiment de culpabilité nous rendent parfois très égoïstes.

Repoussant les cheveux sur ses tempes, il embrassa ses joues encore humides de larmes. Et ressentit un élan de tendresse qui le laissa sans voix. Lorsqu'elle était ainsi sans défense, elle le rendait tellement vulnérable qu'il était lui-même sans barrière — tellement ouvert que les courants les plus divers circulaient entre eux sans obstacle.

Comme s'il avait été sur le point de s'enfoncer dans des sables mouvants, il recula d'un pas.

— Il serait temps que je rentre, annonça-t-il en glissant les mains dans ses poches. Ça va aller, maintenant ?

— Oui… Mais je préférerais que tu restes.

Gennie avait prononcé les mots avant même de réaliser qu'ils lui traversaient l'esprit. Mais elle ne chercha pas à les retirer pour autant. Une lueur brilla dans le regard de Grant, mélange de désir, d'émotion, et d'autre chose qu'elle ne parvint à définir.

— Pas ce soir.

Etonnée, elle fronça les sourcils.

— Grant ?

— Pas ce soir, répéta-t-il en repoussant la main qu'elle s'apprêtait à poser sur son bras.

Gennie la plaça dans son dos comme s'il l'avait frappée.

— Comme tu voudras.

Pivotant sur ses talons, elle repartit à grands pas vers le cottage. Grant la suivit un instant des yeux puis jura à voix haute et se lança à sa suite.

— Gennie !

— Bonne nuit, Grant.

Et elle disparut derrière la porte-moustiquaire qui se referma sous son nez.

7.

Cette fois, c'était une certitude : elle était sur le point de perdre la lumière dont elle avait besoin pour peindre.

Gennie posa un regard furieux sur les nuages qui envahissaient rapidement le ciel par le nord. Le temps était très nettement en train de se couvrir. Et tôt ou tard, il lui faudrait ranger ses pinceaux et ses tubes et se replier en toute hâte vers sa voiture avec son matériel sous le bras. Juste au moment où elle avait trouvé le rythme, la précision du geste, l'adéquation de l'esprit et de la pensée.

L'inspiration en somme.

Son instinct d'artiste lui soufflait qu'elle était sur le point d'aboutir — de franchir un grand pas. Elle n'avait qu'à se laisser porter pour que sa créativité trouve sa pleine expression.

Et voilà que la météo jouait contre elle.

Gennie estima qu'il lui restait une demi-heure tout au plus avant que le soleil ne soit oblitéré par les nuages. Une heure maximum avant l'arrivée de la pluie. Déjà, le grondement lointain de l'orage se faisait entendre, couvrant à peine le fracas des vagues venant se briser contre la falaise.

— Tant pis, murmura-t-elle entre ses dents serrées. J'y arriverai quand même.

Alors qu'elle avait commencé son tableau de façon presque tâtonnante, elle sentait que ses gestes trouvaient enfin leur fermeté, leur ampleur. Tout ce qu'elle avait accompli jusque-là n'avait été qu'une préparation — une mise en jambes. Mais aujourd'hui l'ébauche allait devenir œuvre.

Gennie était dans un état de tension si forte que des frissons brûlants lui couraient à même la peau. Le vent forcissait, soulevant des vagues puissantes au dos vert hérissé d'écume. A croire que la tempête qui faisait rage en elle était à l'image de celle qui se préparait à l'extérieur. La veille au soir, déjà, elle s'était sentie ballottée, passant d'une humeur à l'autre. Puis le rejet de Grant l'avait laissée comme anesthésiée. Mais cet engourdissement n'avait pas duré. Ce matin, les forces qui s'éveillaient en elle étaient aux antipodes de la passivité. Fureur, fierté blessée, souffrance et exaltation soufflaient en elle avec la même vigueur que le vent soulevant les vagues.

A toutes ces émotions, elle pouvait donner un exutoire, les libérer sur la toile plutôt que de les laisser se retourner contre elle.

Elle n'avait pas besoin de Grant. Ni de lui ni de personne. Son art suffisait à définir le sens et le contenu de son existence. Pourquoi vivrait-elle pour autre chose que pour la peinture alors que la peinture lui donnait l'essentiel ? Son travail n'était jamais répétitif, jamais mécanique. Et aussi longtemps qu'elle aurait ses yeux pour voir et sa main pour tenir le pinceau, elle ne serait jamais seule.

Ses crayons, ses couleurs avaient enchanté son enfance, adouci les affres de l'adolescence et l'avaient accompagnée dans sa vie adulte. Dans son art, elle avait sublimé les élans qui l'auraient sans doute poussée sinon à rechercher l'amour d'un homme. Mais ne trouvait-elle pas dans sa peinture des satisfactions qu'aucun amant, jamais, ne serait susceptible de lui donner ?

Gennie rit doucement, lançant son défi aux nuages et au vent. Ce qu'elle ressentait était proche de la passion amoureuse. Tout son corps vibrait d'une énergie incandescente. Le moment était venu d'achever son tableau. Ce serait maintenant ou jamais. Et s'il le fallait, elle était prête à tenir tête aux éléments.

Conscient du bouillonnement inhabituel du sang dans ses veines, Grant sortit faire un tour au bord de la falaise. L'électricité dans l'air était presque palpable. Il avait été trop agité pour travailler, trop tendu pour s'installer dans un fauteuil avec ses journaux. Et son état de surexcitation rentrée n'était pas seulement dû à l'approche de l'orage. Depuis le matin, une force indéterminée le poussait à se lever toutes les cinq minutes, à tourner en rond, à chercher Dieu sait quoi. Il y avait le manque de sommeil, bien sûr. Mais ce n'était pas *que ça*. Quelque chose se préparait. Et si une tempête mijotait bel et bien dans le chaudron du ciel, une autre, plus souterraine, se tramait sans pour autant annoncer la couleur.

Il avait faim, mais n'avait pas envie de manger ; il se sentait insatisfait sans savoir précisément ce qui lui manquait.

Dès qu'il vit Gennie dehors, Grant comprit qu'il avait anticipé sa présence, même s'il s'était interdit de penser à elle. Le choc le pétrifia sur place, comme s'il avait été foudroyé par l'éclair d'argent qui venait de fendre la moitié nord du ciel.

C'était la première fois qu'il la voyait dans cet état de ferveur créative. Mais il avait toujours su, au fond de lui, qu'un peintre de l'envergure de Geneviève Grandeau était capable de créer dans un abandon proche de l'extase amoureuse. La tête renversée en arrière, les yeux brillant d'un éclat intense, elle avait un aspect sauvage qui n'était pas dû qu'au vent soulevant ses cheveux. Même à quelques pas, il sentait la force qui guidait sa main. Le pinceau dansait sur la toile, à la fois fluide et précis, impérieux et léger. Elle aurait pu être une reine dominant son royaume. Ou simplement une femme consumée par la passion attendant l'amant qui viendrait la prendre.

142

Comme le flux du sang s'accélérait dans ses veines, Grant songea que Gennie était l'une et l'autre — à la fois amante et souveraine.

Où était passée la créature fragile et désolée qui avait pleuré dans ses bras la veille ? Où était la vulnérabilité qui l'avait fait battre en retraite ? Quelques heures plus tôt, il lui avait apporté toute la consolation dont il était capable, lui parlant de lui, de son enfance, évoquant des sensations, des plaisirs oubliés. Parce qu'elle avait paru apaisée de l'entendre. Et aussi, bizarrement, parce qu'il avait été heureux de lui apporter des éléments du puzzle de sa vie.

S'il était parti comme un voleur, c'était parce qu'il avait eu peur — une peur bleue — de sa fragilité.

Grant passa une main sur ses paupières. Aujourd'hui, une autre Genviève se tenait devant lui. Et elle paraissait invulnérable. Grandiose. Cette femme-là pouvait prendre et rejeter ses amants à son gré. Rien ni personne ne lui résistait. Ce n'était plus de la crainte qu'il ressentait à présent, mais le besoin de l'affronter, de se mesurer à son pouvoir, de faire ployer l'essence même de son féminin devant le masculin en lui.

Un coup de tonnerre retentit plus près et Genviève cessa un instant de peindre pour lever vers le ciel un regard luisant d'exaltation. Sidéré, Grant l'entendit rire aux éclats, comme si elle se moquait des éléments.

Il jura avec force. Qui était cette sorcière qui tenait tête à la foudre et aux nuages ? Et pourquoi ne parvenait-il à garder ses distances avec elle ?

Fini. Elle avait fini.

Avec un mélange de triomphe et de jubilation, Gennie recula d'un pas pour examiner son travail. Elle avait réussi. Et le résultat la confondait. Comme si, en peignant ces surfaces d'eau et de roche, elle s'était dépassée elle-même. Les poings sur les hanches, Gennie scruta longuement la toile. Puis elle tourna les yeux vers l'océan pour contempler l'horizon noirci. Elle aurait dû se sentir euphorique et détendue, avec une pointe de fatigue, ainsi que le léger sentiment de vide que laisse derrière lui le plaisir de l'œuvre accomplie.

Mais le grand calme intérieur n'était pas au rendez-vous. Achever sa toile n'avait pas suffi à éteindre le feu en elle. Il restait comme un sentiment d'attente diffuse, une agitation sur laquelle elle ne parvenait à placer de nom.

Grant.

Tournant les yeux vers le phare, elle reçut de plein fouet l'impact de sa présence. Il était là — depuis combien de temps déjà ? — dressé sur fond d'océan furieux. Au même moment, le vent forcit, sifflant rageusement à leurs oreilles. Pendant quelques secondes, ils se regardèrent en silence alors que la tempête se rapprochait inexorablement.

Gennie fut la première à rompre le contact visuel. Se détournant ostensiblement, elle fixa de nouveau son attention sur la toile. Cela et cela seul comptait pour elle. C'était à travers la peinture et rien que la peinture qu'elle voulait vivre et s'accomplir.

Immobile malgré le vent qui soufflait en violentes rafales, Grant la regarda ranger ses tubes de peinture et essuyer ses pinceaux. Elle vaquait à ses occupations dans la plus grande indifférence. Mais pendant les quelques secondes où ils s'étaient regardés en silence, il avait reconnu dans ses yeux verts la fulgurance d'un désir égal au sien. Il y avait eu entre eux un moment de reconnaissance primitive. Une sorte d'accord muet, absolu, comme il ne peut en exister qu'entre deux êtres liés par une attirance physique irrépressible.

La lumière changea brusquement alors que les premiers nuages noirs venaient recouvrir le soleil. L'air était si chargé d'électricité qu'il en crépitait presque.

— Genviève…

Elle n'était pas Gennie, en cet instant. Gennie, c'était la jeune femme du cimetière : primesautière, un peu gamine, avec des pudeurs de jeune fille. Celle qui avait ri avec une adorable insouciance en découvrant la caricature qu'il avait faite d'elle. C'était Gennie-la-fragile qui s'était cramponnée à lui en pleurant.

Genviève, elle, avait un rire plus rauque, une grâce plus féline. Genviève n'était pas femme à verser la moindre larme. Genviève était royale, séductrice et inaccessible.

Grant constata non sans découragement qu'il avait un faible marqué pour l'une comme pour l'autre…

— Tu es sorti tôt de ta tanière ce matin, commenta-t-elle avec désinvolture en lui jetant un regard en coin.

— Tu as fini de peindre ?

— Oui.

— Et tu vas partir pour de bon ? s'enquit Grant, fasciné par le rayonnement presque tangible qui émanait d'elle.

Elle avait le regard brillant, les pommettes marquées par une légère rougeur. Et son visage exprimait une jubilation presque féroce.

— Partir de chez toi, tu veux dire ?

Elle tourna les yeux vers l'océan démonté.

— Je n'ai plus aucune raison de revenir au phare. J'ai d'autres sujets à peindre.

C'était ce qu'il souhaitait depuis le début, non ? Qu'elle libère définitivement *son* territoire ? Grant la fixa sans répondre.

— Tu retrouveras ta solitude et ta falaise déserte, commenta-t-elle avec un sourire moqueur. C'est la seule chose qui t'importe, je crois ? Etre « tranquille » ? Pour ma part, j'ai tiré de ce lieu tout ce que j'étais venue y chercher.

Grant sentit monter une colère inexplicable.

— Ah, vraiment ?

— Jette un œil, si tu veux.

D'un geste, elle l'invita à se rapprocher du chevalet. Grant hésita. Depuis le début, il avait refusé de s'intéresser à ce qu'elle peignait. Mais face à la lueur de défi qui scintillait dans ses yeux verts, il glissa les mains dans ses poches et se planta devant la toile.

Ce qu'il vit lui procura un choc. Comme si Gennie s'était glissée en lui pour regarder à travers ses yeux, penser à travers ses pensées, percevoir à travers sa sensibilité. L'effet était si saisissant que, pendant une fraction de seconde, il eut l'impression d'avoir peint ce paysage lui-même. Gennie avait capté la puissance de l'océan, ses glorieuses turbulences, le défi et l'immensité. Dédaignant les couleurs feutrées, elle avait choisi l'éclat et l'insolence. Oubliant la délicatesse de la courbe, elle avait opté pour la virilité des lignes droites. Ce qui n'avait été au départ qu'une surface de toile recelait à présent autant de force et de mystère que l'Atlantique lui-même. Les secrets appartenaient à la nature alors que la solidité du phare, elle, parlait de l'humain. Et Gennie avait su exprimer à la fois la complémentarité et le conflit, la guerre et l'harmonie profonde.

Secoué, Grant recula d'un pas et inclina la tête pour examiner la toile sous un autre angle. Ce que Gennie avait peint le touchait, le dérangeait, le délogeait insidieusement de sa sacro-sainte solitude. Tout comme l'artiste peintre elle-même, d'ailleurs…

Les nerfs tendus à se rompre, Gennie guettait les réactions de Grant. Rien ne transparaissait sur son visage alors qu'il scrutait, sourcils froncés, ce qu'elle considérait d'ores et déjà comme une de ses réalisations les plus accomplies. Ce qu'elle avait voulu transmettre crevait la toile. Mais c'était son univers à lui, sa force et ses secrets qui avaient guidé son bras. Et à présent qu'elle avait fini, ces formes, cette lumière, ces couleurs avaient cessé de lui appartenir pour devenir celles de Grant.

Grant s'écarta du chevalet pour se tourner vers l'océan. Un éclair zébra le ciel — tout près, cette fois. Le temps s'était tellement obscurci qu'on se serait cru à la tombée de la nuit. Ce que Gennie avait saisi — à la fois du paysage et de lui — le laissait sans voix, privé des mots qui lui venaient si facilement d'ordinaire.

Peut-être parce que le désir qui le torturait jusqu'à l'obsession hurlait de plus en plus fort en lui, couvrant toute pensée et toute parole. Comment pourrait-il échapper à cette femme alors que la toile qu'elle avait peinte lui parlait de lui plus intimement que Macintosh lui-même ?

— Pas mal, commenta-t-il d'une voix étale, les yeux rivés sur l'horizon.

Gennie tressaillit. S'il l'avait frappée de toutes ses forces, elle n'aurait pas éprouvé d'humiliation plus grande. Hagarde, elle fixa le dos tourné de Grant. Une fois de plus, elle lui avait tendu le bâton pour se faire battre. Et elle ramassait son rejet de plein fouet.

Presque instantanément, le sentiment de mortification se mua en colère. Comme si elle avait besoin d'être comprise par ce reclus aigri qui ne se donnait même pas la peine de faire fructifier son propre talent ! La force et l'authenticité qu'elle avait atteintes dans cette toile, elle était parfaitement capable de les apprécier par elle-même. Et elle n'avait que faire du jugement de Grant. Repliant rageusement son chevalet, elle rassembla ses affaires.

— Avant de partir, je tiens quand même à souligner que la première impression que l'on a d'une personne se vérifie rarement à cent pour cent par la suite, observa-t-elle froidement. Or, le soir où je t'ai rencontré, tu m'as paru odieux, arrogant, grossier et détestable. Et tu ne m'as jamais donné l'occasion de revenir sur mon opinion.

Lorsque le vent balaya ses cheveux devant ses yeux, elle les repoussa d'un mouvement impérieux de la tête pour fixer de nouveau son regard glacial sur lui.

— C'est plutôt rassurant de constater à quel point mes capacités de jugement sont fiables. Tu m'es profondément antipathique, Grant Campbell.

Le menton levé, Gennie prit ses affaires et regagna sa voiture. Elle rangea son matériel dans le coffre et le referma bruyamment. Au même moment, la main de Grant vint lui agripper le bras.

Lorsqu'elle pivota sur elle-même pour l'affronter, l'intensité du regard de Grant la figea un instant sur place. Jamais elle ne lui avait vu une expression aussi féroce.

— Tu crois que je vais te laisser repartir comme ça, peut-être ? Tu penses vraiment que tu peux débouler dans ma vie, t'installer ici jour après jour, prendre ce que tu as à prendre, puis repartir sans rien laisser de toi ?

Gennie considéra avec un dédain délibéré les doigts crispés sur sa manche.

— Lâche-moi, intima-t-elle froidement. Je t'interdis de poser tes mains sur moi.

Un nouvel éclair fendit la masse des nuages, violaçant un instant le gris plombé du ciel. Le fracas assourdissant du tonnerre couvrit le juron de Grant. Un instant, tout parut se figer, puis le vent reprit de plus belle, hurlant comme une bête folle dans la lumière d'apocalypse.

— Tu aurais dû suivre mon conseil pendant qu'il en était encore temps, murmura-t-il entre ses dents serrées. Si tu étais restée avec tes comtes et tes barons, tu n'en serais pas là maintenant.

Lui saisissant le poignet, il la tira avec brutalité en direction du phare.

— Arrête ! Tu es complètement fou ! Qu'est-ce que tu fais ?

— Je fais ce que j'aurais dû faire dès la première seconde où tu as fait irruption chez moi.

C'est-à-dire ? *La tuer ?* Gennie se cabra en voyant la falaise abrupte au-dessus de la mer déchaînée. Vu l'expression meurtrière de Grant, il aurait pu vouloir la balancer dans l'abîme. Mais elle savait d'instinct que ce n'était pas vers la mort que la violence de Grant les menait l'un et l'autre.

— Lâche-moi, espèce de détraqué ! Tu ne m'auras pas.

— Détraqué, je dois l'être, oui, acquiesça-t-il, les mâchoires crispées alors que les premières gouttes de pluie s'écrasaient autour d'eux. Mais je t'aurai.

— Puisque je te dis que je t'interdis de poser tes pattes sur moi !

Grant se tourna vers elle, le regard étincelant, les angles de son visage soulignés par la succession continue d'éclairs qui sillonnaient le ciel fuligineux.

— Trop tard. Tu aurais dû y réfléchir avant ! De toute façon, c'était inscrit.

— Tu crois peut-être que tu peux me prendre de force ? hurla-t-elle en se cramponnant à sa chemise. Je ne tolérerai pas ces manières de brute. Monsieur a besoin d'une femme et il croit qu'il peut se servir.

Gennie entendit le son aigu de sa propre voix couvrant le tonnerre et le vent. Tout son corps vibrait d'un mélange inextricable de rage, d'indignation et de désir.

Grant sentait son propre souffle haletant lui lacérer les poumons. Déjà, la pluie tombait à torrents, plaquant les vêtements de Gennie contre elle, dessinant son corps mince de sorcière

Une sorcière, oui… Mais même si les signaux de danger clignotaient de partout, Grant savait qu'il n'avait plus rien à perdre : ensorcelé, il l'était déjà.

— Pas n'importe quelle femme, gronda-t-il en tirant sur son bras prisonnier de façon à l'amener contre lui. Tu sais très bien que c'est toi. Rien que toi, espèce de sorcière.

Leurs visages étaient proches, leurs regards comme hallucinés arrimés l'un à l'autre. L'orage qui se déchaînait au-dessus d'eux les détrempait sans les atteindre. Ils ne sentaient, n'entendaient plus que leurs deux cœurs qui cognaient à grands coups furieux l'un contre l'autre.

Triomphante et terrifiée, Gennie rejeta la tête en arrière et émit un rire rauque, vibrant de défi.

— Très bien. Alors montre-le-moi.

Il la serra contre lui à la briser.

— Je vais te le montrer, oui… Ici. Maintenant.

Sa bouche s'empara de la sienne avec une voracité qui confinait à la sauvagerie. Et elle répliqua sur le même mode. Libéré, leur désir les mena d'emblée au-delà des frontières du civilisé pour les emporter dans le chaotique et l'obscur de la passion.

Les lèvres de Grant erraient sur son visage comme s'il cherchait à la marquer de son sceau à jamais. Lorsqu'elle sentit ses dents se planter doucement dans son cou, Gennie poussa un gémissement bref et se laissa tomber par terre avec lui.

Ni le vent brutal, ni les coups de boutoir des vagues furieuses ne parvenaient à couvrir l'intensité de la tempête née de leurs désirs qui s'entrechoquaient. Grant avait oublié depuis longtemps où il était. Il pressait son corps contre celui de Gennie, aussi conscient de ses lignes et de ses courbes que s'il l'avait déjà dépouillée de ses vêtements. Et il sentait les battements affolés de son cœur de femme, comme s'il était venu se glisser dans sa poitrine pour fusionner avec le sien.

Jamais il n'aurait imaginé qu'un être vivant puisse émettre autant de chaleur que le corps de Gennie sous le sien. Elle se mouvait sous lui avec frénésie ; ses doigts s'agrippaient, sa bouche s'accrochait désespérément à la sienne. La pluie qui se déversait sur eux aurait dû apaiser le feu, mais elle semblait l'attiser, au contraire.

150

La faim que Grant ressentait était primitive, dévorante, sans âge. Cette femme l'avait ensorcelé dès l'instant où elle avait franchi le pas de la porte. Et il s'était leurré en croyant pouvoir se dérober à son pouvoir. Il succombait maintenant corps et âme, avec un sentiment d'inéluctabilité. Gennie avait levé les mains pour lui prendre la tête, ramenant chaque fois ses lèvres contre les siennes, comme si elle était dans l'impossibilité physique de s'en séparer.

Ils roulèrent dans l'herbe trempée et elle passa sur lui, sa bouche fouillant la sienne avec une force confondante. Avec un gémissement de frustration, elle se mit à tirer sur sa chemise pour la lui ôter. Lorsqu'elle poussa un long soupir de satisfaction en laissant glisser ses mains dans son dos, l'impatience de Grant redoubla, atteignant un paroxysme aveugle.

Presque avec brutalité, il la repoussa sur le dos. Il s'attaqua à un premier bouton de la longue chemise blanche qu'elle portait sur un jean, jura tout haut, et, d'un geste sec, déchira le reste. Avec un murmure de triomphe, il pressa les paumes sur la peau chaude et mouillée, pétrissant, explorant, incapable de refréner la hâte qui le possédait.

Lorsqu'elle s'arqua contre lui, il enfouit ses lèvres dans sa poitrine et s'y perdit corps et âme. Odeurs, saveurs, sensations se confondaient. Elle avait le goût de la pluie d'orage et de son parfum — nocturne et enchanteur. Comme un homme sur le point de sombrer, Grant se raccrochait à elle avec ses dernières forces alors qu'il se sentait inexorablement aspiré vers les profondeurs.

Il avait déjà ressenti une forte attirance physique pour d'autres femmes. Mais il n'avait jamais rien connu de semblable à ce qui lui arrivait avec Gennie. Le désir ordinaire pouvait être contrôlé, canalisé, guidé. Alors quel nom donner à cette force élémentaire et sauvage qui l'arrachait à lui-même pour le propulser au cœur du chaos ? Il voyait ses propres mains pétrir avec avidité la chair délicate mais il était incapable de contrôler ses gestes.

Il tira sur le pantalon mouillé de Gennie qui collait tellement à la peau qu'il ne céda que par à-coups, centimètre après centimètre. Tout en se débattant avec le vêtement trempé, il suivait la trajectoire avec ses lèvres, embrassant chaque millimètre de chair découverte. Ses dents effleurèrent la courbe mince d'une hanche, descendirent le long d'une cuisse pour s'attarder au creux d'un genou.

Puis le pantalon finit en tas par terre et Grant remonta pour plonger sa langue en elle. Le cri de Gennie partit vers le ciel, se mêlant aux hurlements du vent. Il sentit un afflux de chaleur irradier en lui ; la pression montait, intolérable.

Ensemble, ils s'escrimèrent sur son jean alors que leurs bouches fusionnaient de nouveau. Un son indistinct montait de la gorge de Gennie. Grant ne put déterminer si elle prononçait son nom ou si elle marmonnait encore quelque sombre sortilège qui ferait de lui sa victime à vie. Mais il avait cessé de s'inquiéter à ce sujet.

Un éclair d'une violence inouïe illumina son visage, dessinant la ligne pure d'une pommette, la bouche entrouverte aux lèvres pleines, les paupières à demi closes derrière lesquelles brillaient ses extraordinaires yeux verts.

Ensorcelé volontaire, Grant se plaça entre ses cuisses et la prit d'un trait, avec une violence teintée d'une incompréhensible révérence, comme il aurait honoré une déesse.

Lorsqu'elle se raidit et cria de douleur, il demeura un instant hagard, luttant pour recouvrer sa raison. Mais, déjà, elle l'entourait, l'enveloppait de ses bras et de ses jambes, l'entraînait vers l'oubli de la jouissance.

A bout de souffle et incrédule, il s'abandonna un instant, le visage enfoui dans les cheveux de Gennie. La pluie tombait toujours mais elle avait perdu sa puissance. L'orage de fin d'été s'était éteint de lui-même, consumé par sa propre passion.

Sous lui, il sentait le cœur de Gennie battre à grands coups douloureux dans sa poitrine. Tout son corps tremblait contre le sien. Fermant les yeux, il réussit à rassembler ses forces éparses et à se ressaisir suffisamment pour articuler son nom.

— Gennie…

Les mots d'excuse refusaient de venir. Mais à quoi bon les regrets lorsque l'irréparable était déjà commis ? Il était sidéré. Bouleversé. Incrédule. Avait-il rêvé ? Comment une femme aussi femme avait-elle réussi à tenir tous les hommes à distance… jusqu'à lui ?

— Pourquoi ne m'as-tu rien dit, bon sang ? murmura-t-il, aussi heureux que consterné, en se laissant rouler sur le dos.

Gennie se garda bien d'ouvrir les yeux. La pluie fine glissait comme une caresse sur son visage et sur son corps qui palpitait doucement. Elle se sentait vidée, étrangement flottante, avec de délicieuses vibrations qui lui pétillaient sous la peau. C'était donc cela, faire l'amour ? se demanda-t-elle rêveusement. Cette impression d'être déverrouillée et ouverte par un homme et rien que pour cet homme ?

Mais la question de Grant qui sonnait comme une accusation vint briser brutalement sa bulle de bien-être. Incapable de lui répondre, elle détourna les yeux.

— Gennie, tu avoueras que tout portait à croire que tu étais…

— Que j'étais quoi ? demanda-t-elle en rassemblant son courage pour ouvrir les yeux.

Grant se passa la main dans les cheveux.

— Il aurait fallu me le dire, que c'était la première fois pour toi.

Gennie se mordit la lèvre. Après ce qu'ils venaient de vivre, les reproches de Grant faisaient mal, très mal. Elle aurait voulu qu'il s'en aille. Ou au moins trouver en elle la force de se lever et de partir.

— Pourquoi ? s'enquit-elle d'une voix morne. C'est mon problème, non ? Ça ne changeait rien pour toi.

Grant poussa un juron et se redressa pour se pencher sur elle. Son regard était noir de colère. Mais lorsqu'elle chercha à se dégager, il l'immobilisa sous lui pour la retenir.

— Je ne suis pas quelqu'un de doux, murmura-t-il d'une voix soudain mal assurée. Mais pour toi, j'aurais trouvé les gestes, la patience, le respect.

Comme elle levait les yeux vers lui sans rien dire, il appuya son front contre le sien.

— Oh, Gennie…

La façon dont il murmura son prénom dissipa d'un coup ses doutes et ses incertitudes.

— Tout à l'heure, je n'avais besoin ni de douceur ni de patience, chuchota-t-elle. Mais maintenant, oui.

Elle sourit et vit le pli s'effacer entre les sourcils de Grant. Il posa un seul baiser sur ses lèvres — doux et léger comme une plume. Puis il se redressa et la souleva dans ses bras. Gennie rit de se sentir si fragile dans son étreinte.

— Qu'est-ce que tu fais ?

— Je t'enlève pour te porter dans mon antre. Je veux te réchauffer, te sécher et te refaire l'amour. Sans procéder forcément dans cet ordre.

Gennie noua les bras autour de son cou.

— Je commence à apprécier tes initiatives. Et nos vêtements ? On les laisse sur place ?

— Nous sauverons ce qui reste à sauver tout à l'heure.

Poussant la porte du phare, il lui sourit en plongeant les yeux dans les siens.

— Nous n'en aurons pas besoin dans les heures à venir, de toute façon.

154

— Finalement, je crois que j'aime bien ta façon de raisonner, chuchota-t-elle en pressant les lèvres dans son cou. Tu as vraiment l'intention de me porter jusqu'au premier étage ?

— Ouais. Pourquoi ?

Gennie jeta un regard sceptique aux étroites marches en fer.

— Songe quand même que ce ne serait pas follement romantique si tu trébuchais et que nous déboulions jusqu'en bas ensemble.

— Douterais-tu de mes forces, femme ?

— Non, juste de ton équilibre… As-tu songé, Grant, à l'impression que pourraient donner nos vêtements éparpillés au promeneur de passage ?

— Je pense qu'ils ne laissent aucun doute sur la nature de nos occupations. Ce qui devrait nous éviter d'être dérangés, d'ailleurs. C'est dommage que je n'y aie jamais pensé plus tôt. Je suis sûr que ce serait plus dissuasif encore que les panneaux de type « Attention, chien méchant ».

Gennie soupira.

— Tu es un cas désespéré, Grant. A t'entendre, on pourrait penser que tu as une double vie, ou des secrets terribles à protéger.

Il pencha la tête pour lui effleurer les lèvres d'un baiser étonnamment tendre.

— Le monstre dans sa forteresse est fou de toi, Genviève.

— Parce que j'ai réussi à m'introduire dans ton repaire à la faveur d'une nuit d'orage ?

Grant frotta sa joue contre la sienne d'un geste si authentiquement affectueux que Gennie se sentit fondre. Le reclus grincheux du phare aurait-il finalement le cœur tendre ?

La sentant trembler contre lui, Grant poussa la porte de la salle de bains.

— Allez hop ! Sous la douche. Tu es glacée.

155

Il enjamba le rebord de la baignoire avant de la reposer sur ses pieds. Mais sans la lâcher pour autant. La reprenant aussitôt dans ses bras, il lui prodigua un long baiser. Lorsqu'ils s'étaient enlacés violemment sous l'orage, Gennie s'était sentie invulnérable. Mais la timidité qui avait été absente de leurs premières étreintes l'assaillait après coup. Elle en avait le vertige de s'être donnée à Grant dans cet élan de passion aveugle.

Les yeux clos, elle tressaillit lorsque la douche crachota et qu'un jet d'eau chaude se déversa soudain sur sa tête. Grant rit doucement et la saisit par les hanches d'un geste si intime et possessif que son cœur se remit à battre de plus belle.

— Alors ? Ça fait du bien ?

Visage levé, elle lui jeta un regard menaçant à travers ses paupières mi-closes.

— Tu aurais pu prévenir que tu ouvrais le robinet.

— La vie est faite de surprises.

En effet. Comme tomber amoureuse dans un coin perdu du Maine, par exemple. Et d'un asocial pour couronner le tout.

Amusée par cette pensée, Gennie sourit et noua les bras autour de son cou. Penchant la tête, Grant suivit le contour de ses lèvres de la pointe de la langue.

— D'abord la pluie, ensuite la douche… j'aime bien te voir ruisselante, au fond. Nous pourrions passer le reste de la journée dans la baignoire, qu'est-ce que tu en penses ?

Elle se blottit contre lui lorsqu'il lui caressa le dos. Il avait les mains les plus extraordinaires du monde, fortes, sensibles, élégantes de forme, mais durcies par la vie en extérieur. Gennie avait le plus grand mal à concevoir que d'autres mains que celles de Grant puissent jamais la toucher de cette manière.

Sidérée de sentir monter une nouvelle bouffée de désir, elle se serra plus fort contre lui. Le corps d'homme moulé au sien durcit instantanément.

— Doucement, chuchota Grant en enfouissant les lèvres dans son cou.

Cette fois, il voulait se souvenir qu'elle était fragile. Et garder à l'esprit ce petit miracle : il était pour elle le premier homme. Toute la tendresse qu'il avait en lui, il la lui prodiguerait

— Nous allons commencer par te sécher, princesse.

Il lui mordilla les lèvres avant de couper l'eau. Gennie souriait mais son regard trahissait une certaine incertitude. Et comme chaque fois qu'il la voyait vulnérable, il dut surmonter un réflexe de peur. Il prit un drap de bain propre sur une étagère derrière lui et commença par lui tapoter le visage.

— Voilà… Soulève les bras maintenant.

Gennie s'exécuta, charmée d'être dorlotée et prise en charge. Tout en couvrant son visage de baisers légers, il noua la serviette sur sa poitrine avant de lui sécher les cheveux.

— Tu as assez chaud ? s'enquit-il dans un murmure lorsqu'elle ferma les yeux de délice. Tu trembles.

Elle lui aurait répondu si elle avait été capable de former une syllabe. Une chaleur merveilleuse montait en elle mais elle ne savait plus si elle frissonnait de désir ou de peur.

— J'ai envie de toi, Genviève… Tu sais que je t'ai désirée tout de suite, n'est-ce pas ?

— Oui, murmura-t-elle dans un souffle.

— Ce que tu ne sais pas, en revanche, c'est que je te désire infiniment plus maintenant qu'il y a seulement une heure.

La bouche de Grant couvrit la sienne avant qu'elle puisse émettre un son.

— Viens… Je t'invite dans mon lit.

Il ne la porta pas, cette fois, mais entrelaça simplement ses doigts aux siens. Ils s'avancèrent ainsi, main dans la main, jusqu'à sa chambre. Les jambes comme du coton, Gennie se laissa entraîner. Soudain terriblement consciente de la solennité de l'instant, elle avait du mal à mettre un pied devant l'autre. La première fois, il n'y avait eu aucune place pour les pensées, les hésitations, les doutes. Le désir avait commandé ses gestes et elle s'était laissée porter sur la vague. Faire l'amour avec Grant avait paru couler de source.

Mais là, elle avait l'esprit lucide et les nerfs en pelote. En même temps que son innocence, elle avait perdu sa naïveté. L'amour avec Grant pouvait soulever des montagnes mais aussi creuser des abîmes. Conserverait-elle sa capacité à se suffire à elle-même à présent qu'elle avait laissé Grant franchir ce seuil intime ?

Lorsqu'il s'immobilisa près du lit, elle se remit à trembler.

— Grant…

— N'aie pas peur, chuchota-t-il en prenant son visage entre ses paumes. Laisse-moi te regarder d'abord. La première fois que je t'ai vue, j'ai cru à un mirage. Et chaque fois que je pose les yeux sur toi, tu continues à m'ôter le souffle.

Elle frémit sous l'intensité de ses paroles.

—Tu n'es pas obligé d'y mettre les mots, protesta-t-elle timidement.

— Je ne dis jamais autre chose que ce que je pense.

Il se pencha pour poser les lèvres sur les siennes, se contentant de frotter, d'effleurer, de savourer le contact peau à peau. Le corps de Gennie se faisait lourd, très lourd, alors que sa tête devenait de plus en plus légère. Ce fut à peine si elle perçut le changement de position lorsque Grant la coucha sur le lit.

Mais une fois allongée, elle sentit quantité de choses, au contraire : les capitons du couvre-lit, la texture des paumes de Grant, la toison fine sur son torse. Sa capacité de perception semblait s'être décuplée, comme si elle avait recouvré la sensibilité d'une peau de nouveau-né. Peut-être parce que Grant la traitait avec autant de délicatesse que s'il avait trouvé une princesse endormie dans un cercueil de verre. Les baisers qu'il faisait pleuvoir sur son visage avaient la légèreté d'une aile de papillon ; et ses mains la touchaient à peine. Ses doigts couraient à fleur de peau, éveillant une myriade de micro-sensations délicieuses.

De nouveau, Gennie se sentit flotter en apesanteur, comme lorsque Grant l'avait embrassée, au cimetière. La différence, c'est qu'elle savait désormais vers quel degré de dépossession de soi-même cet état pouvait la mener. Gennie poussa un long soupir de délice. Cette fois, le voyage serait moins rapide, la montée moins abrupte, l'approche plus progressive.

Dehors, la journée restait sombre et grise, et on entendait le bruit régulier de la pluie frappant les vitres. La chambre de Grant était un havre plein d'ombres mystérieuses et douces. De l'océan en contrebas, ne montait plus un rugissement de bête en furie. Gennie percevait juste le clapotis régulier des vagues flirtant avec la roche. Et lorsque Grant lui murmurait qu'elle était belle, elle fermait les yeux et c'était comme si la mer lui parlait à travers sa voix.

Après l'excitation violente qu'elle avait éprouvée sous l'orage, elle découvrait la lente montée d'un plaisir calme. Et même si le désir restait aussi fort, Gennie ressentait une confiance totale. Jamais elle n'aurait imaginé qu'un homme tel que Grant saurait lui apporter un sentiment de sécurité aussi absolu. Elle savait désormais qu'il la protégerait si elle avait besoin d'être protégée et qu'il l'entourerait d'attentions à sa manière. Derrière la rudesse de façade se cachait une générosité surprenante. S'il tenait le monde à distance, il n'en était pas moins capable de donner en abondance.

Et nulle découverte n'aurait pu la bouleverser autant que celle-ci.

« Oh, Grant, touche-moi, caresse-moi… je voudrais que cela ne s'arrête jamais… ». Comme s'il avait entendu sa prière muette, il poursuivit ses lentes explorations. Le plaisir qui naissait sous ses doigts était doux, liquide et coulait comme une rivière aux patients méandres. Des méandres qui se resserraient peu à peu, se muaient en lac étale, si bien qu'elle ne sentait plus son corps séparé des mains, des lèvres qui le touchaient. Grant et elle confluaient, se rejoignaient, se mêlaient pour disparaître l'un en l'autre.

A travers ses regards, ses paroles, ses caresses, Gennie apprenait qui était réellement Grant Campbell. Et cette découverte la bouleversait, tant la sensibilité, la douceur surprenaient chez un être d'un abord aussi froid.

Gennie fut à peine consciente du passage qui s'opéra en elle entre langueur et fièvre. Mais Grant, lui, nota chaque signe. Le changement subtil dans ses mouvements, l'accélération de son souffle suscitèrent un frisson de plaisir qui fila le long de sa colonne vertébrale pour lui incendier les reins. Et ce fut avec une exaltation encore accrue qu'il observa le reflet de ses sensations sur son visage.

De nouveau, il songea, stupéfait, qu'elle n'avait jamais connu d'homme avant lui. Il était le seul. Et en cet instant, il lui était impossible de concevoir qu'un autre puisse usurper un jour le privilège de la tenir dans ses bras.

Pendant des années, il avait préservé jalousement son indépendance. Il avait veillé à maintenir les autres à distance ; à fuir tout sentiment de possessivité pour ne jamais être possédé à son tour.

Mais même si tout en lui se hérissait contre ces instincts de propriétaire, il ne pouvait s'empêcher de penser que Gennie lui appartenait. Ce qui ne signifiait d'ailleurs pas pour autant que l'inverse était vrai, se rappela-t-il.

La sentant dans un abandon total, il accéléra le rythme de ses caresses, l'amenant au bord du plaisir. Lorsqu'elle gémit doucement, il cueillit le son sur ses lèvres et le laissa vibrer en lui.

L'esprit vide, le corps liquéfié et incandescent, Gennie se mouvait avec lui, composant d'instinct les gestes, laissant monter les sons, explorant un à un les chemins du plaisir. Tantôt, elle était saisie par la hâte, tantôt elle ne songeait qu'à ralentir le pas pour prolonger à l'infini le voyage entre pesanteur et lumière. Maintenant et maintenant seulement, elle comprenait pourquoi l'union de deux individus séparés s'appelait *faire* l'amour.

Elle s'ouvrit à Grant et lui offrit tout d'elle-même. Lorsqu'il vint en elle, il eut comme un spasme et elle entendit le son rauque de son souffle, comme s'il luttait furieusement pour ne pas perdre tout contrôle. Et pourtant, lorsqu'il commença à se mouvoir en elle, ce fut sans hâte, en maintenant un rythme en accord avec le sien. Qu'il puisse exister une harmonie comme celle qu'ils composaient ensemble, Gennie avait de la peine à le concevoir. Mais Grant, avec une générosité magnifique, lui montrait le chemin.

Gennie se sentit descendre au cœur d'une obscurité qui était lumière. Plus bas, toujours plus bas, dans des profondeurs de velours au goût d'éternité. Lorsqu'elle s'agrippa à ses épaules, elle sentit la tension d'acier de ses muscles. Et comprit qu'il retenait son plaisir pour prolonger le sien.

Des larmes lui en montèrent aux yeux.

— Grant, murmura-t-elle en resserrant la pression de ses bras autour de lui.

— Mmm ?

— Maintenant... Viens maintenant...

Il souleva la tête et elle vit un instant le noir brasier de son regard.

— Gennie...

Il s'empara de sa bouche et, avec un grognement de triomphe, l'entraîna dans une magnifique chevauchée vers les sommets.

8.

Comme tous les matins, Gennie se réveilla de bonne heure. En s'étirant, elle sentit son corps repu, comblé. A la fois plus vivant et plus détendu qu'à l'ordinaire. Soupirant de plaisir, elle ouvrit les yeux et constata que la fenêtre baignée de soleil n'était pas celle de sa chambre au cottage. Mais elle ne fut pas désorientée pour autant. Elle sut instantanément où elle était et pourquoi elle se trouvait là.

La bonne chaleur sous les draps avait ce matin une force nouvelle : elle circulait de corps à corps, d'homme à femme, d'amant à amante. Savourant ce bien-être inédit, Gennie tourna doucement la tête pour regarder Grant dormir.

Le moins qu'on pût dire, c'est qu'il prenait de la place. Amusée, elle constata qu'il occupait à lui seul les trois quarts de la surface du lit. Etalé sur le dos, bras et jambes écartés, il avait réussi à la repousser durant la nuit jusqu'à l'extrême bord du matelas. Il avait jeté un bras en travers de son corps — non pas d'un geste tendre d'amant, mais parce qu'elle se trouvait être dans son espace. Même de son oreiller, il ne lui laissait qu'une part réduite.

Le cœur battant, Gennie contempla son visage hâlé qui se détachait sur la blancheur de la taie. Une seule fois auparavant, elle lui avait vu des traits aussi détendus : le jour où ils avaient marché côte à côte sur la plage.

Apparemment, il ne semblait pas exercer une profession particulière. Et pourtant elle avait la plus grande peine à l'imaginer inactif. « Quel est l'élan intérieur qui te porte, Grant ? se demanda-t-elle rêveusement en lui effleurant les cheveux. Pourquoi ce choix de solitude ? Et qu'est-ce qui me rend si désireuse de partager tes secrets ? »

Du bout de l'index, avec une infinie délicatesse, pour ne pas le réveiller, Gennie suivit le tracé anguleux de sa mâchoire. Même endormi, le visage de Grant trahissait une personnalité forte — à la limite de la dureté par moments. Et cependant, il était capable de finesse, de sensibilité et d'humour. Et lorsque son regard se mettait à pétiller, la dureté disparaissait, et seule la force subsistait.

Hargneux, distant, arrogant, Grant Campbell l'était également. Et malgré — ou peut-être *à cause* de — ces défauts rédhibitoires, elle l'aimait. C'était la douceur dont il avait fait preuve dans l'amour qui lui avait permis d'en prendre conscience. Mais les sentiments étaient là bien avant qu'elle n'accepte d'ouvrir les yeux et de mettre un nom dessus.

Gennie brûlait de les prononcer, ces mots d'amour qui lui emplissaient la poitrine. Elle avait tout remis entre les mains de Grant : son corps, sa confiance, son innocence. Et à présent, elle aurait aimé lui confier ses sentiments aussi. Elle avait toujours pensé que l'amour était un don consenti librement ; un présent dont il ne fallait rien attendre en échange.

Mais connaissant Grant, elle devrait le laisser faire le premier pas. Un autre homme à sa place se sentirait peut-être flatté, heureux ou touché qu'une femme lui exprime librement son amour. Mais pas Grant. Grant aurait l'impression d'être pris au piège.

Immobile, les yeux toujours rivés sur son visage, Gennie se demanda si c'était à cause d'une femme qu'il avait choisi de s'exiler dans cette solitude ombrageuse. Seule une grande souffrance — ou une grande désillusion — avait pu le rendre aussi déterminé à rester inapprochable. Car sa nature était très différente de ce qu'il donnait à voir de lui-même. Il y avait chez Grant un fond chaleureux qu'il cachait, un talent qu'il ne semblait pas vouloir exploiter et une sensibilité qu'il dissimulait soigneusement.

Avec un léger soupir, Gennie repoussa les cheveux qui lui tombaient sur le front. Tous ces mystères lui appartenaient. Et elle ne pouvait que s'armer de patience en attendant qu'il soit prêt à les partager avec elle.

Avec un soupir de délice, Gennie se blottit dans sa chaleur en murmurant son nom. En guise de réaction, Grant grogna et se retourna sur le ventre en enfouissant son visage sous l'oreiller. Dans la manœuvre, Gennie perdit encore quelques centimètres de matelas supplémentaires.

— Hé ! protesta-t-elle en riant. Pousse-toi un peu. Je vais finir par tomber si tu continues comme ça.

Mais elle eut beau s'arc-bouter pour tenter de récupérer une partie du territoire, pas moyen de le faire bouger d'un centimètre.

— Ah, on peut dire que tu es un grand romantique, Grant Campbell !

Résignée à lui céder le terrain, elle lui embrassa tendrement l'épaule avant de se glisser hors du lit.

Grant tira aussitôt avantage de la situation en monopolisant toute la largeur du matelas. Gennie s'immobilisa un instant à l'entrée de la pièce pour le regarder dormir. Assurément, c'était un solitaire. Il n'était pas habitué à partager son espace ni à faire de la place à qui que ce soit. Que ce soit dans son lit ou dans sa vie.

Quelles conclusions fallait-il tirer de cet amer constat ? Perplexe mais pas entièrement pessimiste, Gennie traversa le couloir et passa dans la salle de bains.

Le bruit de la douche finit par tirer Grant de son sommeil. Mais il ne bougea pas d'un centimètre pour autant. Même ouvrir les yeux restait au-dessus de ses forces. S'arracher de son lit était une épreuve quotidienne qu'il ne traversait jamais sans combats intérieurs. Il prenait son temps, prolongeant tant qu'il le pouvait l'instant suspendu entre veille et sommeil. Ainsi couché sur le ventre, il perçut le parfum de Gennie et l'odeur de sa peau sur ses draps. Ces sensations olfactives s'accompagnèrent aussitôt d'images à demi formées, à mi-chemin entre le rêve et le fantasme.

Bougeant un bras puis une jambe sans rencontrer d'obstacle, il en conclut qu'il était seul dans le lit. Mais si Gennie avait disparu, il sentait encore sous les couvertures et sur sa peau la trace enfuie de sa présence. Enfouissant le visage dans le coin d'oreiller qu'elle avait occupé, il demeura un instant immobile à respirer son odeur.

Pourquoi c'était si simple, si évident, si juste pour lui, Grant n'aurait su le dire. Il se souvenait avec une précision presque douloureuse de la sensation de sa chair sous ses doigts, de la douceur de ses baisers, des petits sons presque effarés qu'elle avait émis dans le plaisir. Avait-il jamais désiré une femme avec cette folle intensité ? Il ne se souvenait pas qu'avec aucune autre, il soit passé aussi rapidement d'une confortable proximité à une totale frénésie. Grant secoua la tête et se demanda ce qui lui arrivait.

Ne se rapprochait-il pas dangereusement de la frontière qui séparait l'inoffensive attirance de la redoutable dépendance ? Ou, pis encore, l'aurait-il déjà franchie à son insu ?

D'autres questions, tout aussi perturbantes, auraient mérité d'être posées et débattues. Mais il était dans l'incapacité de se concentrer maintenant, alors qu'il venait à peine d'ouvrir les yeux et que Gennie assiégeait ses pensées. Pour trouver des réponses, il lui fallait une dose de caféine dans un premier temps. Et dans un second, mettre Gennie à distance.

Ensuite, peut-être, il serait en mesure de réfléchir avec un minimum d'objectivité.

Encore à demi sonné, Grant se hissa tant bien que mal en position assise et se passa la main sur le visage en regardant entrer Gennie.

— Bonjour.

Drapée dans son peignoir, une serviette nouée sur la tête, elle s'assit sur le bord du lit et se pencha pour l'embrasser. Sentir sur elle les fragrances mêlées de son shampoing et de son savon lui fit un effet étrange. Comme si, en mélangeant ainsi leurs odeurs, elle brouillait toutes les frontières, même les plus simples, les plus intimes, les plus familières.

Elle s'écarta pour lui sourire.

— Ça y est ? Tu es réveillé ?

— Presque.

Eprouvant le besoin de voir sa chevelure, Grant tira sur la serviette et la laissa tomber négligemment sur le sol.

— Il y a longtemps que tu es levée ?

— Pas vraiment, non… En fait, je serais encore couchée si tu ne m'avais pas éjectée hors du lit, déclara-t-elle en riant.

Grant se frotta le crâne.

— Ejectée du lit ? Vraiment ? J'ai fait ça, moi ?

— Pas tout à fait, mais il s'en est fallu de peu. Tu veux un café ?

— Un, pour commencer, oui. Mais il m'en faudrait au moins cinq.

Elle sourit.

— Bon. Je bourre la cafetière au maximum et je la mets en route.

Il la retint par la main lorsqu'elle se leva. Surprise, Gennie l'interrogea du regard. Grant sentait un aveu informulé lui peser sur la poitrine. Il fallait qu'il lui parle de ce qu'il ressentait, c'était l'évidence même. Mais il était incapable de mettre des mots sur le chaos qui l'agitait. Ce qui se passait exactement, il avait du mal à le formuler. Tout ce qu'il savait, c'était que le processus était déjà beaucoup trop avancé pour qu'il puisse encore y mettre un terme.

— Grant ?

— Je te rejoins dans une minute, marmonna-t-il, se sentant vaguement ridicule. C'est moi qui m'occupe du petit déjeuner, cette fois-ci.

— Entendu. Je te laisse la conduite des opérations.

Gennie lui jeta un dernier regard hésitant, comme si elle espérait qu'il ajouterait quelque chose. Puis elle lui sourit et quitta la chambre. Grant s'attarda au lit quelques instants pour écouter le bruit des pas de Gennie dans son escalier. *Ses pas à elle. Son escalier à lui.* D'une façon ou d'une autre, les lignes de démarcation se perdaient. Comment lui, le solitaire, pouvait-il intégrer aussi facilement une présence étrangère chez lui ?

Il y avait eu d'autres femmes dans sa vie, cela dit. Dans l'ensemble, il avait eu d'excellents rapports avec ses compagnes occasionnelles. Il les avait appréciées, désirées.

Et les avait oubliées dès qu'elles avaient eu le dos tourné.

Pourquoi avait-il d'ores et déjà la certitude qu'il n'oublierait pas Gennie ? Chaque trait de son visage, chaque détail de sa physionomie était inscrit en lui. Comme le discret grain de beauté en forme de demi-lune qu'elle avait sur la hanche, par exemple. Stupidement, il avait été ravi de le découvrir ; ravi d'apprendre qu'il était le premier homme à en connaître l'existence.

Il se comportait en tout point comme le dernier des idiots, d'ailleurs. Enchanté de savoir qu'il était son premier amant, obsédé par l'idée qu'il voulait rester le seul. Effaré, Grant secoua la tête. Il avait besoin de se retrouver seul pour se ressaisir, voilà tout. Il ne manquerait plus qu'il se retrouve embringué dans une histoire stable avec engagement réciproque et tout le bataclan !

S'exhortant au calme, Grant se leva et tira un jean propre de sa commode. Il lui concocterait un petit déjeuner à sa façon puis il l'expédierait chez elle et tout rentrerait dans l'ordre. Il était grand temps qu'il se mette au travail, de toute façon.

En descendant l'escalier, cependant, il huma la bonne odeur du café et entendit Gennie chanter. Submergé par une émotion irrépressible, Grant s'immobilisa net à l'entrée de la cuisine. Qu'est-ce qui le touchait ainsi dans cette scène ? La similarité avec ce qui s'était passé la première fois qu'elle avait dormi chez lui, lorsqu'il s'était levé le matin et qu'il l'avait trouvée dans sa cuisine, vêtue de son peignoir, à fredonner doucement en faisant frire les œufs du petit déjeuner ?

Grant fronça les sourcils. Non, ce qu'il ressentait était infiniment plus puissant qu'une simple impression de déjà-vu. Il avait été littéralement cloué sur place. Par cette mélodie, cette odeur, cette présence. Mais surtout par le sentiment de permanence qui s'était installé en lui.

Il fit l'horrible constat qu'il ne pourrait plus jamais entrer dans cette cuisine le matin sans s'attendre à y trouver Gennie. Avant de passer la porte, il s'arrêta pour la regarder. Le café avait fini de couler, et elle s'étirait pour attraper les deux tasses à déjeuner qu'il gardait accrochées au-dessus de l'évier. Le soleil du matin entrait à flots par la fenêtre ouverte, illuminant de reflets de feu le noir de jais de sa chevelure.

Gennie tourna la tête et poussa une légère exclamation en trouvant Grant debout derrière elle.

— Hé ! Déjà debout ! Je ne t'avais pas entendu descendre.

Rejetant ses longs cheveux dans son dos, elle versa le café.

— J'avais peur que l'orage d'hier ne signe la fin de l'été mais le soleil n'a pas encore dit son dernier mot. Regarde, l'océan paraît presque bleu, ce matin, commenta-t-elle gaiement en prenant une tasse dans chaque main pour les porter sur la table.

Au passage, elle voulut effleurer les lèvres de Grant d'un baiser rapide mais son expression sévère l'arrêta net. Pourquoi arborait-il cet air lugubre, tout à coup ? Autant elle était habituée à le voir en colère ou de mauvaise humeur, autant cette mine sombre la remplissait d'angoisse.

Le solitaire du phare regrettait-il déjà de lui avoir ouvert son antre pour la nuit ? La poitrine nouée, Gennie se demanda s'il était en train de préparer son speech d'adieu. Dieu sait pourquoi elle avait cru dur comme fer que Grant était aussi émerveillé qu'elle par ce qui « leur » arrivait. Il lui avait paru bouleversé par leurs étreintes mais son inexpérience faisait d'elle une piètre juge. Aux yeux de Grant, il s'agissait peut-être d'un épisode tout à fait banal au sein d'un parcours déjà richement jalonné d'intermèdes du même ordre ?

Les doigts de Gennie se crispèrent sur les tasses. Elle ne le laisserait pas se perdre en explications embarrassées. Tout valait mieux qu'une scène de rupture à rallonges. Même si la souffrance était réelle et physique, elle saurait la contenir. Plus tard, lorsqu'elle serait seule, elle laisserait monter le chagrin et les larmes. Mais devant Grant, elle resterait calme et pondérée.

— Quelque chose ne va pas, Grant ?

Sa voix était si neutre et maîtrisée qu'elle s'en étonna elle-même.

— *Rien* ne va plus, tu veux dire !

Gennie crut qu'elle allait laisser tomber les deux tasses.

— On pourrait peut-être s'asseoir une seconde, proposa-t-elle faiblement.

— Non, je ne veux pas m'asseoir !

Son ton était coupant comme une lame de rasoir mais Gennie ne broncha pas. Le regard fixe, elle le vit déambuler jusqu'à l'évier pour s'y appuyer des deux mains et lâcher une suite de jurons musclés. Cette attitude hargneuse lui ressemblait tellement qu'elle en aurait souri en temps normal. Mais elle n'avait jamais été aussi peu d'humeur à s'amuser.

Puisqu'il s'apprêtait visiblement à la jeter à la porte, elle ne demandait plus qu'une chose : qu'il fasse vite. Pivotant sur lui-même pour lui faire face, Grant lui jeta un regard accusateur.

— Si tu veux vraiment tout savoir, Genviève, j'ai eu la tête tranchée ! Voilà. Tu es contente de toi ?

Gennie commença par ouvrir des yeux ronds. Puis les forces se retirèrent de ses mains. Son cœur dut même cesser un instant de battre car un brouillard opaque se forma devant ses yeux.

— Je te signale que tu es en train de renverser le café par terre, commenta Grant d'une voix sombre en fourrant les mains dans ses poches.

— Oh non ! Je suis désolée !

Découvrant les deux petites flaques qui se formaient à ses pieds, elle se hâta de poser les tasses sur la table.

— Je... je vais nettoyer.

— Laisse.

Grant lui immobilisa le bras lorsqu'elle voulut prendre une serpillière sous l'évier.

— Tu sais comment je me sens, là, Gennie ? Comme quelqu'un qui vient de prendre un bon direct du droit en pleine poitrine. Le genre de coup qui te fait plier en deux de douleur, pendant que ta tête résonne si fort que tu as l'impression d'avoir deux ou trois boulons dessoudés qui s'y promènent. Cela te paraît agréable, comme état ?

— Non, balbutia-t-elle.

— Eh bien, c'est une sensation qui me tombe dessus assez régulièrement lorsque je te regarde. Ça te donne une idée de ce que je subis depuis que j'ai le bonheur de te connaître !

170

Tétanisée par la stupéfaction, Gennie ne parvenait pas à détacher les yeux de son visage. Comme elle restait muette, Grant lui saisit l'autre bras et la secoua sans ménagement.

— Primo : je ne t'ai jamais demandé de débarquer dans ma vie et de me détraquer le cerveau. Deuxio : je ne voulais surtout pas te revoir et tu t'es débrouillée pour te trouver sur mon chemin. Tertio : ça ne m'arrange pas du tout d'être amoureux et je me retrouve avec un sacré problème sur les bras.

Gennie retrouva sa voix mais se demanda quel usage en faire.

— Eh bien…, commenta-t-elle enfin. Me voici remise à ma place.

— Ah, ça amuse Madame, en plus ! explosa Grant en lui lâchant les poignets pour prendre une gorgée de café brûlant.

Il jura en reposant la tasse avec fracas.

— Tu peux rire tant que tu veux, Gennie. Mais je ne te laisserai pas repartir d'ici avant d'avoir traité ton cas.

Partagée entre l'amusement et la contrariété, elle posa les poings sur les hanches.

— Charmant ! Si tu cherchais à te débarrasser d'un virus, tu ne t'exprimerais pas autrement.

— Virus est le mot, oui. Un mauvais virus, même.

Vexée, Gennie sentit la moutarde lui monter au nez.

— Pour ta gouverne, je ne suis pas une maladie contagieuse mais un individu adulte et autonome, a priori toujours libre de ses faits et gestes. Et ce n'est certainement pas à toi de « traiter mon cas », Grant Campbell ! s'écria-t-elle en pointant un doigt accusateur sur sa poitrine. Si ça ne te plaît pas d'être amoureux de moi, c'est *ton* problème. Débrouille-toi avec car j'ai déjà le mien à résoudre. C'est facile de jouer les victimes, mais qu'est-ce qui te dit que je suis mieux lotie que toi ? Ça ne t'a pas traversé l'esprit que je pouvais être atteinte du même « virus » de mon côté ?

— Tu es amoureuse aussi ? Génial ! vociféra Grant. Nous voilà bien avancés, maintenant. Je te signale quand même que rien de tout cela ne serait arrivé si tu avais attendu tranquillement la fin de l'orage au fond d'un fossé au lieu de venir m'envahir chez moi !

— Super ! Merci ! Je reconnais bien là ton légendaire sens de l'hospitalité, Campbell !

Pivotant sur elle-même, Gennie se dirigea vers la porte avec la ferme intention de la claquer de toutes ses forces pour marquer son départ définitif.

— Hé là, pas si vite !

Une fois de plus, Grant la rattrapa par le bras et la fit reculer contre le mur.

— Tu ne sortiras pas d'ici avant que nous ayons réglé cette question épineuse, ma belle.

Repoussant les cheveux qui lui tombaient sur les yeux, elle lui jeta un regard furibond.

— La question *est* réglée ! Nous sommes amoureux l'un de l'autre et je n'ai qu'une envie : que tu sautes du haut de la falaise pour t'écraser sur le sol. Si tu avais ne serait-ce qu'une once de tact…

— Je n'ai jamais eu de tact.

Elle soupira avec impatience

— Bon, d'accord. Si tu avais ne serait-ce qu'une once de sensibilité, tu n'annoncerais pas que tu es amoureux de quelqu'un sur le ton qu'utilise un chien pour aboyer !

— Je ne suis pas amoureux de *quelqu'un* ! Je suis amoureux de toi ! Et ça me fout en l'air !

Elle leva le menton pour le foudroyer d'un regard hautain.

— Inutile d'en rajouter, j'avais compris le message.

— Ah, non, Gennie ! *Surtout* ne commence pas à prendre tes airs de reine outragée avec moi.

172

L'éclair qui brilla dans les yeux verts de Gennie avait l'éclat d'une lame de poignard. Drapée dans sa dignité, elle s'empourprait d'une fureur majestueuse. Sur le point d'exploser, Grant renversa la tête en arrière. Mais au lieu du rugissement prévu ce fut un énorme éclat de rire qui monta du fin fond de sa poitrine. Lorsqu'elle ouvrit rageusement la bouche pour l'insulter, sa crise d'hilarité s'accentua et il s'effondra contre elle.

— Oh, Gennie, j'adore ta tête ! On dirait que tu t'apprêtes à ordonner à tes gardes en armes de me coller au fond d'un cachot et d'en jeter la clé.

— Ecarte-toi de là, espèce de sombre imbécile ! Je veux sortir d'ici !

Elle tenta de le repousser mais il la serra contre lui de plus belle. Seuls ses excellents réflexes permirent à Grant d'échapper à un coup de genou bien placé.

— Hé là, protesta-t-il en appliquant ses lèvres contre les siennes.

Le rire de Grant cessa aussi abruptement qu'il avait commencé. Avec cette grande douceur dont il faisait si rarement preuve, il saisit son visage entre ses paumes.

— Gennie…

Il murmura son nom contre sa bouche, si bien qu'elle sentit les deux syllabes vibrer entre ses lèvres.

— Je t'aime

Il releva la tête pour plonger son regard dans le sien.

— Ça me turlupine, ça m'angoisse, je ne suis pas certain du tout de pouvoir m'habituer à l'idée, mais je t'aime vraiment, Gennie.

Avec un profond soupir, il la serra de nouveau contre lui et glissa à son oreille.

— Tu me fais tourner la tête.

La joue pressée contre le torse nu de Grant, Gennie ferma les yeux.

— Tu peux prendre le temps qu'il te faut pour t'habituer, chuchota-t-elle. Mais promets-moi simplement de ne jamais regretter que ce soit arrivé.

— Je te le promets, Gennie. Parfois ça va me rendre un peu irritable, un peu fou. Mais il n'y aura pas de regrets. Jamais.

Simplement en lui caressant les cheveux, Grant sentit le désir refleurir en lui. Plus calme, plus doux que ce qu'il avait éprouvé jusque-là, mais toujours aussi vibrant. Il enfouit son visage dans son cou.

— Tu es vraiment amoureuse de moi ou tu m'as lancé ça à la figure parce que tu étais énervée ?

— Les deux, en fait. Ce matin, j'avais pris la décision de ménager ton ego et de te laisser déclarer tes sentiments le premier.

Une lueur amusée pétilla dans les yeux de Grant.

— Mon ego, tu dis ?

— Comme il prend beaucoup de place, il a tendance à envahir tout le champ, répondit-elle avec son plus joli sourire.

En guise de représailles, Grant écrasa ses lèvres sous les siennes.

— Je croyais avoir faim, murmura-t-il quelques minutes plus tard. Mais je n'ai plus du tout envie de déjeuner, tout à coup.

Gennie leva vers lui un regard amusé.

— Ah vraiment ? N'oublie pas que le petit déjeuner est essentiel à ton équilibre alimentaire.

— Je suis d'accord, mais il ne perd rien de ses vertus en étant différé… D'autre part, cela me gêne beaucoup d'avoir à te faire cette remarque, mais je ne me souviens pas de t'avoir autorisée à emprunter mon peignoir.

Le sourire de Gennie se fit invite.

— Tu as raison. C'est très impoli de ma part. Tu aimerais peut-être que je te le restitue tout de suite ?

174

— Bah… Je ne suis pas pressé à ce point, répondit-il en lui prenant la main. Ça peut attendre que nous soyons là-haut.

Debout devant la fenêtre de sa chambre, Grant suivit des yeux la voiture de Gennie qui s'éloignait. Non seulement il ne l'avait pas mise à la porte après le petit déjeuner, mais c'était tout juste s'il avait réussi à la laisser partir. Prendre un peu de distance leur ferait pourtant du bien à l'un comme à l'autre, raisonna-t-il stoïquement.

Dans son atelier là-haut, le travail d'une journée l'attendait. Il savait qu'il avait besoin de temps et de régularité pour maintenir une qualité constante dans sa production.

Il pouvait vivre de façon bohème et chaotique sur tous les plans, mais pas dans le domaine professionnel. Pour fonctionner de façon optimale, le créateur de Macintosh avait besoin d'un cadre solide et d'un emploi du temps structuré. Et là, non seulement il ne respectait pas ses horaires mais il se sentait complètement déphasé. Comment était-il censé se concentrer, alors que l'image de Gennie dansait en permanence devant ses yeux ? Alors que ce n'était pas un crayon qu'il rêvait de tenir entre ses doigts mais le bouton délicat de ses seins ?

L'amour. Il avait réussi pendant des années à passer à côté. Et il avait suffi *qu'une seule fois*, il ouvre sa porte par mégarde pour que son super système de défense s'effondre. Et maintenant, il ne se reconnaissait plus lui-même.

Il s'était juré que, quoi qu'il arrive, il garderait toujours son autonomie affective. Résultat : il tournait en rond chez lui en se demandant ce qu'il allait faire de lui-même d'ici au retour de Gennie. Elle venait à peine d'entrer dans sa vie et le mal était déjà fait. Il était devenu dépendant. Vulnérable.

Si seulement il pouvait revenir en arrière et supprimer ce point fatidique dans le temps où il avait laissé Gennie entrer dans sa maison, dans son désir et dans son cœur ! S'il avait eu le pouvoir de tout effacer, il l'aurait fait sans hésiter.

Il y avait trop longtemps qu'il vivait en reclus, sans tenir compte de rien ni de personne. Il était habitué à faire les choses à son rythme, à manger quand il en avait envie, à agir en fonction de ses seules humeurs.

Aimer exigerait de lui qu'il fasse des compromis en permanence. Aurait-il la patience, l'envie, la capacité de procéder à des ajustements incessants ?

Grant secoua la tête avec pessimisme. Tôt ou tard, il finirait par la faire souffrir. Une souffrance qui, par ricochet, rejaillirait forcément sur lui. Se faire souffrir mutuellement semblait d'ailleurs être le destin classique des amants. Honnêtement, que pouvaient-ils espérer bâtir ensemble, Gennie et lui ? Avec un haussement d'épaules découragé, Grant se détourna de la fenêtre. Dans un premier temps, tout serait lumineux, facile. L'amour dans sa phase initiale était un puissant palliatif qui comblerait les failles et gommerait leurs différences. Mais l'état de grâce ne durerait que quelques semaines, quelques mois tout au plus.

Puis viendrait l'inévitable cortège des attentes déçues et des exigences contrariées. L'amour qui au début avançait masqué sous le visage de la liberté ne tarderait pas à montrer sa vraie face coercitive. Et tel qu'il se connaissait, il finirait par fuir à toutes jambes.

Non, c'était absurde de sa part de s'éprendre d'une femme telle que Gennie. Non seulement leurs deux univers se situaient à des années-lumière l'un de l'autre, mais l'innocence de Gennie la rendait plus vulnérable encore que la moyenne des femmes.

S'il voulait bien être son premier amour, il n'avait aucune envie de devenir son premier bourreau.

De toute façon, il pouvait difficilement lui demander de venir vivre avec lui, dans le Maine, sur une bande de terre et de roche battue par l'océan. Quant à accepter de renoncer à son phare pour partir s'installer avec elle à La Nouvelle-Orléans… Non, ce n'était même pas la peine d'y penser. Il ne tiendrait pas deux mois en ville, à courir les vernissages et les expositions, à respirer les odeurs de gaz d'échappement dans les embouteillages, à se frayer péniblement un chemin parmi les groupes de touristes qui envahissaient le Vieux Carré d'un bout à l'autre de l'année.

Si seulement il avait partagé la nature sociable de sa sœur ! Shelby, elle, aimait le bruit et la fureur du monde. Et plus elle baignait dans la foule et le vacarme, mieux elle se portait. Mais il s'était lui-même construit sur le modèle opposé.

D'un pas lourd, Grant grimpa à l'étage au-dessus et pénétra dans son atelier. Shelby et lui avaient compensé chacun à leur façon le traumatisme occasionné par la mort brutale de leur père. C'était sous les yeux de sa femme et de ses deux enfants que Robert Campbell s'était écroulé, au cœur de la foule, la poitrine trouée par les balles.

Shelby et lui avaient réussi à surmonter le choc l'un et l'autre. Mais s'ils avaient trouvé des stratégies pour survivre, la blessure n'était pas complètement refermée pour autant. Les plaies de Shelby étaient mieux cicatrisées que les siennes, cela dit. Sans doute parce que son amour pour Alan MacGregor avait eu sur elle un effet thérapeutique. En acceptant d'unir sa vie à celle d'un politicien, elle avait, d'une certaine façon, fait un pied de nez au passé et à la peur de l'attachement qui l'avait longtemps tenaillée, elle aussi.

Grant se passa la main sur le front en se remémorant la dernière visite de Shelby au phare, au début de l'été. Elle était venue chercher son aide juste avant de prendre la décision d'épouser Alan. Amaigrie, hantée par la peur, elle était arrivée chez lui dans un état lamentable.

Face à son désarroi, il s'était montré dur, sec, rationnel. Et cela, en grande partie, pour se préserver lui-même. Car la tentation avait été forte de la prendre dans ses bras et de pleurer avec elle leur enfance meurtrie.

Il l'avait secouée car elle avait besoin de l'être. « Tu as l'intention de te couper de la vie à cause d'un événement qui remonte à quinze ans ? » lui avait-il lancé d'un ton lourd de mépris alors qu'elle était assise en face de lui, dans sa cuisine, à lutter stoïquement contre les larmes.

« C'est bien ce que tu fais toi, non ? » lui avait rétorqué spontanément Shelby. Et elle avait eu raison. Même s'il était en contact avec le monde grâce à la presse, la télévision et la radio, il avait bel et bien renoncé à établir des liens *vivants* entre lui-même et ses semblables. Il dessinait pour les autres et prenait plaisir à le faire. Parce que l'humanité, il l'aimait à sa manière, depuis le temps qu'il l'observait de loin. Il portait sur ses contemporains un regard au fond assez indulgent. Même s'il ne manquait jamais une occasion de se moquer d'eux, il les prenait tels qu'ils étaient, avec leurs failles et leurs points forts, leurs élans généreux et leurs petits ridicules.

Mais il refusait qu'ils viennent envahir son espace. Jusqu'à Gennie, il avait toujours évité avec succès de se laisser prendre au piège de l'affectif. Composer avec l'humanité dans son ensemble ne lui posait aucun problème. C'était au niveau des relations individuelles que tout se compliquait.

Lugubre, Grant tourna le dos à sa planche à dessin et redescendit dans la cuisine pour se faire un café. Qu'il le veuille ou non, le piège s'était bel et bien refermé sur lui. Et pas moyen d'en ressortir. Déjà, il avait hâte qu'elle soit de retour. Hâte d'entendre sa voix, de revoir son sourire. Il l'imagina près du cottage, installée face à la crique pour peindre les eaux calmes, les hirondelles, le rivage déjà marqué par l'automne. Peut-être avait-elle gardé sur elle la chemise qu'il lui avait prêtée ?

Celle que Gennie portait la veille avait été examinée, jugée irréparable et recyclée dans sa corbeille à chiffons. Il l'imagina debout devant son chevalet, les cheveux au vent, sa palette à la main. Et pendant qu'elle avançait dans son travail, lui tournait en rond et perdait son temps !

Lorsque le téléphone sonna, il hésita à répondre. La plupart du temps, il ne prenait même pas la peine de décrocher. Mais si Gennie…

Pestant contre lui-même, il souleva rageusement le combiné.

— Oui ?

— Grant Campbell ?

Même si ce n'était pas une voix qu'il avait entendue souvent, il n'eut aucun mal à mettre un nom dessus. Le volume, l'accent et les intonations étaient aisément identifiables.

— Bonjour, Daniel.

— Ah, quand même ! J'avais presque renoncé à essayer de te joindre. Tu t'étais absenté de ton phare ?

Grant sourit.

— Non. Mais je ne réponds pas systématiquement au téléphone.

Daniel émit un grognement désapprobateur. Le sourire de Grant s'élargit. Il imaginait « Le » MacGregor installé dans sa tour imprenable, trônant devant son bureau immense, et tirant avec délectation sur un de ses gros cigares interdits. Grant avait fait une caricature de lui pendant le repas de noces et l'avait glissée à Shelby sous la table.

— Comment allez-vous, Daniel ?

— On ne saurait aller mieux, mon garçon, rétorqua son interlocuteur de sa voix de stentor. Je suis grand-père depuis deux semaines.

— Mes félicitations.

Grant entendit Daniel souffler fièrement la fumée de son cigare.

— C'est un garçon. Presque quatre kilos à la naissance. Un solide petit gaillard. Robert MacGregor Blade. Ils vont l'appeler Mac. Ça va être une force de la nature, ce garçon… Et il a hérité de mes oreilles, ajouta Daniel fièrement.

Grant écouta la description enthousiaste du jeune Mac avec un mélange d'amusement et d'affection. Pourquoi au juste, il n'en savait rien, mais il avait un faible marqué pour la belle-famille de sa sœur. Et il ne doutait pas que les MacGregor lui inspireraient quelques savoureux épisodes pour Macintosh.

— Et Rena ? Elle s'est bien remise ?

A l'autre bout du fil, Daniel mordilla son cigare.

— Bien… très bien. Elle a passé l'épreuve comme une championne, bien sûr. Je savais qu'il n'y avait aucune inquiétude à avoir. Mais Anna était dans tous ses états, la pauvre. Tu sais comment sont les femmes.

Daniel se garda bien de préciser que c'était lui qui avait loué un avion privé pour se faire conduire à Atlantic City dès la première contraction de Rena. Et que pendant qu'il arpentait la salle d'attente comme un fou furieux, son épouse était restée tranquillement assise à broder une couverture pour le bébé.

— Justin a pu rester auprès d'elle tout le long.

Au ton dépité de Daniel, Grant comprit que le personnel de l'hôpital avait sûrement dû faire barrage pour l'empêcher de faire entrer le clan au grand complet en salle d'accouchement.

— Shelby a déjà eu l'occasion de voir son neveu ?

— Même pas. Ces deux-là étaient en voyage de noces en Ecosse au moment de la naissance.

Daniel soupira comme s'il avait de la peine à comprendre que le couple de jeunes mariés ait pu s'absenter à une période aussi cruciale.

— Enfin… Ils vont se rattraper ce week-end, Alan et elle. C'est pour ça que je t'appelle, d'ailleurs. Toute la famille se réunit à Hyannis pour l'occasion. Anna tient à avoir son petit monde autour d'elle. Les femmes sont ainsi faites, Grant. Elles ont besoin d'avoir leur progéniture à proximité.

Grant connaissait Daniel, grand-papa poule devant l'Eternel.

— J'imagine qu'Anna est très excitée à l'idée de rassembler toute sa famille, en effet, répondit-il avec diplomatie.

— Ah ça, je ne t'en parle même pas. Et maintenant qu'elle est grand-mère, ça va être encore pire.

Daniel baissa légèrement le ton en jetant un regard du côté de la porte. Il fallait toujours se méfier des oreilles qui traînaient.

— Quoi qu'il en soit, je compte sur toi à partir de vendredi soir, mon garçon.

Grant effectua un rapide calcul mental et estima qu'il avait une avance suffisante pour s'accorder un week-end de congé. Il était curieux de revoir sa sœur Shelby dans son nouveau statut de femme mariée. Et puis, il retrouverait avec plaisir l'atmosphère qui régnait chez les MacGregor, l'affection exubérante qui les unissait, leur hospitalité sans contraintes. Dès l'instant où Shelby avait épousé un MacGregor, il avait été considéré comme un membre à part entière de la famille. Et il avait envie, pour le coup, de leur présenter Gennie.

— Je ferai volontiers un saut à Hyannis, Daniel. Mais j'aimerais amener quelqu'un, si Anna et vous êtes d'accord.

Tiens, tiens… Dans son bureau, en haut de sa tour, Daniel en oublia de tirer sur son cigare.

— Ah, mais c'est une bonne idée, ça ! Parle-moi un peu de cette personne dont tu souhaiterais qu'elle t'accompagne…

Amusé par la réaction de Daniel, Grant croqua distraitement une chips mexicaine.

— Il s'agit d'une artiste peintre qui est de passage en Nouvelle-Angleterre. Elle séjourne à la Pointe des Vents pour quelque temps. Et je crois que votre maison l'intéresserait.

Ha, ha ! Une femme, donc. Daniel hocha la tête avec satisfaction. Aucun être humain n'était fait pour vivre seul vingt-quatre heures sur vingt-quatre, bouclé dans un vieux phare. Il était grand temps que Grant trouve une compagne.

— Une artiste, donc ? Intéressant… Tu sais que ce n'est pas la place qui manque chez nous. Et on a toujours aimé les peintres, chez les MacGregor. J'imagine qu'elle doit être jeune et jolie ?

— Jolie, si on veut. Je trouve qu'elle ressemble un peu à une grenouille. Et elle approche les soixante-dix ans, rétorqua Grant sans une hésitation. Mais elle a la beauté de l'âme. Ses toiles sont très inspirées — d'une extraordinaire richesse spirituelle et morale. Je suis complètement fou d'elle.

Avec un sourire en coin, Grant visualisa la mine consternée de Daniel.

— L'harmonie intérieure véritable transcende la jeunesse et la beauté, vous ne pensez pas ?

Daniel faillit s'étrangler. Pauvre Grant. On ne pouvait pas le laisser s'enfoncer dans une situation aussi dramatique. Il était grand temps d'ouvrir les yeux de ce malheureux garçon avant qu'il ne prenne Dieu sait quel engagement envers une femme en âge d'être sa grand-mère !

— Euh… Grant ? Débrouille-toi pour arriver le plus tôt possible vendredi, d'accord ? Comme ça on aura le temps de discuter tranquillement, tous les deux… Tu… tu as bien dit soixante-dix ans ?

— Pas tout à fait quand même. Et la vraie sensualité n'a pas d'âge. L'autre soir, justement, elle et moi, nous avons…

— Non, non, pas de détails, surtout, l'interrompit Daniel hâtivement. Nous prendrons le temps de causer vendredi, toi et moi. Une vraie discussion d'homme à homme, fiston. J'imagine que Shelby n'a pas eu l'occasion de rencontrer… ta… euh…

cette dame ? Enfin, peu importe. Nous verrons cela ensemble en temps utile.

— Entendu. Vous pouvez compter sur nous, Daniel.

Plié de rire, Grant reposa le combiné. Voilà qui allait occuper le vieux forban pendant une bonne partie de la semaine ! Avec un large sourire aux lèvres, il grimpa ses deux escaliers d'un pas léger.

— Et maintenant, Macintosh, à nous deux !

Il travaillerait jusqu'à la nuit tombée. Jusqu'à Gennie.

9.

Gennie n'en revenait pas : en moins de temps qu'il n'en fallait pour le dire, elle avait consenti à prendre son matériel de peinture et à jeter quelques affaires dans un sac pour accompagner Grant chez de parfait inconnus.

Une des raisons qui l'avaient poussée à accepter était l'enthousiasme que témoignait Grant pour les MacGregor. Or les proches pour lesquels il était prêt à renoncer à sa sacro-sainte solitude se comptaient sur les doigts de la main. Elle le connaissait suffisamment désormais pour savoir à quel point sa tranquillité lui importait.

Si elle avait dit oui sans hésiter, c'était essentiellement, dans un premier temps, parce qu'elle avait envie d'être avec Grant. Mais cette visite à Hyannis présenterait d'autres avantages : pour la première fois, elle le verrait, non plus en tête à tête, mais en présence d'autres personnes auxquelles il tenait.

Et puis elle aurait l'occasion de faire la connaissance de sa sœur. Découvrir qu'il en avait une l'avait d'ailleurs stupéfaite, tant il était difficile d'imaginer Grant autrement que barricadé dans sa solitude farouche, hurlant et vociférant après tous ceux qui avaient le malheur de l'approcher d'un peu près.

Elle se posait mille questions à son sujet, désormais. Quel ensemble de circonstances avait fait de lui le Grant Campbell qu'elle connaissait ? Avait-il été riche ou pauvre ? Exubérant ou introverti ? Avait-il été heureux et tendrement aimé ou solitaire et négligé ?

A part le soir au cottage où il avait évoqué le décès de son père, il ne parlait presque jamais de sa famille ni de son passé. Et, réflexion faite, il ne racontait pas grand-chose sur le présent non plus.

Dans la mesure même où les réponses étaient importantes pour elle, Gennie n'osait pas poser les questions. Elle attendait de Grant qu'il se confie spontanément, en signe de cet amour qu'il prétendait éprouver.

Qu'il soit amoureux ne faisait pas de doute pour elle, cela dit. Elle croyait volontiers que Grant l'aimait à sa façon. Mais à ses yeux, amour et confiance allaient nécessairement de pair. Qu'on puisse aimer tout en gardant de grands pans de sa vie secrète lui paraissait paradoxal, presque contre nature.

Pendant ses années enfance et jusqu'au décès d'Angela, elle avait partagé le moindre secret avec sa sœur. En la perdant, elle avait eu le sentiment qu'une fraction d'elle-même s'était éteinte. Or cette part devenue insensible était en train de revivre grâce à Grant. Tout naturellement, elle avait reporté sur lui à la fois l'affection et le partage. Lorsqu'elle aimait, c'était totalement et sans restriction.

Mais Grant avait son propre mode de fonctionnement, de toute évidence. Et il ne semblait pas ressentir le besoin de parler beaucoup de lui. Gennie soupira et tourna les yeux vers la vitre pour contempler l'océan qui grondait en contrebas. Elle était heureuse, bien sûr. Mais il arrivait qu'une pointe de tristesse vienne ternir sa joie lorsqu'elle le sentait secret, fermé, distant.

Tant que Grant ne s'ouvrirait pas à elle, il n'y aurait pas d'autre avenir pour eux que le moment présent. Et cette absence de perspective lui faisait mal. Mais elle l'acceptait faute de pouvoir envisager de se passer de lui.

Grant jeta un rapide regard dans sa direction tout en obliquant pour emprunter la route étroite qui menait au sommet de la falaise. Il vit le profil de Gennie, l'expression absente, le fond de mélancolie qui assombrissait son regard.

— A quoi penses-tu ?

Elle tourna la tête pour lui sourire. Et ses yeux verts retrouvèrent leur éclat.

— J'étais en train de penser que je t'aimais.

Des mots si simples.

Eprouvant soudain le besoin impérieux de la prendre dans ses bras, Grant se gara sur le bas-côté. Gennie souriait toujours lorsqu'il saisit son visage entre ses paumes. Baissant les paupières, elle attendit son baiser.

Avec une révérence dont il s'était toujours cru incapable, Grant se pencha pour laisser glisser ses lèvres sur ses joues. Il mit dans sa caresse une délicatesse exquise qui l'enchanta lui-même.

Le cœur de Gennie battait presque douloureusement dans sa poitrine. Les rares fois où Grant faisait preuve de douceur, elle se désagrégeait littéralement de délice dans son étreinte. En cet instant, il aurait pu lui demander n'importe quoi et elle l'aurait fait sans une hésitation. Aucune chaîne au monde n'aurait pu l'attacher à lui aussi solidement que le battement de ses cils, tels de légers fils de soie qu'il tissait sur sa joue.

Grant soupira son nom en embrassant ses paupières closes. Ses pensées s'emballaient, tourbillonnaient follement. C'était toujours le même sortilège qu'elle exerçait sur lui. Etait-ce un effet de son imagination ? Il lui semblait qu'elle avait toujours été là, en coulisse, guettant le moment où elle pourrait se glisser dans sa vie pour le réduire à l'état d'esclave. Etait-ce la force de Gennie ou sa douceur qui le rendait capable de tuer ou de mourir pour elle ?

Mais qu'importait au fond que ce soit l'une ou l'autre ?

Grant était conscient qu'il s'aventurait sur un terrain mouvant. Il avait toujours su qu'il était dangereux de s'investir corps et âme, que ce soit pour un idéal, une cause, ou une femme. La passion, sous toutes ses formes, rendait vulnérable, car elle vous arrachait à vous-même. Si bien que l'instinct de survie, insidieusement, passait au second plan. Grant avait toujours pensé que c'était sa passion pour la politique qui avait coûté la vie à son père.

Mais il avait beau se vouloir méfiant, c'était plus fort que lui. Avec Gennie, il oubliait jusqu'à la notion du danger. Tout ce qu'il voyait, c'était son amour, sa générosité. Tout ce qu'il sentait, c'était qu'elle lui appartenait.

Lorsque Grant cueillit sa bouche, Gennie renversa la tête et s'offrit à son baiser. Aussitôt, le souffle de Grant s'accéléra, plongeant entre ses lèvres entrouvertes juste avant sa langue. Nouant les bras autour de lui, elle gémit. Il suffisait désormais que Grant l'effleure pour que tout en elle s'embrase et flambe. Bientôt, il n'aurait qu'à la regarder un instant fixement pour l'envoyer au septième ciel.

— J'ai envie de toi, chuchota-t-elle.

Grant la serra presque sauvagement contre lui et il l'embrassa avec une violence possessive, une ardeur presque guerrière. Avec un son inarticulé, il enfouit les lèvres dans ses cheveux et lutta pour recouvrer la raison.

— Quelques minutes de plus comme ça et j'oublie qu'il fait encore grand jour et que nous sommes sur la voie publique.

Gennie soupira en lui caressant la nuque.

— Moi, j'avais déjà fait abstraction de ces détails depuis longtemps.

Il releva la tête pour plonger les yeux dans les siens.

— Attention, Gennie. Je ne suis pas un garçon très civilisé. A force de vivre loin du monde, j'ai pris des habitudes de sauvage. Et ce qui me viendrait naturellement, là, ce serait de t'entraîner sur la banquette arrière, de t'arracher tous tes vêtements et de te faire l'amour jusqu'à ce que tu en défailles.

Les mots brûlants de Grant firent courir un frisson de désir tout le long de sa colonne vertébrale. Se sentant toutes les audaces, elle chuchota à son oreille :

— Tu ne crois pas que c'est malsain d'aller à l'encontre de tes élans naturels ?

— Gennie…

Il ferma les yeux et se laissa submerger par les fragrances nocturnes de son parfum. Lorsqu'elle glissa une main sous sa chemise pour lui caresser le torse, il sentit son propre cœur vibrer contre sa paume. Ses yeux verts de sirène étaient voilés, immenses. Jamais, ils n'avaient exercé sur lui une telle fascination. Leur pouvoir était si absolu en cet instant qu'il ne pouvait s'y dérober. Grant eut une vision de lui-même en prisonnier consentant, exultant sous le poids de ses chaînes.

— Ma sorcière, chuchota-t-il.

Un bruit de moteur tout proche brisa la bulle, les faisant sursauter l'un et l'autre. Tournant la tête, Gennie vit une Mercedes s'immobiliser à leur hauteur. Elle ne put discerner les traits du conducteur mais la passagère baissa sa vitre. Une masse de boucles rousses et un visage anguleux s'encadrèrent dans l'ouverture.

— Vous êtes perdus, jeunes gens ? demanda la jolie rousse avec un sourire engageant.

A la stupéfaction de Gennie, Grant tendit le bras hors de la voiture et tordit le nez à l'inconnue.

— Dégage, toi, lança-t-il d'un ton rogue.

La jeune femme haussa les épaules.

— Très bien. Cela m'apprendra à vouloir me porter au secours des automobilistes en détresse.

La vitre se referma et la Mercedes s'éloigna sans bruit.

— Grant !

A la fois amusée, horrifiée et incrédule, Gennie secoua la tête.

— Je savais que tu avais des mœurs de sauvage, mais à ce point… Tout ce qu'elle voulait, c'était nous aider.

— Qu'elle s'occupe donc de ce qui la regarde, rétorqua Grant en redémarrant.

Avec un soupir résigné, Gennie se rencogna dans son siège.

— Je commence à me dire que c'est un véritable miracle que tu ne m'aies pas refermé la porte au nez le soir où j'ai échoué chez toi.

— Tu m'as surpris dans un de mes rares moments de faiblesse.

Gennie lui jeta un bref regard accablé et renonça à argumenter. Ce serait peine perdue, de toute façon.

— Nous ne devrions pas tarder à arriver, je crois ? Si tu me parlais un peu des MacGregor afin que je me fasse une idée de…

Laissant sa phrase en suspens, elle ouvrit de grands yeux.

— Oh, mon Dieu !

C'était incroyable, impossible. Une vision tout droit tombée d'un livre d'images. D'un gris sévère, illuminé par le soleil de fin d'après-midi, le château de contes de fées dont toute petite fille avait un jour rêvé se dressait devant ses yeux. Qu'un aussi merveilleux anachronisme ait vu le jour au siècle du virtuel et de l'éphémère enchantait Gennie.

La vaste construction dominait la falaise. Il n'y avait pas de lierre pour couvrir la façade orgueilleuse mais une débauche de fleurs en ornait le pied : des rosiers grimpants, des capucines et des clématites s'enchevêtraient, offrant encore les lumineuses couleurs de l'été alors que les ors de l'automne réchauffaient déjà le feuillage de certains arbres.

D'instinct, Gennie effleura la mallette où elle rangeait son matériel de peinture.

— C'est bien ce que je pensais, commenta Grant.

Perdue dans sa contemplation, Gennie ne tourna même pas les yeux dans sa direction.

— Qu'est-ce que tu pensais ?

— Que tu te vois déjà avec un pinceau à la main.

— Ne remue pas le couteau dans la plaie. Ça me démange de m'y mettre.

— Tu auras le temps, ce week-end. Si tu continues à peindre de façon aussi inspirée, et avec une vision aussi forte que celle qui transpire dans la composition que tu as faite près de chez moi, tu vas être tellement encensée par les critiques d'art que tu en auras le tournis.

Déconcertée, Gennie le regarda.

— Mais je croyais que tu n'avais trouvé aucun intérêt à cette toile…

Grant émit un vague grognement.

— Ne sois pas idiote.

Que Gennie puisse avoir besoin d'être rassurée sur son talent ne lui traversait même pas l'esprit. De son côté, il était considéré comme un des meilleurs dans son domaine. Une réalité qu'il acceptait sans en faire le moindre cas. L'opinion d'autrui lui importait peu car il était conscient de ses propres capacités. Et il n'imaginait même pas que Gennie puisse fonctionner autrement.

— Tu veux dire que tu l'as appréciée ? demanda-t-elle, sourcils froncés.

— Apprécié quoi ?

— La toile, rétorqua-t-elle avec impatience. La marine que j'ai faite devant chez toi.

Perdu dans ses considérations, Grant lui jeta un regard surpris.

— Bien sûr que j'ai été impressionné ! Ce n'est pas parce que je ne peins pas que je ne suis pas capable de discernement.

Un silence tomba entre eux, lourd de tensions informulées. Gennie se demandait pourquoi il n'avait marqué aucun enthousiasme alors qu'il avait manifestement été sensible aux qualités de son travail. Et elle lui en voulait un peu d'être aussi avare de ses compliments.

Quant à Grant, il ne pouvait s'empêcher de penser que seuls les arts dits « nobles » semblaient trouver grâce aux yeux de Gennie. Qui sait quelle piètre opinion elle avait des auteurs de bandes dessinées ? Et si, dans quelques semaines, elle tombait sur Veronica dans le *New York Daily*, prendrait-elle un fou rire ou une crise de nerfs ?

Il s'immobilisa sur le petit parking avec un coup de frein brusque qui les secoua l'un et l'autre, les arrachant pour le coup à leurs pensées moroses.

— L'intérieur est à peu près du même tonneau, commenta Grant, notant que Gennie avait le regard rivé sur la forteresse. Je n'en croyais pas mes yeux la première fois.

— Apparemment, tout ce que j'ai pu lire ici et là sur Daniel MacGregor se vérifie : une personnalité forte et puissamment originale. Le genre d'homme qui se passe de mode d'emploi pour tracer le chemin de sa vie… Sa femme est médecin, je crois ?

— Anna est chirurgienne. Daniel et elle ont eu trois enfants. Shelby, ma sœur, a épousé l'aîné des fils, Alan.

— Alan MacGregor, c'est-à-dire…

— Le sénateur du Massachusetts, oui.

Gennie siffla doucement entre ses dents en descendant de voiture.

— Si les rumeurs qui courent se confirment, tu bénéficieras dans quelques années d'une entrée directe à la Maison Blanche,

Grant. Ce ne sera pas tout à fait aussi intime que ton phare dans le Maine.

Elle contempla en riant l'homme qui se tenait en appui sur le capot, avec son jean fatigué, ses cheveux trop longs soulevés par le vent.

— Tu te vois en beau-frère de président ?

Grant, qui pensait à Macintosh, eut un sourire en coin.

— Rien n'est encore joué, dit-il, employant une des expressions préférées de son personnage. Mais j'ai toujours eu une certaine affection désabusée pour les politiques, même si j'en dis volontiers beaucoup de mal.

Il prit la main de Gennie et l'entraîna vers le monumental escalier en façade.

— Bon. Où en étions-nous ? Après Alan, nous avons Caine, le second fils MacGregor, un avocat qui a épousé récemment une de ses collègues, Diana. Laquelle se trouve être la sœur — longtemps perdue de vue — du mari de la benjamine, Rena.

— Hou là… ça se complique. Je crois que je suis en train de perdre le fil, protesta Gennie en examinant la tête de lion sculptée qui ornait le lourd heurtoir en cuivre.

Grant laissa retomber le marteau avec force et on entendit comme un coup de canon résonner dans la vaste demeure.

— Ça ira mieux, une fois que tu auras mis des visages sur tous ces noms… Rena, donc, a épousé un hommes d'affaires un peu particulier. Elle vit avec son mari à Atlantic City.

Gennie lui jeta un regard en coin.

— C'est le Bottin mondain que tu me sors là. Tu es étonnant, pour un grand solitaire, Grant.

Ils échangèrent un sourire. La porte s'ouvrit et la fille rousse de la Mercedes sortit sur le perron.

— Tiens, tiens… Vous avez quand même fini par trouver votre chemin, tous les deux ?

192

Sous le regard étonné de Gennie, Grant saisit la jeune femme par les épaules et, sourcils froncés, l'examina de la tête aux pieds.

— Apparemment, tu as survécu à ton mariage, sœurette. Mais tu n'as toujours que la peau sur les os.

— Et toi, tu es toujours aussi prodigue de tes compliments… Grant Campbell, tu es et tu resteras un grossier personnage, mais je suis quand même ravie de revoir ta sale tête.

La sœur de Grant se jeta à son cou, l'embrassa avec effusion sur les joues puis tourna la tête vers Gennie.

— Bonjour. Je suis Shelby.

Gennie fut frappée par l'absence totale de ressemblance entre le frère et la sœur. Alors que Grant était très brun, avec la peau mate et un charme assez rude, Shelby la rousse avait à la fois l'éclat du feu et la délicatesse de la porcelaine.

— Gennie, se présenta-t-elle en lui rendant spontanément son sourire.

Shelby tira en riant sur les cheveux de son frère.

— Une jolie septuagénaire, ma foi.

Septuagénaire ? Gennie jeta un regard intrigué à Grant. Il lui décocha un clin d'œil qui semblait vouloir dire « je t'expliquerai », pendant que Shelby se dégageait de ses bras pour venir lui serrer la main.

— Ainsi vous êtes l'amie de mon frère ? Il faudra que nous trouvions un moment pour bavarder, toutes les deux. Vous m'expliquerez comment vous faites pour endurer la compagnie de cet ermite grincheux plus de cinq minutes d'affilée… Alan est dans la salle du trône avec Daniel, poursuivit Shelby avant que Grant puisse répondre. Mon frère a pris le temps de vous faire un petit topo sur la famille MacGregor et ses particularités ?

— J'ai eu droit à une version très abrégée, répliqua Gennie, charmée par la personnalité bouillonnante de Shelby.

La sœur de Grant glissa un bras sous le sien.

— Ça ne m'étonne pas de lui. Mais au fond, ce n'est pas plus mal de débarquer au cœur de la tribu sans être averti. Autant que vous ayez la surprise, après tout. L'essentiel, c'est de ne pas vous laisser intimider par Daniel. Le reste ira tout seul… Vous êtes de quelle origine ?

— Française principalement. Pourquoi ?

— Parce que la question figurera nécessairement à l'ordre du jour.

Grant jeta un regard en coin à sa sœur. Connaissant Daniel, il voudrait tout savoir des ascendants de Gennie, en effet. Et il multiplierait les stratégies pour les pousser à convoler en justes noces. Organiser des mariages était une véritable obsession chez Daniel MacGregor.

— Et ce voyage de noces, alors ? Comment s'est-il passé ? s'enquit-il pour détourner la conversation.

Shelby lui adressa un sourire radieux.

— Je te dirai ça quand la lune de miel sera terminée. Comment va ta falaise ?

— Elle tient toujours debout.

Grant leva les yeux en entendant des pas dans l'escalier. Justin descendait à leur rencontre avec son habituelle expression impassible. Mais lorsque son regard se posa sur Gennie, le masque insondable tomba et son visage s'illumina de surprise.

— Gennie !

Dévalant les marches, Justin la saisit par la taille et la fit tournoyer dans ses bras.

— Justin ! C'est incroyable !

Nouant les bras autour de son cou, Gennie lui sourit, les yeux dans les yeux, pendant que Grant, cloué sur place, les observait d'un œil sombre.

— Qu'est-ce que tu fais ici ? s'exclamèrent Gennie et Justin avec un bel ensemble.

Justin se dégagea en riant pour prendre ses mains dans les siennes.

— Tu sais que tu deviens de plus en plus belle ? commenta-t-il tendrement.

En la voyant rougir de plaisir, Grant fit connaissance avec un sentiment aigre, corrosif qu'il mit quelques secondes à identifier comme étant de la jalousie. C'était la première fois qu'il avait affaire à ce genre de sensation. Et il se serait volontiers passé de l'expérience.

— Apparemment, vous vous connaissez tous les deux, commenta-t-il d'une voix dangereusement suave qui provoqua un haussement de sourcils étonné chez Shelby.

— Mieux que ça, même, s'exclama Gennie joyeusement… Ah, mais ça y est ! Je comprends maintenant ! « L'homme d'affaires un peu particulier » qui vit à Atlantic City ! Et je n'avais pas fait le rapport entre Rena et Serena ! Dire que je n'ai même pas pu venir à votre mariage. Et maintenant, tu es papa !

Sur un éclat de rire, elle jeta de nouveau les bras autour du cou de Justin.

— C'est incroyable ! J'arrive ici en pensant ne connaître personne et me voici entourée de cousins !

— De cousins ? répéta Grant, intrigué.

— Du côté de ma mère, précisa Justin. Les Grandeau dans leur écrasante majorité considèrent les Blade comme la branche honteuse de la famille sur laquelle on s'entend à conserver un silence pudique. Mais certains Grandeau sont plus ouverts que d'autres, précisa-t-il avec un clin d'œil pour Gennie.

Celle-ci haussa les épaules.

— Si c'est à tante Adélaïde que tu penses, elle est confite de préjugés et ennuyeuse comme la pluie.

— Tu arrives à suivre cette conversation, toi ? s'enquit Shelby en se tournant vers Grant.

— De très loin.

Gennie lui prit la main en riant.

— Oh, ce n'est pas si compliqué ! Justin et moi, nous sommes cousins. Au troisième degré, je crois. Mais comme nos familles ne se fréquentaient pas, nous nous sommes rencontrés tout à fait par hasard à une de mes expositions à New York, il y a cinq ans.

— C'est en discutant, qu'à force de recoupements, nous avons fini par nous rendre compte que nous étions apparentés, enchaîna Justin.

Les examinant côte à côte, Grant ne vit soudain plus que cela : les yeux verts. Ce visage d'homme et ce visage de femme différaient sur à peu près tous les plans. Mais le vert si rare des prunelles était parfaitement identique.

Cette similarité, étrangement, rassura Grant plus encore que les explications que Justin et Gennie venaient de fournir. Il se remémora le récit que Gennie lui avait fait de la « brebis galeuse » ; du cousin considéré comme un moins-que-rien et qui avait fini par laisser le reste de la famille loin derrière lui.

— Eh bien, voilà au moins une présentation qui ne sera pas à faire, commenta Shelby gaiement. Tu sais que Gennie est venue du Maine avec Grant, n'est-ce pas ?

Justin vint lui poser une main amicale sur l'épaule.

— Daniel avait précisé que tu nous amènerais une artiste peintre… vénérable.

— Vénérable ? releva Gennie, sourcils froncés.

Appréciant l'humour discret de Justin, Grant hocha la tête.

— Juste une façon de parler, bien sûr… Justin, je ne t'ai pas encore félicité d'avoir assuré le maintien de la lignée.

— Ce qui devrait nous éviter d'être en permanence incités à procréer à notre tour, ajouta Shelby avec une moue éloquente.

— Tu es optimiste, là, Shelby, s'éleva une voix douce du haut de l'escalier. Tu crois que papa se contentera longtemps d'un seul petit-fils ?

196

Gennie leva la tête et vit une jeune femme blonde descendre à leur rencontre. Elle portait dans ses bras un tout petit bébé, invisible sous la couverture bleue dont il était enveloppé.

Serena embrassa Grant sur la joue.

— Je suis ravie de te revoir à Hyannis, Grant. C'est gentil de ta part d'avoir accepté une invitation de Sa Majesté.

— Cela n'a rien d'un sacrifice. Au contraire.

Incapable de résister à la tentation, Grant écarta doucement la couverture. Il avait toujours été fasciné par les nourrissons. Celui-ci avait les joues lisses et les yeux grands ouverts. Comme sa mère, Robert MacGregor Blade aurait des prunelles de la couleur des pensées sauvages. S'il avait ou non les oreilles de Daniel, Grant n'aurait su le dire. Mais ses origines comanche étaient bien visibles en tout cas.

En se tournant vers Gennie, Serena eut le choc de voir les yeux de son mari dans un visage féminin.

— Bonjour. Je suis Rena Blade.

— Gennie n'est pas seulement l'amie de Grant, précisa Justin en passant un bras autour des épaules de sa femme. Elle se trouve également être ma cousine. Je te présente Genviève Grandeau.

— Genviève Grandeau ! s'exclama Serena en ouvrant de grands yeux. Savez-vous que vous êtes un des peintres contemporains que je préfère ?

Shelby, de son côté, foudroya son frère du regard.

— Grant, tu es un cachottier immonde… Notre mère a acheté deux de vos *Paysages de Louisiane,* Gennie. Je l'ai harcelée jusqu'à ce qu'elle accepte de m'en offrir un en cadeau de mariage. Et j'ai l'intention de construire une maison autour de ce tableau.

Leurs réactions chaleureuses achevèrent de mettre Gennie à l'aise.

— Alors vous m'aiderez à convaincre M. MacGregor de m'autoriser à peindre sa demeure ?

Les yeux de Serena pétillèrent.

— Vous n'aurez pas besoin d'insister longtemps, croyez-moi.

— Qu'est-ce qui se passe ici ? Vous avez organisé un meeting parallèle ou quoi ? demanda Alan en pénétrant dans le vestibule. Je veux bien me dévouer pour aller dans la salle du trône en avant-coureur, mais là, je commence à avoir besoin de renforts. Ça fait un quart d'heure que papa se lamente d'avoir une famille tellement dispersée qu'il n'en voit jamais la couleur.

— En ce moment, c'est Caine qui ramasse le plus, commenta Serena en embrassant son frère sur la joue.

Avec un sourire pour sa sœur, Alan posa la main dans la nuque de Shelby.

— Peut-être. Mais Caine est en retard, hélas. Du coup, j'ai servi de bouc émissaire.

Alan tourna son regard intense vers Gennie et son front se creusa d'un pli méditatif.

— Voyons… Nous nous connaissons déjà. Vous êtes… mais bien sûr ! Geneviève Grandeau. Et vous peignez la Louisiane comme personne ne l'a encore peinte jusqu'ici.

Sidérée qu'il l'ait identifiée, Gennie lui rendit son sourire.

— Nous avons échangé trois mots, il y a deux ans, à une conférence sur la peinture contemporaine, monsieur le sénateur.

— Appelez-moi Alan… Ainsi vous êtes l'artiste peintre de Grant.

Une étincelle d'humour brilla dans les yeux d'Alan.

— Je dois dire que vous surpassez la description enthousiaste que Grant nous avait faite de vous. Vous voulez continuer à conférer dans le vestibule ou nous nous décidons à rejoindre Le MacGregor avant qu'il ne commence à donner de la voix ?

D'un geste expert, Justin prit le bébé des mains de Serena.

— Allons-y. Mac adoucira l'humeur de son grand-père.

— Quelle description de moi leur as-tu faite, au juste ? s'enquit Gennie d'un ton soupçonneux, en ajustant son pas à celui de Grant.

Il sourit et glissa un bras autour de ses épaules.

— Une description... surréaliste. Je te raconterai plus tard.

Ils arrivaient dans ce qu'Alan et Shelby avaient appelé « la salle du trône ». Et non sans raison, d'ailleurs. Dans la pièce immense, le mobilier ancien aux dimensions royales semblait défier les siècles de son élégance orgueilleuse. Les dernières lueurs du jour s'attardaient sur les hautes fenêtres à croix de pierre, baignant la pièce d'une lumière qui rappelait les grands maîtres flamands. Une odeur d'encaustique et de fleurs séchées flottait dans l'air. Et Gennie reconnut aux murs quelques toiles authentiques qui auraient fait rêver maint collectionneur.

Mais plus encore que le décor, c'était l'homme assis dans un haut fauteuil sculpté qui donnait une âme à la pièce. Tout comme sa maison, Daniel MacGregor avait quelque chose d'intemporel. Aux yeux de Gennie, il aurait pu incarner un grand général. Ou un de ces rois nobles et fiers qui menaient leurs troupes à la bataille sans hésiter à combattre en première ligne.

Aussi massif que son mobilier, le visage large, les traits altiers, il les regarda entrer un à un, comme s'il assistait à un défilé de courtisans venus former sa Cour. D'une main, il tapotait sur l'accoudoir de bois sculpté de son fauteuil, de l'autre, il tenait un verre en cristal où scintillait un liquide ambré.

Il avait l'air redoutable et magnifique. Gennie songea avec nostalgie à son carnet d'esquisses et à ses crayons.

— Eh bien..., laissa-t-il tomber d'une voix puissante en fixant un regard accusateur sur sa famille. Il était temps.

Shelby fut la première à s'avancer vers lui pour l'embrasser. Gennie estima que la sœur de Grant avait du courage d'affronter le despote courroucé avec une pareille désinvolture.

— Alors, grand-père ! s'exclama Shelby en lui posant un baiser retentissant sur la joue. Heureux ?

— Mmm… N'essaye pas de m'attendrir en faisant vibrer la fibre grand-paternelle, toi. Je me demandais si tu finirais par trouver le temps de venir me saluer, la Campbell.

— N'était-il pas de mon devoir de présenter d'abord mes respects au plus jeune membre de la famille ?

Avant que Daniel ait pu ouvrir la bouche pour riposter, Justin se porta à la rescousse de Shelby en plaçant le petit Mac au creux du bras de son grand-père. Sous le regard étonné de Gennie, le farouche guerrier au regard impérieux se mua instantanément en papi gâteau.

Il tendit son verre à Shelby pour effleurer la tête délicate du nourrisson.

— Quel gaillard. Regardez-moi ça. Fort comme un Turc, déjà. Vous avez vu comment il m'attrape le doigt ?

Comme Daniel adressait un sourire attendri à la ronde, son regard tomba sur Grant.

— Ah, Campbell, tu as fini par arriver. Sois le bienvenu, mon garçon.

Daniel souleva fièrement le bébé.

— Tu comprends maintenant pourquoi votre clan n'a jamais réussi à venir à bout du nôtre ? *Ça,* c'est de la solide race de guerrier.

— Et c'est un sang fort qui coule dans ses veines, récita Serena avec une moue amusée en retirant son fils des bras de son grand-père.

— Qu'on serve à boire au Campbell, ordonna Daniel. Et maintenant, où est ton artiste peintre ?

Gennie vit le regard du patriarche embrasser l'assistance. Après une légère hésitation, il finit par se fixer sur elle. Daniel la contempla un instant avec étonnement, puis un discret sourire joua au coin de ses lèvres. Gennie se promit de passer Grant à la question dès qu'ils se retrouveraient en tête à tête. Dieu sait ce qu'il avait pu raconter à son sujet pour susciter toutes ces réactions !

Avec le plus grand sérieux, Grant fit les présentations.

— Daniel MacGregor... Genviève Grandeau.

— Genviève Grandeau !

Daniel se hissa hors de son fauteuil et déploya sa haute et imposante silhouette.

— Soyez la bienvenue, Genviève. C'est un honneur d'avoir une artiste aussi talentueuse parmi nous.

Gennie vit sa main disparaître dans celle de son hôte. Dans l'étreinte des doigts puissants de Daniel, elle sentit de la force, beaucoup d'entêtement, mais aussi une authentique gentillesse.

— Votre demeure est superbe, monsieur MacGregor. Et d'une certaine façon, elle vous ressemble.

Daniel laissa éclater un rire tellement tonitruant qu'elle s'attendit à entendre trembler les vitres.

— *Aye !* Et trois de vos tableaux sont accrochés dans l'aile ouest.

L'attention de Daniel se fixa un instant sur Grant.

— Dis-moi, Grant... Elle porte drôlement bien son âge, ton amie.

Notant que Grant s'étranglait sur une gorgée de scotch, Gennie haussa un sourcil sarcastique. A en juger par les réactions des uns et des autres, il avait dû brosser d'elle un portrait hautement fantaisiste.

— Qu'on apporte à boire à l'artiste ! lança Daniel tout en lui faisant signe de prendre place dans le fauteuil à côté du sien.

Et maintenant, racontez-moi tout, belle Genviève : comment se fait-il que vous gaspilliez votre beauté, votre talent et votre jeunesse en compagnie d'un Campbell ?

— Avant que vous commenciez à accabler Gennie de questions indiscrètes, Daniel, je tiens à vous prévenir que nous sommes cousins, elle et moi, intervint Justin en prenant place sur le canapé. Elle est issue de la branche française et aristocrate de la famille, du côté de ma mère.

— Une cousine à toi, tu dis… Ah, mais oui, bien sûr ! Une Grandeau ! Comme ta tante Adélaïde.

Tout en se frottant le menton, Daniel examina Gennie avec une attention soutenue. Il finit par hocher la tête avec un air d'intense satisfaction.

— *Aye*, comme le hasard fait bien les choses. Vous êtes pour ainsi dire de la famille, ma petite Genviève. Et ce n'est pas plus mal que nous resserrions les liens entre nous… Vous avez l'allure d'une reine et vous fascinez, telle la sorcière.

— C'est censé être un compliment, précisa Serena en lui servant un doigt de vermouth dans un très élégant verre à pied en argent et en cristal.

Gennie jeta un regard en coin à son amant.

— Grant aussi me suspecte d'être une jeteuse de sort. J'imagine que mon côté sorcier est lié au sang gitan que j'ai dans les veines. Une de mes ancêtres a connu un Rom et des jumeaux sont nés de la rencontre.

— Et ce n'est pas tout. Elle a également un pirate quelque part dans sa lignée, précisa Justin.

Daniel eut un sourire approbateur.

— Parfait. C'est un sang fougueux qui coule dans ses veines. Cela compensera les petites faiblesses congénitales qui frappent les Campbell.

— Attention à ce que vous dites, MacGregor, protesta Shelby, aussitôt sur le pied de guerre.

Gennie secoua la tête en réprimant un sourire. Elle ne comprenait pas toutes les allusions qui fusaient. Mais il ne fallait pas être grand clerc pour s'apercevoir que Daniel MacGregor s'était mis en tête d'arranger un mariage entre Grant et elle.

Jetant un regard à la dérobée à Grant, elle vit que les manœuvres à peine déguisées de Daniel le mettaient à la torture. Avisant son expression rogue, elle eut du mal à garder son sérieux. De son côté, elle trouvait la situation tout à fait hilarante.

— L'arbre généalogique des Grandeau remonte jusqu'à un des courtisans préférés de Philippe le Bel, précisa-t-elle en décochant son plus beau sourire à Daniel.

Du coin de l'œil, elle capta le regard appréciateur de Shelby. Alan, lui, se porta charitablement au secours de Grant.

— Je me demande ce qui peut bien retenir Caine, lança-t-il en regardant sa montre.

La tactique de diversion eut un effet immédiat sur Daniel. Le regard flamboyant, il finit d'un trait le contenu de son verre.

— Ha ! Parlons-en de Caine ! Il n'y a plus que ses procès qui l'intéressent, ce garçon. Croyez-vous qu'il aurait ne serait-ce qu'une pensée pour sa pauvre mère qui se ronge les sangs à l'attendre ?

Sa mère ? Etonnée, Gennie regarda autour d'elle. Elle n'avait pas vu trace pour l'instant de l'épouse de Daniel MacGregor.

Notant sa réaction, Serena replia les jambes sous elle.

— Ma mère n'est toujours pas rentrée de l'hôpital, précisa-t-elle avec un demi-sourire. Ce qui ne l'empêche pas de s'arracher les cheveux parce que son fils cadet est en retard, bien sûr.

— Anna se soucie de ses enfants, observa Daniel avec hauteur. J'essaye de lui faire comprendre qu'ils sont adultes et qu'ils ont leur vie à vivre. Mais une mère est une mère.

Serena roula les yeux dans ses orbites et marmonna quelque chose dans son verre. Juste au moment où Daniel allait rétorquer, on entendit résonner l'énorme heurtoir en cuivre de la porte d'entrée.

Alan se leva.

— Quand on parle du loup… Ne bougez pas, je vais leur ouvrir.

Comme un silence orageux envahissait la pièce, Grant s'employa à dérider le patriarche.

— Dites-moi, Daniel, Gennie est tombée sous le charme de votre modeste demeure. Et elle se demande si vous accepteriez qu'elle la peigne.

Le vieux tyran parut presque aussi ravi que lorsqu'on lui avait mis son petit-fils dans les bras.

— Ah, mais c'est une riche idée, ça !

Daniel exultait. La forteresse MacGregor immortalisée par Genviève Grandeau ! Il était conscient de la valeur financière que représenterait un tel tableau. Mais sa fierté surtout s'en trouvait flattée. Ce serait un superbe héritage à transmettre à ses petits-enfants.

— Ma foi, Gennie, je pense que nous trouverons un arrangement qui nous satisfera l'un et l'autre… Nous prendrons un moment ce week-end pour en parler tranquillement, ajouta-t-il, les sourcils de nouveau froncés, en voyant entrer les deux derniers représentants de la famille MacGregor.

Gennie découvrit Caine, un grand blond aux yeux bleus, avec un visage qui respirait l'intelligence. Tous les MacGregor, apparemment, étaient de magnifiques spécimens d'humanité. Tout comme chez Alan et Serena, on sentait chez lui une grande puissance intérieure. Mais ce n'était pas tout à fait la même que celle qui émanait de Daniel. Gennie en vint à s'interroger sur leur mère. Quel genre de femme était-elle ? Avait-elle une personnalité forte qui équilibrait celle de son bouillonnant mari ? Ou vivait-elle dans l'ombre de Daniel ?

Songeant qu'elle aurait la réponse à sa question lorsque Anna MacGregor rentrerait de l'hôpital, Gennie reporta son attention fascinée sur Diana — sa cousine et la compagne de Caine. Du coin de l'œil, elle vit le regard préoccupé dont Justin enveloppa sa sœur. Son inquiétude n'avait rien de surprenant. La tension qui émanait du jeune couple était presque palpable.

— Nous avons été retenus à Boston, expliqua Caine sans paraître se soucier le moins du monde de l'œil courroucé de Daniel.

Il se dirigea tout droit vers son neveu et son visage s'adoucit lorsqu'il leva les yeux vers sa sœur.

— Tu as fait du beau travail, Rena… Il est magnifique, ton petit homme.

— Tu pourrais au moins passer un coup de fil lorsque tu es en retard, intervint Daniel. Cela éviterait à ta mère de s'inquiéter.

Caine balaya la pièce d'un regard rapide et haussa un sourcil ironique en notant l'absence d'Anna.

— C'est vrai. Je vois qu'elle est dans tous ses états.

La brune Diana laissa tomber d'une voix morne :

— C'est ma faute. J'ai une consultation qui s'est prolongée plus longtemps que prévu.

Serena passa un bras affectueux autour des épaules de sa belle-sœur.

— Aucune importance. Vous êtes là, c'est l'essentiel. Et maman n'est toujours pas rentrée, de toute façon… Tu te souviens de Grant, Diana ?

— Bien sûr.

Diana réussit à sourire mais son regard demeura distant, presque farouche.

— Et voici l'amie de Grant… qui se trouve être une de tes cousines, figure-toi ! s'exclama gaiement Serena. Genviève Grandeau, ça te dit quelque chose ?

Brusquement, Gennie eut un éclair de mémoire.

— *Diana !* Mais oui, bien sûr, je me souviens, maintenant. Nous nous sommes déjà rencontrées !

Mais la nouvelle ne sembla pas égayer Diana. Bien au contraire. Son visage déjà fermé se figea un peu plus encore. Etonnée par sa réaction négative, Gennie tenta de dissiper sa gêne par un sourire engageant.

— Nous étions encore petites filles, à l'époque. C'était à une fête d'anniversaire, je crois.

— Oui, c'est exact, murmura Diana.

Gennie eut beau se creuser la mémoire, elle ne se souvenait pas d'avoir fait quoi que ce soit, à l'occasion de cette surprise-partie, qui puisse justifier la froideur de sa cousine aujourd'hui.

Caine, qui avait suivi la conversation à distance, vint poser la main sur l'épaule de sa femme.

— Bienvenue, cousine, déclara-t-il avec un sourire auquel Gennie trouva un charme inattendu.

Il se tourna alors vers Grant avec un pétillement dans le regard.

— Dès que tu auras une minute, je parlerais volontiers *grenouilles* avec toi.

— Ce sera avec le plus grand plaisir, acquiesça Grant, très à l'aise. Comme chacun sait, j'ai une véritable passion pour les batraciens.

Avant que Gennie ait pu se faire expliquer les raisons de l'éclat de rire général qui suivit, une femme brune de petite taille fit une entrée discrète mais remarquée dans la « salle du trône ».

Anna MacGregor, comprit Gennie, notant que l'attention de tous convergeait vers l'arrivante. Ce petit bout de femme dégageait une aura étonnante. C'était d'elle que son fils aîné tenait son charme ainsi que l'air de calme autorité qui émanait de lui.

Même si sa coiffure était en désordre et son tailleur légèrement froissé, elle avait un rayonnement, une dignité naturelle qui séduisirent Gennie au premier regard.

— C'est un grand plaisir de vous avoir ici avec nous, Genviève, déclara chaleureusement Anna lorsqu'elles furent présentées. Je suis désolée de ne pas avoir pu me libérer plus tôt pour vous accueillir. J'ai malheureusement été retenue à l'hôpital plus longtemps que prévu.

La main d'Anna était menue, ferme. Mais ses doigts étaient glacés.

« Elle vient de perdre un patient », comprit Gennie. Comment elle en avait eu l'intuition, elle n'aurait su le dire, mais la certitude était là.

Spontanément, elle réchauffa ses mains entre les siennes.

— Vous avez une famille merveilleuse, madame MacGregor. Et un très beau petit-fils.

Anna émit un soupir à peine audible.

— Merci.

Elle se pencha pour embrasser son mari.

— Passons à table, décida-t-elle lorsque Daniel lui effleura tendrement les cheveux. Vous devez tous mourir de faim.

Cette fois, le casting était complet et tous les personnages avaient fait leur entrée en scène. Avec un léger sourire, Gennie se leva et glissa la main dans celle de Grant.

10.

Avant de se coucher, Gennie prit le temps de se détendre dans un bain parfumé. La chambre qui lui avait été attribuée bénéficiait d'une salle de bains privée où trônait une immense baignoire sur pieds à laquelle il lui avait été impossible de résister malgré l'heure tardive. Les MacGregor n'étaient pas des couche-tôt, de toute évidence. Même le petit Mac avait veillé une partie de la soirée. Fermant les yeux, Gennie songea qu'elle avait passé des moments délicieux en leur compagnie. Les MacGregor en tant que famille particulière avaient l'art de vous réconcilier avec la famille en général. Parce qu'ils étaient bruyants, contrastés, chaleureux ; parce qu'ils se taquinaient sans cesse tout en étant unis comme les doigts de la main.

Mais s'ils étaient solidaires, ils ne fonctionnaient pas pour autant sur le mode de l'exclusion. Avec un remarquable sens de l'hospitalité, ils l'avaient tous adoptée d'emblée.

A l'exception de Diana, toutefois.

Sourcils froncés, Gennie se savonna une jambe tout en réfléchissant à l'attitude de sa cousine. Diana avait peut-être une nature particulièrement réservée ? Caine et sa femme traversaient une crise, de toute évidence. Et il était fort possible que Diana se montre plus froide qu'à l'ordinaire du fait de ses problèmes conjugaux. Mais il n'y avait pas que cela. En la voyant, Diana avait eu comme un mouvement de recul. Et elle avait aussitôt marqué ses distances.

« Laisse-moi tranquille. »

Tel était le signal que Gennie avait lu dans les beaux yeux d'Indienne de sa cousine. Et elle n'avait pas cherché à passer outre. Tout le monde n'avait pas forcément une attitude ouverte et amicale. Et c'était le droit de Diana de rester distante.

Mais elle avait beau se tenir ces raisonnements, Gennie ne pouvait s'empêcher d'être intriguée.

Avec un léger haussement d'épaules, elle retira la bonde afin de vider l'antique baignoire. Le lendemain, elle croquerait la forteresse MacGregor sous tous les angles. Et peut-être que Grant et elle trouveraient le temps de faire un tour en amoureux au bord de la falaise ?

Elle ne l'avait encore jamais vu aussi détendu qu'au cours de cette soirée. Il n'avait pas changé de personnalité, pourtant. Grant restait l'homme arrogant, taciturne et distant dont elle était tombée amoureuse à son corps défendant. Et pourtant, on le sentait parfaitement dans son élément en la bruyante compagnie des MacGregor.

Le reclus du phare n'avait finalement rien d'un misanthrope. Il pouvait même se révéler très sociable, à ses heures. Après le dîner, elle l'avait entendu discuter à bâtons rompus avec Alan. Que Grant puisse parler politique à un niveau aussi poussé l'avait sidérée. Il était manifestement au courant de tout, même des plus obscures intrigues de palais. Mais Gennie avait été encore plus surprise lorsqu'il avait pris spontanément le petit Mac pour le faire sauter sur ses genoux tout en débattant avec Caine d'un procès récent qui avait défrayé la chronique à Boston. Pour clore la soirée, il s'était lancé dans une virulente polémique avec Shelby sur la signification sociale et psychologique du phénomène hippie.

De plus en plus décontenancée par la complexité du personnage, Gennie acheva de se sécher et enfila un court kimono de soie. Pourquoi un homme cultivé, passionné par l'art, la politique, le droit et les grandes questions de son temps vivait-il ainsi à l'écart du monde ? Et pourquoi s'acharnait-il ainsi sur le malheureux touriste égaré alors qu'il était capable de converser le plus aimablement du monde sur à peu près n'importe quel sujet ?

Une énigme. Plus que jamais, Grant Campbell représentait une énigme à ses yeux.

La sagesse voulait sans doute qu'elle s'incline et qu'elle accepte de le prendre tel qu'il était, avec sa part d'ombre et de mystère. Mais plus elle apprenait à le connaître, plus elle avait envie de le percer à jour. De le comprendre. De l'aimer jusque dans les recoins les plus secrets de sa personnalité compliquée.

S'exhortant à la patience, Gennie passa dans la chambre à coucher adjacente. Comme toutes les pièces de la maison, celle-ci était de proportions imposantes, meublée et décorée dans le plus pur style XVIIIᵉ. Passant à côté du sofa tendu de satin rose, elle s'installa devant la coiffeuse ornée de cupidons et entreprit de se démêler les cheveux.

Lorsque Grant poussa la porte, il tomba un instant en arrêt devant la vision qu'elle offrait.

— La séductrice ingénue, murmura-t-il lorsque leurs regards se rencontrèrent dans le miroir.

Elle sourit.

— Tu t'es trompé de direction ?

— Pas du tout, non.

Refermant derrière lui, Grant poussa le verrou. Gennie haussa les sourcils en jouant avec sa brosse.

— Je croyais qu'on t'avait attribué la chambre au fond du couloir ?

Grant resta debout sans bouger, ne demandant rien de plus, dans un premier temps, que de se remplir les yeux de son image.

— C'est exact. Mais il y a un petit problème, au niveau de cette chambre.

— Ah oui ?

— Les MacGregor ont tout prévu sauf l'essentiel : toi.

Grant s'avança pour lui prendre la brosse des mains. Le regard rivé sur son reflet dans le miroir, il la laissa glisser dans sa chevelure.

— Tes cheveux sont tellement doux… Comme tout chez toi, d'ailleurs. On se perd dans cette douceur comme dans des sables mouvants, mais c'est impossible d'y résister.

Gennie retint son souffle. Elle l'aimait tellement qu'elle s'embrasait et désirait à la moindre caresse. Mais lorsqu'il faisait preuve de tendresse, comme ce soir, elle sentait tomber toutes ses barrières, toutes ses défenses.

Et elle était comme transfigurée.

— Tu as envie de me résister ? demanda-t-elle dans un souffle.

L'ombre d'un sourire joua sur les lèvres de Grant.

— Même si j'en avais envie, cela ne changerait pas grand-chose. Mais non, ce n'est pas le cas, Geneviève. Tout ce que je veux, c'est toi. Quand je te vois, plus rien d'autre n'a d'importance. Tu n'es pas ma première passion, mais les autres n'étaient pas charnelles. Tu n'es pas la première femme que je désire, mais tu es la seule que j'aime corps et âme.

Gennie le crut. Elle savait que Grant ne lui mentirait jamais sur ses sentiments. Et ses paroles brûlantes se répandirent en elle tel un élixir qui accéléra le flux du sang dans ses veines. Le cœur débordant d'amour, elle se leva pour se placer devant lui. Il lui apportait tellement qu'elle voulait donner à son tour, le couvrir de caresses, l'inonder de baisers jusqu'à l'ivresse, l'aimer jusqu'à se fondre en lui.

— Laisse-moi te faire l'amour, Grant.

La proposition était douce, spontanée et parfaitement adorable. Bouleversé, Grant voulut la prendre dans ses bras.

— Gennie…

Mais elle secoua la tête.

— Non. Toi, tu ne bouges plus.

Posant les mains sur son torse, elle chuchota :

— Tu me laisses l'initiative, d'accord ?

Les yeux rivés sur son visage, Gennie défit un à un les boutons de sa chemise. Elle se sentait en confiance et maîtrisait ses gestes. Mais elle savait qu'elle n'aurait que son instinct et sa maigre expérience pour la guider. Comment apportait-on du plaisir à un homme ? En le caressant comme on aimait soi-même être caressée ?

La soif qu'il avait d'être touché ne pouvait être moindre que la sienne, après tout. Les désirs de Grant seraient-ils à ce point différents des siens ? Repoussant la chemise ouverte, elle palpa, explora, massa, laissant ses mains s'animer, découvrir d'elles-mêmes les gestes.

Il était longiligne, étiré, d'une minceur presque excessive. Mais tout en muscles et en puissance. Toucher ce corps superbe était pour elle un éblouissement. Déjà, la chair de Grant palpitait, chaude et désirante sous ses doigts. Pressant ses lèvres contre sa poitrine, à la hauteur du cœur, elle perçut ses battements qui s'accéléraient.

Par curiosité, elle toucha le bouton brun de la pointe de la langue et, charmée par l'expérience, se mit à laper doucement, avec un plaisir inattendu.

Les bras de Grant se resserrèrent presque convulsivement autour d'elle.

— Gennie…

— Non, s'il te plaît… Laisse-moi faire encore un peu.

Les yeux clos, Grant gémit. Sous ses caresses gourmandes, il ressentait un désir violent, impérieux. Il aurait voulu la soulever dans ses bras, la jeter sur le grand lit ou se laisser tomber avec elle à même le sol. Mais Gennie ne l'entendait pas de cette oreille. Sa curiosité semblait inépuisable et elle explorait, cherchait, trouvait des zones de sensibilité dont il n'avait même jamais soupçonné l'existence. Et tout en procédant à ce parcours de découverte, elle murmurait, soupirait, chuchotait des promesses qui menaçaient de le rendre fou.

Avec une lenteur torturante, elle trouva le bouton de son jean et le fit glisser sur ses hanches. Elle le toucha, émerveillée par sa force, sa puissance. Emerveillée aussi de détenir le pouvoir de le faire trembler.

— Viens… Allonge-toi avec moi, murmura-t-elle en levant le visage vers lui.

Avec un grognement sourd, il s'empara de ses lèvres et but avec avidité. Alors même que ses genoux ployaient et que ses forces se retiraient d'elle, Gennie prit conscience de son ascendant sur lui. Il était à sa merci, et elle lui aurait tout donné en cet instant : son cœur, son amour, son passé, ses souvenirs et même sa vie.

Posant les mains de chaque côté de son visage, elle mit fin au baiser. Le souffle rauque de Grant glissa sur ses joues.

— Viens, répéta-t-elle en se plaçant près du lit.

Elle le fit allonger et le vieux matelas soupira lorsqu'elle s'agenouilla à son côté.

— J'aime tellement te regarder, Grant.

Repoussant tendrement les cheveux sur ses tempes, elle se pencha pour y poser les lèvres. Et c'est ainsi que débuta son périple, une lente errance sur son corps qui transporta Grant dans des sphères hallucinées. Les yeux clos, il sentait la douceur satinée de sa bouche, percevait le crissement de soie de son kimono tandis qu'elle se déplaçait autour de lui. Elle l'apprivoisait, le séduisait, l'amenait du désir conquérant à l'abandon. Dans la chambre tiède, l'excitation montait et l'humidité qui s'exhalait de leurs peaux se chargeait de senteurs exacerbées. Les yeux clos, Grant baignait dans le parfum de Gennie.

Elle soupira, approcha sa bouche de la sienne pour lécher, mordiller, téter ses lèvres. Et il n'entendit plus rien, alors, que le vacarme de son sang rugissant.

Souple et languide, le corps de Gennie parut se fondre au sien lorsqu'elle s'allongea sur lui. Sa peau contre la sienne était chaude et moite. Elle se laissa glisser sur lui, descendant le long de son cou, de ses épaules, de ses flancs. Il tenta de murmurer son nom mais échoua et ne laissa échapper qu'une plainte rauque qui sonnait comme un râle.

Gennie exultait dans l'apprentissage d'une volupté, pressentie mais jamais expérimentée. C'était la première fois qu'elle sentait une telle puissance vibrer en elle. Comme si, en aimant Grant de ses mains et de ses lèvres, elle absorbait sa substance même et la mêlait à la sienne.

Aux murmures et aux soupirs de Grant, elle superposa les siens. Elle était nue désormais sans avoir eu conscience à aucun moment que Grant lui retirait son kimono. Ses mains malaxaient ses épaules puis revenaient à ses seins, se posaient sur eux dans un geste d'adoration effarée.

Le passage du temps avait cessé de les concerner. Ils n'entendirent pas la lourde horloge à l'étage au-dessous égrener les heures. Des lattes de plancher craquèrent. Dehors, un rossignol éleva son chant dans la nuit claire, comme un appel d'amour fou. Un joli nuage effiloché se dessina en ombre chinoise sur la lune.

Mais pour Gennie, il n'y avait plus d'extérieur. Les limites du lit étaient devenues comme le bord extrême de l'univers.

De nouveau, leurs bouches se mêlèrent, leurs souffles se confondirent, leurs langues s'épousèrent. Un nuage couvrit leur esprit. Il murmura dans sa bouche un plaidoyer éperdu. Ses mains s'agrippèrent à ses hanches comme s'il se sentait tomber.

— Oui, chuchota-t-elle. Oui, maintenant.

Se laissant descendre sur lui, elle le prit en elle. Un long spasme la parcourut tout entière. Elle poussa un cri, se cambra et partit instantanément, la tête renversée en arrière, ses cheveux répandus, aspirée sans recours au cœur de la spirale montante. Lorsqu'elle retomba sans force sur lui, Grant ne chercha plus à lutter et laissa libre cours à ce qu'il y avait de plus primitif, de plus vivant, de plus animal en lui.

Renversant Gennie sur le dos, il la prit avec une passion éperdue. Alors qu'elle s'était crue vidée, Gennie se remplit de son énergie, sentit tout son être se revitaliser. Le même élan sauvage la souleva à son tour et ils se déchaînèrent dans une lutte cosmique, s'élevant de sommet en sommet jusqu'à ce qu'un néant bienheureux les absorbe sur un dernier envol.

Imbriqués l'un dans l'autre, avec la lampe de chevet toujours allumée, ils s'endormirent unis dans un songe partagé.

C'était une de ces journées parfaites comme en offrait parfois la fin de l'été. Le soleil était radieux, le ciel parfaitement dégagé et l'air était d'une douceur délicieuse. Après le petit déjeuner, Gennie avait laissé Grant à ses amis pour s'aventurer dans les jardins avec son carnet d'esquisses et ses crayons, ravie d'avoir un moment à elle pour dessiner.

Pour commencer, elle voulait une vue d'ensemble de la façade, afin de retrouver l'impression fabuleuse qu'elle avait eue la veille en arrivant. Suivant l'allée, elle longea quelques rosiers botaniques puis s'installa dans l'herbe près d'un marronnier. Un grand calme régnait alentour, né d'un silence profond que venaient souligner le discret contrepoint d'un chant de merle, le cri d'une mouette, le chuchotement lointain du ressac.

Gennie commença par une esquisse rapide. Puis, incapable de résister, elle affina ses traits, apportant ombres et nuances à son dessin. Une demi-heure passa ainsi, puis Shelby sortit par une porte latérale et traversa le jardin pour venir la rejoindre.

— Ça te dérange si je m'assois à côté de toi un moment ?

— Pas du tout. Au contraire.

Gennie sourit et posa son carnet sur ses genoux.

— Je suis capable de dessiner tout le week-end sans m'arrêter si personne ne se dévoue pour venir m'interrompre de temps en temps.

— Ça doit être tentant pour un peintre, en effet. Je dis toujours que c'est son coin d'Ecosse imaginaire que Le MacGregor a recréé ici.

Avec une grâce pleine de souplesse qui rappelait celle de Grant, Shelby se laissa tomber dans l'herbe à côté d'elle. Elle examina le dessin sur ses genoux.

— Impressionnant, murmura-t-elle… Vous avez pas mal de points communs, Grant et toi.

De la part de sa sœur, cette affirmation ravit Gennie.

— Grant a un vrai talent, n'est-ce pas ? La seule chose que j'ai vue de lui, c'est une caricature qu'il a faite de moi en quelques coups de crayon. Mais cela saute aux yeux qu'il est doué. J'ai du mal à comprendre qu'il n'en fasse rien, alors qu'il a de l'or dans les doigts.

Face à ce qui ressemblait fort à une question indirecte, Shelby se sentit en position délicate. Ainsi cet âne de Grant avait gardé le silence sur Macintosh. Qu'il veuille conserver l'anonymat, elle le comprenait parfaitement. Mais de là à cacher son métier à la femme qu'il aimait ! Pourquoi fallait-il que cette tête de mule se raccroche aussi obstinément à ses secrets ? Tentée de confier la vérité à Gennie, Shelby laissa primer sa loyauté et se résigna à couvrir son frère.

— Grant fait ce qu'il veut, comme il veut et quand il veut, éluda-t-elle. Il y a longtemps que tu le connais ?

— Pas vraiment, non. Juste deux semaines.

Le regard absent, Gennie cueillit un brin d'herbe qu'elle fit tourner rêveusement entre ses doigts.

— Je suis tombée en panne de voiture une nuit de tempête, sur la route qui mène au phare. J'ai marché en direction de la lumière et j'ai frappé à sa porte…

Gennie rit doucement en revoyant la scène.

— Ton frère ne m'a pas réservé un accueil très enthousiaste.

— Traduit en termes clairs : il a été odieux, c'est ça ?

— Il n'y a pas d'autre mot.

— On peut dire que de ce point de vue, au moins, il reste fidèle à lui-même. La grande nouveauté, en revanche, c'est qu'il soit amoureux. Du jamais-vu chez Grant. Il est fou de toi.

— Nous sommes fous l'un de l'autre. Ça a été irrépressible et immédiat. Et nous n'avons toujours pas réussi à déterminer qui de Grant ou de moi a été le plus horrifié que ça lui arrive !

Shelby hocha gravement la tête.

— J'ai connu le problème. C'est toujours un choc, n'est-ce pas ? Surtout quand ça vous tombe dessus sans prévenir.

Gennie se mordilla la lèvre. Elle ne voulait pas être indiscrète. Mais Grant restait une telle énigme pour elle !

— Comment était-il, enfant, Shelby ?

Les yeux rivés sur les petits nuages inoffensifs au-dessus de leurs têtes, Shelby sourit.

— Grant ? Oh, tel qu'en lui-même, en fait. Solitaire et déterminé. Indépendant et secret. Il pouvait lire pendant des heures. Ou disparaître des journées entières Dieu sait où. De temps à autre, je lui emboîtais le pas et il tolérait ma compagnie. Il est affectueux, à sa manière. Même si cette manière-là ne ressemble à aucune autre.

Des scènes de son enfance commune avec Grant glissaient dans l'esprit de Shelby : les vigiles, les agents de sécurité, les campagnes électorales, les journalistes omniprésents. Tout ce à quoi elle avait cru échapper définitivement et qu'elle retrouvait aujourd'hui avec Alan.

Avec un léger soupir, elle se plaça en appui sur les coudes.

— Grant avait un caractère épouvantable, des idées très arrêtées sur ce qui était juste et ce qui ne l'était pas — pour lui-même et pour la société en général. Les deux idéaux n'étant pas toujours conciliables. C'est peut-être ce qui a fait qu'il a fini dans son phare, d'ailleurs. Mais contrairement à ce que l'on peut penser, Grant a beaucoup d'indulgence pour le genre humain.

Shelby cessa un instant de parler pour scruter pensivement le ciel.

— Grant a de grandes capacités d'amour, poursuivit-elle après un temps de silence. Je dirais même que c'est un tendre. Mais il ne gaspille pas son affection à tort et à travers. Il ne la dispense qu'avec la plus grande discrimination.

Shelby hésita un instant puis finit par ajouter d'une traite :

— Quand nous avons perdu notre père, Grant avait dix-sept ans. Il n'était plus vraiment un enfant mais pas tout à fait un adulte non plus. D'une certaine manière, ce qui s'est passé m'a détruite. Et il m'a fallu des années pour comprendre que ça a été la même chose pour Grant.

Gennie ferma les yeux et le visage d'Angela apparut. La perte brutale d'un être cher, elle ne comprenait que trop bien ce qu'elle provoquait : la culpabilité, le chagrin, le retour lancinant des mêmes images insoutenables.

— Votre père est mort dans un accident, Shelby ?

Shelby secoua la tête.

— Je crois que c'est à Grant de te raconter ce qui s'est passé.

— C'est vrai, murmura Gennie. C'est à lui de m'en parler.

Shelby posa la main sur la sienne.

— Tu es une fille patiente, Gennie ?

— Je commence à en douter, à vrai dire.

Un joli sourire d'elfe éclaira les traits de Shelby.

— Un conseil : ne le sois pas trop. Brusque-le un peu, même. De temps en temps, Grant a besoin de se prendre un bon coup dans les dents... Je vais te faire une confidence, Gennie. Le jour où j'ai rencontré Alan, j'ai décrété immédiatement qu'il n'y aurait jamais rien entre lui et moi.

Gennie se mit à rire.

— On dirait que les mêmes scénarios se répètent !

— Tout à fait, acquiesça Shelby en secouant la tête. Alan, lui, avait décidé — presque aussi immédiatement — qu'entre nous, ce serait pour la vie. Et il s'est montré patient, bien sûr... Mais jusqu'à un certain point seulement. Il y a même eu des moments où il n'a pas été patient du tout. Au contraire, même. Et je suis loin d'être aussi affreuse, butée et pénible que Grant.

Amusée par cette confidence, Gennie tourna une page de son carnet et se mit à dessiner Shelby.

— Comment as-tu fait la connaissance d'Alan ?

— Oh, de façon très banale, à une réception à Washington. Je n'ai pas repéré tout de suite que c'était un politicien. Sinon, je serais partie en courant avant qu'il ne pose le regard sur moi ! J'avais une dent contre les hommes politiques, à l'époque.

Gennie rit doucement.

— Tu es originaire de Washington ?

— Je... enfin, *nous* vivons à Georgetown. Et c'est là également que j'ai mon atelier.

— Un atelier ? Tu es peintre aussi ?

— Peintre, moi ? Oh, non, pas du tout ! Je suis potière.

— Mais c'est génial ! Grant ne m'en avait rien dit.

Une ombre passa dans les yeux gris de Shelby.

— Il n'en parle jamais de toute façon.

— Il y a une très belle jarre dans sa chambre à coucher, réfléchit Gennie à voix haute. D'un bleu extraordinaire. Elle a tout de suite attiré mon regard.

— Ah, la jarre bleue ! Je lui en avais fait cadeau à Noël, il y a deux ans. Je le soupçonnais de l'avoir balancée du haut de sa falaise pour en faire une niche à poissons.

— Il l'a placée de façon à ce qu'elle reçoive le soleil du matin, précisa Gennie en voyant le visage de Shelby s'éclairer. Et c'est à peu près le seul objet dans tout le phare qu'il prend le soin d'épousseter.

Shelby eut un sourire attendri.

— Grant est un désastre domestique. Tu as l'intention de lui faire la chasse ? De le transformer ?

— Pas particulièrement. Je n'ai jamais été maniaque de mon côté.

— Tant mieux. Je ne le lui avouerai jamais, même sous la torture, mais, au fond, je l'aime bien tel qu'il est, cet affreux personnage.

Shelby étira les bras vers le ciel.

— Il fait trop beau pour s'enfermer, mais tant pis. Je vais quand même me boucler un moment dans l'atmosphère enfumée de l'antre de Daniel. Histoire d'enrichir ton cousin Justin. Tu as déjà joué au poker avec lui ?

— Une seule fois. Et ça m'a suffi.

Avec un léger rire, Shelby se remit sur ses pieds.

— Il est démoralisant, n'est-ce pas ? Mais comme j'arrive généralement à extorquer quelques dollars au MacGregor en bluffant, je ne perds jamais sur tous les fronts.

Caine arrêta Grant lorsqu'il le croisa dans le vestibule.

— Elle est plutôt jolie, pour une grenouille, ta Gennie, lui lança-t-il avec un clin d'œil amusé.

— Tu sais bien que les grenouilles ont tendance à se transformer en princesses dès qu'on a le dos tourné. C'est un phénomène très répandu.

220

Une étincelle d'humour pétillant dans ses yeux bleus, Caine s'adossa à un pilier.

— Tu as bien fait marcher mon père, en tout cas. Nous avons tous reçu un coup de fil assez alarmiste comme quoi « le Campbell » filait du mauvais coton. Il a décrété qu'il était de notre devoir de te venir en aide et d'unir nos efforts pour te débarrasser en douceur d'un crapaud nonagénaire cramponné à tes basques.

Grant glissa les mains dans les poches arrière de son jean.

— Un crapaud nonagénaire ! Rien que cela ! Mais vous avez renoncé à m'arracher à ses griffes, apparemment ?

— Disons qu'au vu de la grenouille en question, nous sommes parvenus à la conclusion que tu étais capable de te défendre tout seul.

Avec un léger rire, Grant renversa la tête en arrière.

— Ça, c'est moins sûr ! Quoi qu'il en soit, j'avais envie de taquiner un peu Daniel. Le jour du mariage d'Alan et de Shelby, il a manœuvré sec pour me trouver une partenaire pour la vie.

— Mon père croit dur comme fer aux vertus du mariage et de la procréation. Et le fait que Gennie soit une cousine de Justin et de Diana l'a conforté dans l'idée que vous êtes faits l'un pour l'autre.

— C'est une coïncidence étonnante que Diana et Gennie soient apparentées, non ? Cela dit, je n'ai pas encore vu Diana ce matin, ajouta Grant prudemment, en voyant l'expression préoccupée de Caine.

Ce dernier haussa les épaules.

— Moi non plus, à vrai dire… Diana a accepté de plaider dans une affaire épineuse que j'aurais préféré qu'elle laisse à un avocat plus expérimenté. Tu me diras que je n'ai pas à me mêler de la façon dont elle choisit sa clientèle et tu auras sans doute raison. Mais il n'empêche que je m'inquiète quand même. Ce n'est pas toujours facile d'exercer la même profession lorsqu'on vit à deux.

Grant songea à lui-même et à Gennie. D'une certaine manière, ils étaient dans la même branche, eux aussi, puisqu'ils vivaient de l'art l'un et l'autre. Mais les arts dits mineurs présentaient-ils le moindre intérêt aux yeux d'un peintre comme Gennie ?

— J'imagine que le fait de travailler dans un même cabinet ne facilite pas toujours les choses, en effet, répondit-il en concentrant de nouveau son attention sur Caine. Mais j'ai l'impression qu'il n'y a pas que ça. La présence de Gennie semble mettre Diana mal à l'aise.

Caine soupira.

— Diana a eu une enfance douloureuse. Et tout ce qui touche de près ou de loin à sa famille maternelle reste problématique pour elle. Surtout dans des périodes de crise comme celle que nous traversons en ce moment. Je suis désolé.

— Tu n'as pas à être désolé envers moi. Quant à Gennie, elle est tout à fait capable de régler ses problèmes elle-même.

— Bon… Je vais voir où en est Diana et s'il y a moyen de discuter, trancha Caine. Quant à toi, si tu as de l'argent à perdre, tu sais où trouver l'ami Justin…

Gennie avait repris son carnet d'esquisses et ses crayons lorsqu'elle perçut un mouvement du coin de l'œil. Tournant la tête, elle vit Diana qui arrivait sur le chemin.

Estimant sans doute qu'il était trop tard pour s'esquiver, sa cousine s'avança jusqu'à elle et la salua d'un ton de politesse plutôt glacé.

— Bonjour.

— Bonjour, répondit Gennie sur le même ton distant. Les roses sont magnifiques, n'est-ce pas ?

Diana glissa les mains dans les poches d'un élégant pantalon vert jade.

— En effet, oui. Tu as l'intention de peindre la forteresse MacGregor ?

— Plutôt deux fois qu'une.

Sur une impulsion, Gennie tendit son carnet à Diana.

— Tu veux jeter un œil ?

Diana regarda le croquis et reconnut tout ce qui l'avait fascinée la première fois que son regard était tombé sur l'étrange demeure de son beau-père : l'impression de solidité qui défiait le temps, le côté conte de fées, la beauté enchevêtrée des jardins. Cette proximité entre sa sensibilité et celle de Gennie la toucha. Et la mit mal à l'aise dans le même temps.

— Tu as beaucoup de talent. Tante Adélaïde disait toujours que tu avais du génie.

Gennie ne put s'empêcher de rire.

— Tante Adélaïde se prend pour une autorité en matière de peinture. Mais elle ne serait même pas fichue de faire la différence entre un Rubens et un Rembrandt.

Gênée, elle se mordilla la lèvre. Comment avait-elle pu parler en termes aussi méprisants de la femme qui avait tenu lieu de mère à Diana si longtemps ?

— Tante Adélaïde a déménagé à Paris, n'est-ce pas ? se hâta-t-elle d'enchaîner. Tu la vois souvent ?

— Non, répondit Diana sèchement en lui rendant son carnet.

Gennie l'ouvrit sur ses genoux et commença machinalement à croquer Diana, comme elle l'avait fait avec Shelby.

— Tu ne m'apprécies pas beaucoup, commenta-t-elle sans la regarder, les yeux rivés sur son dessin.

— Je ne te connais pas, rétorqua Diana froidement.

— Justement. C'est pour ça que j'ai du mal à m'expliquer ton attitude. Je pensais que tu serais plus comme Justin.

223

Diana tressaillit. Prononcées sans acrimonie particulière, ces paroles ne la touchaient pas moins au vif.

— Nous n'avons pas la même trajectoire, Justin et moi. C'est ce qui explique nos différences.

Pivotant sur elle-même, Diana fit trois pas pour s'éloigner puis s'arrêta net. Pourquoi se comportait-elle comme une mégère ? Portant machinalement une main à son ventre, elle se tourna de nouveau vers Gennie.

— Je sais que Justin t'aime beaucoup alors je te prie d'excuser mon attitude.

Sensible au désarroi dans le regard de la jeune femme, Gennie secoua la tête.

— Pourquoi cette agressivité, Diana ?

— J'ai un problème avec la branche Grandeau de la famille.

— Ce n'est pas très ouvert, comme point de vue, pour une juriste. Surtout dans la mesure où nous ne nous sommes rencontrées qu'une seule fois. Et à un âge encore tendre, qui plus est. Je ne sais pas quelle effroyable bévue j'ai pu commettre à l'époque, mais il me semble que je mérite une seconde chance.

L'ombre d'un sourire effleura les traits de Diana.

— Tu étais tellement parfaite, en ce temps-là. Tante Adélaïde m'a recommandé au moins dix fois de prendre exemple sur toi et de calquer mon comportement sur le tien.

— Enervant, comme conseil, en effet. Mais tante Adélaïde a toujours été snob, superficielle et ridiculement imbue d'elle-même.

Diana la regarda avec étonnement. Elle partageait désormais ce point de vue sur sa tante. Mais elle avait toujours pensé que le reste de la famille Grandeau portait Adélaïde aux nues.

Incapable d'arrêter le flot de ses doléances, Diana secoua la tête :

— Tu connaissais tout le monde, à cette fête d'anniversaire. Et le ruban dans tes cheveux était du même tissu que ta robe. Je n'avais encore jamais rien vu d'aussi beau. Tu étais entièrement vêtue d'organdi vert menthe. Je ne savais même pas ce que c'était, l'organdi, à l'époque.

Touchée, Gennie se leva. Elle aurait voulu poser la main sur le bras crispé de Diana mais elle savait qu'il était encore trop tôt pour cela.

— Moi, j'avais appris que tu étais comanche. Et j'étais excitée comme une puce à l'idée de te rencontrer. Pendant toute la durée de cette stupide petite fête, j'ai espéré que tu nous ferais une danse guerrière. Ou que tu nous parlerais de toi, de ta vie dans la réserve. J'ai été affreusement déçue que tu restes sagement assise sans rien dire.

Diana se demanda si elle allait céder à une des crises de larmes qui l'assaillaient si souvent depuis quelques semaines. Mais ce fut le rire, finalement, qui l'emporta.

— Je crois que la pauvre Adélaïde ne s'en serait jamais remise si je m'étais lancée dans une danse du scalp. Tout ce que je cherchais à l'époque, c'était à me montrer le moins indienne possible. Mais je n'en suis plus là, maintenant.

Après une légère hésitation, Diana lui tendit la main.

— Je suis contente que les hasards de la vie nous remettent en présence. Je ne te promets pas de danser pour toi, mais si ça t'intéresse, je pourrai te parler un jour de mon enfance.

Non seulement Gennie prit la main tendue mais elle s'enhardit jusqu'à lui faire une bise. Lorsque le sourire de Diana s'évanouit brusquement, Gennie tourna la tête et vit que Caine se tenait à quelques pas.

— Il me faut un croquis du château MacGregor sous un autre angle, annonça-t-elle d'un ton léger en ramassant son carnet.

*
**

Caine attendit que Gennie se soit éloignée pour rejoindre sa femme.

— Tu t'es levée tôt ce matin, Diana. Tu aurais mieux fait de dormir un peu plus, non ? Tu as l'air épuisée.

— Mais pas du tout, je vais parfaitement bien ! Arrête de t'inquiéter pour moi tout le temps. C'est exaspérant, à la fin.

Comme elle se détournait pour regagner la maison, Caine la rattrapa par le bras.

— Et toi, arrête de prendre la fuite chaque fois que j'essaye de te parler ! Tu crois que ce n'est pas exaspérant, ça aussi ? Tu es complètement obnubilée par l'affaire Morris et...

— Fiche-moi la paix avec l'affaire Morris. Je sais ce que je fais.

— Diana... C'est la première fois que tu plaides dans une affaire d'homicide volontaire. Et l'accusation prépare un réquisitoire en béton.

Elle poussa un soupir excédé.

— Le jour où tu te décideras à me faire confiance et à reconnaître que je suis capable d'exercer ma profession sans qu'on me tienne la main, on pourra peut-être commencer à discuter !

Grant lui attrapa les épaules et la secoua avec impatience.

— Tu sais très bien que tes capacités professionnelles ne sont pas en cause.

Plus frustré que furieux, tout à coup, il scruta ses traits, cherchant désespérément à déchiffrer les secrets sous-jacents.

— Je croyais que nous avions appris à nous faire confiance, toi et moi. Mais tu te replies de nouveau sur toi-même et je me cogne à une porte fermée chaque fois que j'essaye de rétablir la communication... Je regrette mais je ne veux plus continuer comme ça, Diana. Je peux tout entendre mais j'ai besoin que tu me dises ce qui se passe.

— Je suis enceinte ! hurla-t-elle. Voilà. Tu sais tout maintenant ! Tu es content ?

226

Les yeux écarquillés, elle plaqua la main sur sa bouche, comme si elle était horrifiée d'avoir laissé échapper la vérité sur son état.

Caine sentit la terre vaciller sous ses pieds. Lâchant les épaules de Diana, il fixa sur elle un regard sidéré.

— Enceinte ?

Tout de suite après l'étonnement vint la joie. Comme une vague puissante qui emportait tout sur son passage. Incapable de bouger, il secoua la tête.

— Diana…

Mais lorsqu'il voulut la prendre dans ses bras, elle se dégagea avec brusquerie. De nouveau, il se trouva comme crucifié sur place. Par la souffrance, cette fois.

Délibérément, il enfonça les mains dans ses poches.

— Ça fait combien de temps que tu le sais ?

Elle déglutit.

— Deux semaines.

Un poids tomba sur les épaules de Caine. Détournant les yeux, il regarda sans les voir les délicates roses blanches qui se balançaient doucement sous la brise, comme des petites têtes murmurantes.

— Deux semaines… Et tu n'as pas jugé utile de me le dire ? Tu préférais garder ça pour toi ?

Une expression torturée assombrit les traits de Diana. Elle paraissait au bord des larmes.

— Je ne savais pas comment te l'annoncer ! Nous n'avions rien programmé, toi et moi. En tout cas, pas dans l'immédiat. Et je pensais que je me trompais peut-être, mais…

— Tu as vu un gynéco ?

— Oui, bien sûr.

— Bien sûr, oui, répéta-t-il avec un petit rire sans joie. Tu es à combien de semaines de grossesse ?

Elle s'humecta les lèvres.

— Bientôt deux mois.

Deux mois, songea Caine. Deux mois qu'une vie ténue s'épanouissait dans les eaux de son ventre. Et il n'en avait rien su. Rien.

— Et quels sont tes projets, maintenant ? s'enquit-il d'une voix morne.

Au bord de la crise de panique, Diana tressaillit. Des projets ? Parce qu'elle était censée avoir des projets ?

— Mais je ne sais pas ! cria-t-elle en enfouissant son visage dans ses mains.

Diana ne se reconnaissait plus elle-même. Pourquoi était-elle incapable de réagir de façon sensée, logique ? L'esprit en déroute, elle n'était plus qu'un fatras de nerfs torturés hurlant leur désarroi.

— Je ne sais pas si je saurai être mère, sanglota-t-elle. Je ne connais rien aux enfants. C'est à peine si j'ai eu l'occasion d'être une petite fille moi-même.

Caine sentit la souffrance le traverser comme un électrochoc. Il se força à lui faire face.

— Qu'est-ce que tu cherches à me dire là, Diana ? Que tu ne veux pas de ce bébé ?

Ne pas vouloir de leur bébé ? Effarée, elle laissa retomber ses bras contre ses flancs. Comment pourrait-elle ne pas vouloir de ce bébé alors qu'il existait déjà si fort pour elle ?

— Cet enfant, c'est une partie de nous, protesta-t-elle d'une voix heurtée. Comment pourrais-je le rejeter ? C'est ton enfant, Caine. Je porte ton enfant et je l'aime tellement que j'en suis malade de peur.

— Oh, Diana…

Presque timidement, il posa les mains en corolle autour de son visage.

— Tu as laissé passer deux semaines où nous aurions pu être terrifiés ensemble.

Elle laissa échapper un long soupir tremblant.

— Terrifié, toi ?

— Terrifié, moi, oui.

Il se pencha pour cueillir une larme sur sa joue.

— En juin, avant la naissance de Mac, Justin nous a parlé de sa peur de futur père. Je sais exactement ce qu'il ressent maintenant, chuchota-t-il en portant les mains de Diana à ses lèvres pour lui embrasser les doigts un à un.

— Caine, je suis désolée… J'étais complètement paniquée, un vrai désastre hormonal. Je voulais t'en parler et je ne savais pas comment te le dire. Nous avions projeté d'attendre que la maison soit terminée et les travaux sont à peine commencés. Je pensais que tu vivrais peut-être l'arrivée de ce bébé comme une complication pénible et… et je n'aurais pas eu la force d'affronter une réaction négative de ta part.

Gravement, il posa leurs deux mains jointes sur son ventre.

— Je vous aime, chuchota-t-il. Tous les deux.

— Caine, chuchota-t-elle contre ses lèvres. J'ai tant de choses à apprendre en sept mois.

— *Nous* avons tant de choses à apprendre en sept mois, rectifia-t-il en l'entourant de ses bras. Je sais qu'il est encore tôt, mais je pense que nous devrions remonter nous coucher tout de suite. Il est recommandé aux femmes enceintes de s'allonger le plus souvent possible, déclara-t-il gravement.

— Tout à fait. Et de préférence avec le futur père.

Diana éclata de rire lorsque Caine la souleva dans ses bras. Et songea qu'il n'y aurait pas de petite famille au monde plus heureuse que la sienne.

*
* *

Gennie suivit le couple des yeux en souriant.

— Et hop ! Un conflit de surmonté ! Un ! commenta une voix joyeuse derrière elle.

Surprise, Gennie se retourna et vit que Serena et Justin l'avaient rejointe sans qu'elle les entende. Arrimé contre la poitrine de sa mère à l'aide d'une grande écharpe, Mac dormait comme un petit ange.

— Serena n'a pas encore trouvé l'occasion de prendre Diana entre quatre yeux pour lui arracher des confidences, observa Justin avec un clin d'œil amusé. Et ma petite épouse est atrocement frustrée

— Comme si j'étais du genre à mettre mon nez dans les affaires des autres ! protesta Serena, indignée… Enfin, bon, d'accord, j'aime bien savoir ce qui se passe, mais quand même. Je peux regarder tes croquis, Gennie ?

— Bien sûr.

Pendant que Serena tournait les pages de son carnet, Justin lui prit la main.

— Comment vas-tu, Gennie ?

Lorsqu'il plongea son regard vert dans le sien, elle comprit que sa question ne portait pas seulement sur son humeur du moment. La dernière fois qu'elle avait vu son cousin, c'était pour l'enterrement d'Angela. La présence discrète de Justin avait été d'un grand réconfort pour elle. Même s'ils ne se connaissaient que depuis peu, il avait pris une place majeure dans sa vie et dans son affection.

— Mieux, lui assura-t-elle. Vraiment mieux. J'ai eu besoin de m'éloigner quelque temps, de prendre un peu de distance avec la famille. C'était trop pesant, ce chagrin entre nous qui ne nous lâchait pas. Alors il a fallu que je laisse tout ça derrière moi, que je me mette en mouvement. Pendant six mois, j'ai été itinérante et ça m'a fait du bien… Puis je me suis posée pour quelque temps à la Pointe des Vents. Et ça me fait beaucoup de bien aussi, ajouta-t-elle avec l'ombre d'un sourire en songeant à Grant.

— Tu es amoureuse de lui, affirma Justin.

— *Qui* essaye d'arracher des confidences, là ? intervint Serena.

— Certainement pas moi. Je fais un constat, ma chérie. Je ne lui demande rien.

Il serra avec affection les doigts de Gennie entre les siens.

— Et il te rend heureuse, au moins ?… Ça oui, d'accord, c'est une question indiscrète, précisa-t-il en aparté en tirant sur les cheveux de Serena.

Gennie rit de bon cœur.

— Oui, il me rend heureuse. Et il me rend malheureuse tout autant. Mais ça fait partie du jeu, je crois.

— Oh oui, acquiesça Serena en abandonnant la tête contre l'épaule de son mari. La souffrance et l'amour sont indissociables. Dans les premiers temps, en tout cas.

Repérant Grant qui sortait de la tour, elle posa la main sur le bras de Gennie.

— Si jamais il se montre un peu trop lent à la détente, dis-le-moi. J'aurai une pièce à te passer.

— Une pièce ?

Serena rit doucement en échangeant un regard avec Justin.

— Juste une pièce de monnaie, oui. C'est magique… Mais chut, il arrive. Nous en reparlerons à l'occasion.

Glissant le bras autour de la taille de son mari, elle l'entraîna en direction de la piscine couverte. Justin lui murmura quelques mots à l'oreille et le rire sensuel de Serena tinta dans l'air tiède.

Gennie les suivit des yeux avec émotion. « Ma famille », songea-t-elle. Et aussi celle de Grant. A travers les MacGregor ne se retrouvaient-ils pas unis l'un à l'autre par des liens forts qui s'inscrivaient dans la durée ?

Dans un grand élan de joie, elle courut pieds nus dans l'herbe et se jeta dans les bras de Grant.

— Qu'est-ce qui t'arrive, pourquoi ris-tu comme ça ?

— Rien. Je t'aime ! s'exclama-t-elle. Il faudrait une autre raison ?

Il resserra son étreinte.

— Non. Aucune. Celle-ci me convient tout à fait.

11.

Au fil de sa carrière de peintre, Gennie avait rencontré les individus les plus variés. Elle avait fréquenté des aristocrates fauchés, des artistes couverts de dettes, des musiciens marginaux et des mécènes richissimes. Mais c'était la première fois qu'elle s'éprenait d'une famille tout entière. Dès le samedi soir, elle eut le sentiment de connaître les MacGregor depuis toujours. Daniel était bruyant, fanfaron, redoutablement intelligent et viscéralement attaché aux siens. Il était tellement bonne pâte avec sa femme et ses enfants qu'ils auraient pu en abuser. Mais comme ils l'aimaient tendrement, ils le laissaient dans l'illusion qu'il menait sa tribu de main de maître.

Anna était calme, chaleureuse et forte. En temps de crise, ce serait elle, assurément, qui garderait la tête froide et qui prendrait les rênes en main. Et son mari en avait conscience même si c'était lui qui affichait tous les signes extérieurs de pouvoir.

Au sein de la génération suivante, Caine et Serena, les deux plus jeunes, avaient beaucoup de points communs. Ils étaient capricieux, ne mâchaient pas leurs mots et partageaient le caractère emporté de leur père. Alan, lui, paraissait calme, modéré, patient. Mais sous ses dehors paisibles, il cachait, tout comme sa mère, une prodigieuse force intérieure. Et Gennie le soupçonnait d'être capable, à l'occasion, de tomber dans des colères titanesques. De ce point de vue, Shelby Campbell, qui n'était pas du genre à s'en laisser conter, faisait pour lui une épouse idéale.

Les trois enfants MacGregor avaient choisi des conjoints très différents les uns des autres. Justin avec son immobilité d'Indien, son impassibilité de joueur, son amour du secret ; Diana, belle, réservée et émotive : Shelby, brillante et éprise de liberté. Tous ensemble, ils formaient un groupe passionnant, contrasté et infiniment solidaire.

Lorsque Gennie leur proposa de poser tous ensemble pour elle, aucun d'eux ne se fit prier. Mais s'ils étaient tous d'accord sur le principe, ce fut toute une affaire de les placer. Gennie les voulait dans la salle du trône. Avec une partie de la famille assise et l'autre debout. Ce qui entraîna des discussions interminables sur les positions respectives de chacun.

— C'est moi qui prends Mac sur les genoux, décréta Daniel en jetant un regard impérieux autour de lui comme pour mettre quiconque au défi de le contredire.

Comme personne ne réagissait, il eut un large sourire pour Gennie.

— Tu pourras recommencer l'année prochaine, ma fille. Et j'en aurai deux dans les bras… ou même trois, avec un peu de chance, ajouta-t-il en jetant un regard en coin à Shelby.

— Tu devrais demander à papa de prendre son fauteuil royal, intervint Alan, volant au secours de sa femme. Et Gennie, tu n'oublieras pas de lui dessiner une couronne et un sceptre, surtout ?

Gennie réprima un sourire.

— Exactement. Prenez votre fauteuil habituel, Daniel. Anna, vous pourriez vous asseoir à côté de votre mari. Voilà… avec votre ouvrage de broderie, peut-être. Cela ferait moins figé, plus naturel.

— Moi je propose que les épouses s'assoient aux pieds de leurs maris, intervint Caine avec un sourire en coin. Ça, ce serait vraiment *naturel*.

Cette affirmation suscita un débat tellement enflammé que Gennie fut obligée de trancher.

— Non, cela ferait une composition trop figée. Je préférerais une disposition plus informelle… Alan, place-toi ici, s'il te plaît, entre tes deux parents. Voilà, c'est parfait. Shelby, à côté, bien sûr… Et *toi,* Caine, tu vas t'asseoir par terre.

Elle lui tira sur le bras jusqu'à ce qu'il finisse par s'exécuter en souriant.

— Toi, Diana tu…

Avant qu'elle ait eu son mot à dire, Caine attira sa femme sur ses genoux. Gennie sourit.

— Oui, c'est très bien comme ça. Justin et Rena, par ici… Grant, tu pourrais te mettre debout derrière Daniel ?

— Mais je n'ai pas ma place dans…

— Ne râle pas et fais ce qu'elle te dit, mon garçon, ordonna Daniel de sa voix de stentor… Ces Campbell, il faut toujours que ça se distingue.

Grant s'avança en grommelant derrière le fauteuil du patriarche et jeta un regard sombre à Daniel.

— Un Campbell dans un portrait de groupe du clan MacGregor, ça vous paraît normal, vous ?

— *Deux* Campbell, rectifia Shelby. Et Gennie ? Comment va-t-elle faire pour se représenter, si elle est occupée à nous dessiner ?

— Pas de problème, déclara Daniel. Elle est douée, elle trouvera une solution pour s'inclure dans le tableau.

— O.K. Je me dessinerai de mémoire, acquiesça Gennie, ravie d'être adoptée. Et maintenant, détendez-vous. Ce ne sera pas très long. Et ce n'est pas comme pour une photo, vous n'êtes pas obligés de rester parfaitement immobiles.

Elle se percha à l'extrémité du canapé et se servit de son petit chevalet portable.

— Parfait, déclara-t-elle en sortant des pastels de sa boîte. Il faudra que j'exécute le sujet à la peinture à l'huile, à l'occasion.

— *Aye*. Je verrais bien un grand tableau de nous tous que nous accrocherions dans la galerie. Qu'en dis-tu, Anna ?

Avec un sourire plus royal que jamais, Daniel se renversa contre le dossier de son fauteuil avec le bébé dans les bras.

— Quant à Alan, il aura besoin de faire faire son portrait officiel, lorsqu'il sera à la Maison Blanche.

Alan jeta un regard aimable à son père.

— On peut peut-être attendre une petite décennie ou deux avant de passer commande, non ? lança-t-il en plaçant un bras réconfortant autour des épaules de Shelby.

— Tu as toujours voulu être peintre, Gennie ? demanda Anna tout en poussant l'aiguille.

— Je crois, oui. En tout cas, je ne me souviens pas d'avoir jamais aspiré à autre chose.

— Caine, lui, voulait devenir « docteur », rappela Serena avec un sourire candide. C'était du moins ce qu'il expliquait à toutes les petites filles qu'il proposait d'« ausculter ».

— C'est normal, non, pour un fils de chirurgienne ? se défendit Caine en posant une main sur le genou de sa mère tout en tenant fermement Diana de l'autre.

— Grant, lui, avait d'autres méthodes d'approche, révéla Shelby, les yeux pétillants. Je crois qu'il avait quatorze ans lorsqu'il a réussi à décider Dee Dee O'Brian à poser pour lui en tenue d'Eve.

Comme Gennie haussait un sourcil interrogateur, Grant prit son air le plus innocent.

— Pour commencer, j'avais quinze ans. Et ma curiosité était de nature purement artistique.

236

— C'est effectivement à travers l'étude d'un modèle qu'on se familiarise le mieux avec la morphologie, acquiesça gravement Gennie. Je me souviens comme si c'était hier du premier homme nu que j'ai dessiné. Je n'avais encore jamais rien vu d'aussi magnifique, précisa-t-elle avec un sourire angélique… Grant, continue à froncer les sourcils de cet air menaçant, tu veux bien ? C'est tellement toi, cette expression, que je tiens à t'immortaliser comme ça.

Daniel tourna les yeux vers Grant.

— Ainsi, tu dessines, toi aussi, mon garçon ?

Le patriarche était d'autant plus intéressé par la réponse qu'il n'avait pas encore réussi à arracher la moindre indication à Grant sur la façon dont il gagnait sa vie.

— Je suis capable de tenir un crayon, oui.

— Ha ha ! Un artiste ?

— Qui n'est pas artiste dans l'âme ? éluda Grant en s'appuyant contre le dos du fauteuil de Daniel.

— Quoi qu'il en soit, vous avez le plaisir du dessin en commun. Lorsque mari et femme sont liés par une passion partagée, cela donne généralement des mariages solides, déclara le patriarche de son ton le plus pontifiant.

— Je ne compte plus le nombre de fois où Daniel m'a assisté à la table d'opération, d'ailleurs, commenta Anna de sa voix douce.

Il haussa ses épaules massives.

— Je n'ai peut-être jamais tenu le scalpel, mais en tout cas, j'en ai nettoyé des genoux ensanglantés, avec ces trois ostrogoths.

— Sans parler du nez d'Alan que Rena a fait exploser, commenta Caine en ricanant.

Gennie avait plaisir à entendre les commentaires fuser autour d'elle pendant qu'elle captait leurs attitudes, leurs expressions. Mais ce qui passionnait surtout l'artiste en elle, c'était l'impression d'unité qui émanait de leur petit groupe. Grant glissa une remarque à Shelby qui commença par fulminer puis éclata de rire. Au final, Grant se livra à une imitation du porte-parole du gouvernement qui provoqua une vive crise d'hilarité chez Alan.

Même s'il ne les connaissait que depuis peu, Grant s'insérait à la perfection. Ainsi il pouvait être drôle, sociable et d'excellente compagnie — *à condition qu'il le veuille bien.* Ce qui ne l'empêcherait pas dans quelques jours de se dresser en ermite sur sa falaise et d'aboyer après le touriste perdu. Et le plus étonnant, c'est que, dans l'une et l'autre situation, il restait lui-même, sans hypocrisie ni faux-semblants.

Gennie jeta un dernier coup d'œil à son dessin, puis griffonna sa signature dans un coin.

— Et voilà, c'est fait ! annonça-t-elle en retournant le chevalet pour montrer son œuvre. « Portrait de famille élargie ».

Tous l'entourèrent pour faire des commentaires sur la ressemblance des uns et des autres. Gennie sentit une main sur son épaule et sut sans avoir à se retourner que c'était celle de Grant.

— Très intéressant comme étude de groupe, commenta-t-il, tout en admirant la façon dont elle avait réussi à s'inclure dans le dessin, debout à côté de lui.

Il se pencha pour lui poser un baiser dans l'oreille.

— Et tu es très belle.

Gennie rit de plaisir. Elle se sentait à sa place. Heureuse. Entourée. Et ce sentiment précieux l'accompagna durant toute la semaine qui suivit.

Septembre demeura ensoleillé, avec une belle lumière, tendre et dorée. Dans les prés et le long des chemins, les fleurs de fin d'été reprenaient une vie nouvelle et les buissons de myrtilles s'enflammaient d'un rouge ardent. Gennie peignait des journées entières, découvrant en la Pointe des Vents et ses environs une source d'inspiration qui ne tarissait pas.

Pendant qu'elle s'attachait à décrypter et à réécrire les lignes du paysage, Grant réorganisait son emploi de temps avec une facilité qui le sidéra lui-même. Il travaillait moins mais avec un rendement accru. Pour la première fois depuis des années, il avait hâte de boucler ses séquences quotidiennes Car il était avide de compagnie, pressé de retrouver Gennie et de lui consacrer ses soirées.

Elle peignait ; il dessinait. Et ils se retrouvaient une fois leur tâche accomplie. Ils passaient parfois leurs nuits au cottage, enlacés au creux du vieux matelas de plume. D'autres matins, ils se réveillaient dans la chambre ronde du phare. De temps en temps, Grant abandonnait Macintosh à son sort et quittait sa planche à dessin pour aller surprendre Gennie devant son chevalet.

Un jour il lui apporta un petit bouquet de fleurs des champs. Elle fut si émue par son geste qu'elle fondit en larmes. Impuissant à faire cesser ses pleurs, Grant finit par l'entraîner à l'intérieur du cottage et il lui fit tendrement l'amour des heures durant.

Pour l'un comme pour l'autre, ce fut une période paisible — sans tempêtes intérieures ni extérieures. Les journées étaient chaudes, les nuits déjà fraîches, le ciel sans nuages. Mais sous cette grande sérénité, on sentait passer par moments comme un frisson d'inquiétude. Au seuil de l'hiver, le temps était comme en suspens, mais tôt ou tard, il reprendrait sa course rapide. La fin de l'été finirait par arriver. Et avec elle, le temps des questions.

— J'adore me balader sur l'eau comme ça ! cria Gennie pour couvrir le bruit du moteur, un jour où Grant l'emmena sur son bateau. On continue la traversée jusqu'en Europe ?

Assis à la barre, Grant lui ébouriffa les cheveux en riant.

— Tu aurais dû m'avertir de tes intentions. J'aurais fait le plein de carburant.

— Oublie ton esprit pratique et laisse vagabonder ton imagination… On pourrait passer des jours et des jours en mer sans voir âme qui vive.

Grant se pencha pour cueillir le lobe de son oreille entre ses dents.

— Et des nuits et des nuits, surtout. Des nuits chaudes de pleine lune, infestées de requins.

— Mmm… Et qui protégerait qui à ton avis ?

— Nous, Ecossais, avons la viande trop dure. Je pense que les squales préfèrent la chair d'origine française, infiniment plus délicate.

Avec un frisson de plaisir, Gennie s'abandonna contre lui et regarda l'avant du bateau fendre les vagues. Le soleil se noyait à l'horizon ; le vent léger leur envoyait au visage la caresse humide des embruns. Ils contournèrent un des îlots rocheux et regardèrent les mouettes. A distance, on voyait les homardiers converger vers le port de la Pointe des Vents.

Le bel été tirait à sa fin. Les jours raccourcissaient. Et ce matin, à l'aube, elle avait repéré sur les toits la blancheur des premiers givres. Gennie frissonna.

Si seulement ils pouvaient continuer à naviguer ainsi jusqu'à la fin des temps, sans obligations ni responsabilités, sans vocation artistique exigeante, avec leur amour pour seul bagage !

Elle songea à sa prochaine exposition, programmée en novembre. New York paraissait si loin… Comment envisager les gratte-ciel, les arbres nus, le ciel gris de fin d'automne ? Gennie secoua la tête. Pourquoi avait-elle tant de mal à se représenter l'avenir, comme si elle n'avait d'autre recours avec Grant que de se réfugier obstinément dans l'ici et le maintenant ?

A priori, elle aurait déjà dû être de retour à La Nouvelle-Orléans à l'heure qu'il était. En Louisiane, où il faisait encore chaud et humide. Elle imagina les foules colorées sur les places, la circulation bruyante, le soleil sur son balcon et l'ombre gracieuse des motifs en fer forgé tombant sur la pierre des façades. Un soupçon de nostalgie l'étreignit. Elle aimait les odeurs de La Nouvelle-Orléans, sa musique, sa vibration. Mais elle avait appris à aimer aussi la Pointe des Vents, avec ses horizons marins, ses falaises découpées, ses paysages dépouillés balayés par les vents.

Et ici, il y avait Grant. Ce qui faisait toute la différence. S'il le lui demandait, elle pouvait renoncer à La Nouvelle-Orléans pour lui. Construire une vie à la Pointe des Vents ne serait pas un sacrifice pour elle.

Elle songea à la ferme inoccupée, derrière le phare. A cette grande maison accueillante qui ne demandait qu'à revivre. Il y aurait largement de la place pour une famille entre ses vieux murs. Gennie visualisa une vaste pièce à vivre où ronflerait un poêle en hiver, de grandes chambres claires pour les enfants, un atelier aménagé sous le toit où elle aurait de la place pour peindre. Quant à Grant, il aurait son phare pour assouvir son besoin de solitude.

Et lorsque la date de ses expositions approcherait, elle pourrait lui prendre la main, la serrer fort et poser un instant la tête sur son épaule. Qui sait si, avec le temps, elle ne finirait pas par devenir plus sereine ? Dans le jardin, ils planteraient des primevères, des campanules et des iris qui refleuriraient chaque année au printemps. Et lorsqu'elle se réveillerait en pleine nuit, elle entendrait la respiration régulière de Grant et le battement des vagues frappant inlassablement la roche.

— Tu dors ? s'enquit-il dans un murmure en enfouissant ses lèvres dans ses cheveux.

— Non, je rêvais simplement.

Car ses visions d'avenir n'étaient rien de plus que cela, pour l'instant : un doux rêve éveillé qu'aucune promesse n'était venue étayer.

— Je n'ai pas envie que l'été finisse, chuchota-t-elle.

La sentant frissonner, Grant l'attira plus étroitement contre lui.

— Toutes les saisons ont leur charme. J'aime l'océan en hiver.

Serait-elle encore là pour partager les longues veillées, les journées courtes et grises, la bise de décembre balayant la roche amère ? Il voulait la garder près de lui. Mais de quel droit la retiendrait-il prisonnière ici, dans son coin de terre oublié du monde ? Pour Gennie, il aurait voulu pouvoir renoncer à son phare. Mais la solitude qu'il aimait faisait déjà trop intimement partie de lui.

Gennie, elle, avait toujours vécu sous les feux de la rampe. Quel sacrifice cela représenterait-il pour elle s'il lui proposait de se retirer dans l'anonymat avec lui ? Pouvait-il décemment lui demander de faire le deuil de la ville du Sud bruissante de vie et de musique où elle avait sa famille, ses amis ? Non, ce serait une exigence démesurée d'attendre de la femme qu'il aimait qu'elle quitte tout pour lui.

Mais la pensée de la perdre lui était insupportable.

Grant pesta intérieurement. Il n'aurait jamais dû laisser les choses aller aussi loin entre eux. Mais en même temps, il n'aurait pas voulu manquer une seule seconde du temps qu'ils avaient passé ensemble. C'était comme si deux personnalités conflictuelles s'affrontaient en lui. Tantôt il se sentait prêt à la laisser partir, tantôt il se voyait capable de la boucler dans son phare et de la garder prisonnière. « Je vais reprendre mes habitudes, mon rythme de travail régulier », disait le solitaire qu'il était dans l'âme.

« Je la supplierai de ne pas me quitter », répliquait l'amoureux en lui.

Comme il faisait demi-tour pour regagner le rivage, il vit le dernier rayon oblique du soleil s'enfoncer dans l'eau comme une épée. Gennie avait raison : il aurait fallu que l'été ne prenne jamais fin.

— Tu es silencieux, murmura Gennie lorsqu'il coupa le moteur pour laisser dériver le bateau jusqu'au ponton.

— Je me disais que j'avais de plus en plus de mal à imaginer ce lieu sans toi, admit-il en sautant sur l'embarcadère.

Il attacha le bateau et lui tendit la main pour la hisser jusqu'à lui. Le souffle coupé par ce qu'il venait de lui dire, Gennie leva les yeux sur son visage.

— D'une certaine façon je me sens déjà chez moi ici.

Il contempla un instant leurs deux mains jointes.

— Parle-moi de l'endroit où tu vis à La Nouvelle-Orléans, lui dit-il brusquement en l'entraînant vers le chemin abrupt qui grimpait en lacet jusqu'au sommet de la falaise.

— J'habite dans le quartier français. De mon balcon, j'ai vue sur Jackson Square avec ses artisans qui tiennent boutique, ses artistes, la foule continue des touristes. Ça bouge, ça braille, ça chante… C'est bruyant, autrement dit.

Avec un léger rire, Gennie laissa défiler dans sa mémoire des images de sa chère Louisiane.

— J'ai fait insonoriser mon atelier afin d'être au calme pour peindre. Mais de temps en temps, je descends pour entendre les bruits de la ville. Il y a toujours des rires, des cris, de la musique qui s'échappent par les portes et les fenêtres grandes ouvertes.

Elle se tut lorsqu'ils s'élevèrent le long de la roche austère. Un silence profond régnait autour d'eux. Gennie inspira l'air piquant qui sentait la mer et les premiers froids.

— Dans les rues du Vieux Carré, il y a des odeurs comme nulle part ailleurs. Des relents de Mississippi, de whisky, de *jambalaya* et d'épices. C'est unique et indescriptible.

— Ta ville te manque, murmura Grant.

Elle haussa les épaules.

— Ça fait longtemps que j'en suis partie. Il y a sept mois maintenant que j'ai jeté quelques affaires dans ma voiture pour filer en direction du nord. Pour *fuir* en direction du nord, plus exactement. A La Nouvelle-Orléans, le souvenir d'Angela est lié à tout ce que je vois, tout ce que j'entends, tout ce que je touche. Bizarrement, j'ai réussi à passer une année entière avant que ça ne devienne vraiment intolérable. Peut-être parce que le choc de sa mort a été si violent qu'il m'a fallu tout ce temps-là pour réaliser que je l'avais perdue pour de bon… Toujours est-il qu'un matin, je me suis réveillée et j'ai su que j'avais besoin de mettre un maximum de kilomètres entre la Louisiane et moi.

— Il faudra que tu y retournes tôt ou tard, déclara Grant en s'immobilisant devant la porte close du phare. Et que tu affrontes la perte. On ne peut pas fuir éternellement.

— C'est fait… Pour ce qui est d'accepter la perte, je veux dire. Même si ma sœur me manque encore terriblement. La Nouvelle-Orléans restera toujours pour moi une ville très particulière. A cause des souvenirs d'Angela qui y sont attachés, justement. Pour moi, c'est comme si elle était tout entière contenue dans ce lieu.

En pénétrant dans le phare, elle se dressa sur la pointe des pieds pour lui effleurer les lèvres.

— Toi, tu appartiens à cette côte, à ce coin d'univers.

Grant frissonna. Un grand froid l'avait envahi et il sentait jusque dans ses os l'approche de l'hiver. Attirant Gennie contre lui, il la serra dans ses bras.

— Oui, j'appartiens à ce lieu. C'est difficile à expliquer mais il m'apporte ce dont j'ai besoin.

Plus sorcière que jamais, elle le contempla à travers la fente de ses yeux mi-clos.

— Et moi ? Je t'apporte ce dont tu as besoin ?

— Toi ?

Il l'embrassa avec force, presque brutalement. Gennie fut secouée, non pas par l'impact physique, mais par l'intensité presque désespérée de son étreinte.

— Viens... Monte avec moi, murmura-t-il contre ses lèvres.

Gennie lui emboîta le pas en silence. Si la voix de Grant était douce, elle sentait en lui une tension presque électrique. L'état d'esprit très particulier de son amant suscitait chez elle une étrange excitation mêlée d'une crainte indéfinissable.

« C'est comme la première fois, songea-t-elle, les jambes tremblantes. A moins que ce ne soit la dernière ? »

— Grant...

Il porta un doigt à ses lèvres.

— Non, ne dis rien.

Il l'allongea sur le lit et lui retira ses chaussures. Même si ses gestes étaient lents et doux, elle percevait sous ses doigts la contraction de ses muscles, voyait dans son regard comme une lueur d'orage. Après leur longue promenade en bateau, il portait l'odeur de l'océan sur lui. Cette impression olfactive ramena le souvenir du jour où ils s'étaient aimés dans l'herbe sous les éclairs et sous la pluie.

Elle comprit que c'était à cette même frénésie sans limite qu'aspirait Grant aujourd'hui. Un frisson courut sur la peau de Gennie. Sous les paumes de son amant, son cœur battit plus vite. Et elle se rendit compte que son désir répondait au sien. Qu'elle était prête, comme lui, pour la démesure et pour l'excès.

Avec un gémissement sourd, elle l'attira sur elle, pressant voracement sa bouche ouverte contre la sienne. Grant réagit de façon fulgurante et pesa sur elle de tout son poids. Tandis qu'il l'enfonçait dans le matelas, ses mains couraient sur elle, pressées, possessives, impatientes. Ils s'étreignirent avec une violence désespérée qui disait que l'amour pouvait être aussi un abîme, un vortex.

Ils étaient sans volonté, juste mus par des pulsions obscures, exigeantes. Leur énergie était sans limites, car ils prenaient et donnaient avec la même frénésie, se vidant puis se remplissant tour à tour.

Leurs respirations étaient brèves, haletantes ; leurs peaux brûlantes dégageaient une odeur moite de désir et d'océan. Ils luttaient et se soumettaient, à la fois conquis et conquérants. Leurs regards se rencontrèrent, se renvoyant en miroir la même fascination, le même amour éperdu.

Puis ce fut la chevauchée, le délire, la longue course ascendante vers le soleil noir de la jouissance.

Le jour se levait à peine lorsque Gennie se réveilla. A la qualité de la lumière, elle vit que la journée serait belle. Mais une mince couche de givre s'était formée sur la vitre. Et le lit était glacé. Avant même d'ouvrir les yeux, elle avait senti que la place à côté d'elle était vide.

— Grant ? appela-t-elle, le cœur battant d'une crainte irraisonnée.

Ils avaient fait l'amour une bonne partie de la nuit, et chaque fois avec la même frénésie. Par moments, sous les caresses de Grant, elle avait eu l'impression fugitive qu'il faisait provision de souvenirs, comme s'il n'y avait plus pour eux ni lendemain ni avenir.

Ne recevant aucune réponse, Gennie se dressa sur un coude. D'habitude, c'était toujours elle qui se levait la première. Et le fait de ne pas trouver au réveil la grande carcasse endormie de

Grant occupant les trois quarts du lit lui faisait mal, comme s'il l'avait abandonnée définitivement.

Et si le feu d'artifice de la nuit avait été un ultime sursaut de passion avant une séparation définitive ? Se traitant d'idiote, Gennie s'extirpa d'entre les draps froissés et enfila un peignoir.

Grant avait dû souffrir d'insomnie et il était descendu plus tôt qu'à l'ordinaire. Rien de plus. Lorsqu'elle pousserait la porte de la cuisine, elle le trouverait assis, une tasse de café à la main. Et il se lèverait pour la prendre dans ses bras en lui demandant tendrement si Madame penchait plutôt pour des pancakes ou pour des œufs brouillés au fromage.

En sortant de la chambre, Gennie entendit le son d'une radio réglée à faible volume. Intriguée, elle leva la tête. Le bruit ne venait pas d'en bas mais de l'étage au-dessus.

Bizarre. Elle n'était jamais montée là-haut, persuadée que le second étage n'était pas aménagé. Intriguée, elle emprunta l'escalier métallique qui s'élevait en spirale. Grant écoutait les informations, découvrit-elle à mesure que le son de la radio devenait plus audible.

Entendre les nouvelles la sidéra. Depuis qu'elle était installée à la Pointe des Vents, elle n'avait pas acheté un seul journal ni suivi les actualités. A l'exception de leur week-end chez les MacGregor, elle avait vécu comme sur une île hors du monde. Et Grant avait été son unique horizon.

Elle s'immobilisa à l'entrée d'une grande pièce ensoleillée qui ressemblait à un atelier. Grant avait su tirer profit aussi bien de l'espace que de la lumière. Son regard glissa sur des étagères où s'alignaient des livres, des magazines, des journaux. En face d'un vieux canapé, un téléviseur d'allure récente trônait sur un meuble. Même s'il n'y avait ni toiles ni chevalets, elle se trouvait clairement dans le repaire secret d'un artiste.

Assis à sa planche à dessin, Grant lui tournait le dos. Avec la radio allumée, il ne l'avait pas entendue entrer. Gennie fronça les narines. L'odeur qui dominait était celle de l'encre de chine, soulignée peut-être par un soupçon de colle.

Découvrant les instruments dans les rangements de verre, Gennie fronça les sourcils. Grant était-il architecte ? Non, un architecte était nécessairement en contact avec le monde extérieur. Il recevait et visitait des clients. Penché sur son papier à dessin, il marmonnait tout bas en travaillant. Le fait qu'il parle tout haut l'aurait fait sourire si elle n'avait pas été aussi décontenancée.

Il tenait un pinceau, nota-t-elle. Un pinceau de qualité qu'il maniait avec une parfaite aisance.

Mais Grant lui avait assuré qu'il n'était pas peintre. D'ailleurs que ferait un peintre avec un compas et une équerre ? Sans compter qu'il ne se serait jamais installé face à un mur, de toute façon.

Juste au moment où Gennie ouvrait la bouche pour lui demander à quoi il était occupé, Grant leva la tête. Leurs regards se rencontrèrent dans le miroir accroché au mur, juste à hauteur de ses yeux.

Grant n'avait pas fermé l'œil de la nuit. Incapable de rester immobile à côté de Gennie sans la toucher, il avait fini par se lever pour la laisser dormir. Pendant ces longues heures d'insomnie où il avait tourné et retourné le problème dans sa tête, il était parvenu à la conclusion qu'une séparation entre eux était inéluctable. Gennie et lui ne vivaient pas sur la même planète. Son univers à elle était marqué par la foule, la notoriété et le luxe. Lui avait choisi la simplicité, la solitude et l'anonymat. Deux mondes aussi différents ne sauraient se mélanger sans s'altérer gravement l'un l'autre.

Il était monté dans son atelier en pleine nuit et avait passé deux heures à ébaucher de vagues croquis préparatoires et à jeter des phrases sur le papier, sans réussir à pondre la moindre idée valable. Et juste au moment où l'inspiration commençait à venir, Gennie faisait irruption dans son atelier, envahissant son dernier sanctuaire — le seul lieu qu'elle n'avait pas encore marqué du sceau de sa présence.

Trop excitée pour s'apercevoir de son irritation, Gennie traversa la pièce pour le rejoindre.

— Mais c'est quoi, ce mystérieux atelier ?

Comme il ne répondait pas, elle se pencha sur la feuille fixée sur la planche à dessin. Toutes ces lignes bleu clair, ce quadrillage, ces figures à l'encre…

— De la bande dessinée ! s'exclama-t-elle avec enthousiasme en identifiant les personnages. Tu sais que je lis régulièrement les épisodes de Macintosh ? C'est donc toi le mystérieux auteur, le fameux « GC » dont on ne voit jamais que les initiales ? C'est génial, Grant !

Grant acquiesça d'un simple signe de tête. Il aurait préféré qu'elle manifeste des réactions moins positives. S'il ne la repoussait pas ici et maintenant, il ne serait plus jamais en mesure de le faire. Délibérément, il reposa son pinceau.

— C'est donc ainsi que vous procédez, vous les auteurs de B.D., poursuivit-elle, trop excitée par sa découverte pour s'inquiéter de son silence orageux. Je me suis toujours demandé quelles techniques vous employiez. Ces lignes bleues, là, c'est pour indiquer la perspective ? Et comment fais-tu pour trouver une nouvelle idée, chaque matin, sept jours sur sept ?

Grant soupira. Il ne voulait surtout pas qu'elle s'intéresse. Ni qu'elle comprenne, surtout. Si elle comprenait, il était fichu.

— C'est mon boulot, répondit-il sèchement. Et je suis occupé, Gennie. J'ai des délais stricts à respecter. Et il faut que je poste cet épisode aujourd'hui, dernier délai.

— Désolée.

Tout enthousiasme oublié, Gennie avisa soudain l'expression distante de Grant, la froideur dans son regard. Plus qu'un métier encore, il s'agissait d'une passion, réalisa-t-elle, éberluée. Et depuis un mois qu'ils étaient ensemble, il n'avait jamais jugé utile de lui en parler. Cette partie essentielle de lui-même, il l'avait gardée secrète.

Alors qu'elle ne lui avait jamais rien caché.

Le plaisir qu'elle avait ressenti en découvrant son identité professionnelle s'évanouit. Il n'y eut plus que le sentiment atroce d'une trahison irréparable.

— Pourquoi ne m'as-tu rien dit ?

Grant savait qu'elle poserait la question. Mais il n'était plus tout à fait certain de détenir la bonne réponse.

— Ça ne s'est pas présenté.

— Ça ne s'est pas présenté, non, répéta-t-elle en le regardant fixement. Parce que tu as soigneusement évité d'aborder le sujet. Pourquoi ?

Comment lui expliquer que c'était chez lui un réflexe si fortement ancré qu'il s'était tu, dans un premier temps, purement par habitude ? Ensuite, s'il avait continué à ne rien dire, c'était essentiellement par souci d'autoconservation. Comme si, en gardant par-devers lui son secret, il préservait au moins une partie de l'ancien Grant — celui qui, un mois auparavant encore, se suffisait à lui-même.

Mais il était trop tard pour fournir ces explications à Gennie maintenant. D'ailleurs, n'avait-il pas toujours eu pour principe de vivre comme il l'entendait, sans jamais se justifier ?

— C'est mon activité professionnelle, Gennie. Ça n'a rien à voir avec ce qui se passe entre nous.

Il la vit devenir livide.

— Rien à voir avec nous…, répéta-t-elle dans un murmure. Ton travail ne compte pas pour toi, alors ?

— Bien sûr que si, répondit-il, irrité. C'est une part essentielle de ce que je suis.

— Donc tu veux bien partager ton lit avec moi mais pas ce que tu es profondément ?

250

Se levant de son tabouret, il se tourna pour lui faire face. La souffrance dans les yeux de Gennie le frappa de plein fouet.

Il s'en défendit en contre-attaquant de plus belle :

— Mais qu'est-ce que tu racontes, bon sang ? Qu'est-ce que cela change entre nous que je sois dessinateur, plombier ou dentiste ?

— Peu m'importe ton métier. J'aurais même accepté que tu n'en aies aucun. Mais tu m'as menti !

— Jamais ! cria-t-il, choqué.

— C'est pire qu'un mensonge, c'est de la dissimulation délibérée !

— Ecoute-moi bien, maintenant, Gennie : Macintosh, je n'en parle *jamais,* un point c'est tout. Je considère que c'est une partie de ma vie qui ne regarde personne. Je dessine parce que j'aime ça. Pas parce que j'ai besoin d'être reconnu, O.K. ?

Les yeux noirs de colère, il arpenta la pièce.

— Je ne fais pas de séances de signature, je n'organise pas d'ateliers et je refuse les interviews. Parce que je ne veux pas que les gens me tournent autour comme des mouches et m'empêchent de me concentrer. J'ai choisi l'anonymat de la même manière que tu as choisi la publicité. Parce que ça fonctionne pour moi. Et je ne vois pas pourquoi il faudrait que je bouleverse toutes mes habitudes sous prétexte qu'il y a une histoire entre nous !

Pétrifiée par la douleur, elle le contemplait fixement, sans bouger. Elle était trop faible pour s'enfuir, trop désespérée pour se jeter sur lui et le frapper.

— Là n'est pas le problème, Grant. Que tu ne veuilles pas révéler la nature de ton activité au monde entier, c'est ton droit. Ce qui me blesse, c'est que tu n'aies pas su me faire confiance. Dieu sait que je l'aurais gardé, ton précieux secret ! Que je les aurais respectées, tes sacro-saintes habitudes !

— Parlons-en de nos habitudes, justement. Nos deux modes de vie sont totalement opposés et tu le sais aussi bien que moi !

Grant hurlait parce qu'il souffrait comme un damné. Il sentait dans toutes les fibres de son corps qu'elle était en train de s'éloigner. Et il n'avait qu'une envie : la ramener à lui, se cramponner, ne plus jamais la lâcher.

— Ce n'est pas une question de confiance, enchaîna-t-il, ulcéré. C'est une question de compatibilité !

— Il y a *toujours* une question de confiance à la base, riposta-t-elle tristement.

Le cœur lourd, Gennie comprit que la boucle était bouclée. L'expression de Grant était telle qu'à leur première rencontre. Elle retrouvait l'étranger inaccessible qui défendait hargneusement son territoire. Aujourd'hui, comme en cette lointaine nuit de tempête, elle était résolument de trop.

— Avant de parler d' « amour », il aurait peut-être fallu que tu saches ce que le mot signifie, murmura-t-elle d'une voix lasse. Ou nous aurions dû comparer nos conceptions respectives, en tout cas. Pour moi, lorsqu'on aime vraiment, on fait des compromis. Et quand on fait des compromis on trouve *toujours* des solutions. Mais ce n'est pas ta vision, de toute évidence.

Grant arpenta furieusement la pièce.

— Qu'est-ce que tu en sais, si c'est oui ou non ma vision ? Arrête de penser à ma place, O.K. ? A quel genre de « compromis » aurions-nous pu parvenir d'après toi ? Tu aurais accepté de m'épouser pour venir t'enterrer ici, peut-être ? De toute façon, les journalistes auraient fini par retrouver ta trace tôt ou tard, même dans l'hypothèse où tu aurais pu t'y résoudre. Et tu m'imagines vivant à La Nouvelle-Orléans, au milieu de la foule ? Je deviendrais fou en moins de trois mois.

Il pivota vers elle, le dos à la fenêtre, si bien que le soleil levant hérissa le contour de sa silhouette d'un violent halo de lumière.

— Si j'ai choisi l'isolement, c'est que j'ai des raisons pour le faire. Et je n'ai pas à me justifier !

Gennie hocha la tête. Elle ne voulait surtout pas verser une larme. Si elle commençait à pleurer maintenant, elle ne s'arrêterait plus.

— Non, tu n'as pas à te justifier, confirma-t-elle d'une voix parfaitement calme et maîtrisée. Mais la réponse à toutes les questions que tu viens de poser, tu ne la connaîtras jamais, Grant. Car tu n'as même pas pris la peine de me les soumettre. Nous aurions pu chercher des solutions ensemble. Mais tu n'as rien voulu partager. Rien. Et ça, c'est déjà une réponse en soi.

Droite comme un I, elle quitta l'atelier, laissant le père de Macintosh à ses pinceaux, son génie et sa précieuse solitude.

12.

Gennie examina son jeu et fit la moue. Un neuf et un huit. Si elle restait là-dessus, elle ne courait aucun risque. Mais que lui importait de perdre ou de gagner ? Elle fit signe au croupier qui lui distribua une nouvelle carte. Un quatre, découvrit-elle avec un petit sourire ironique. Encore un black-jack, autrement dit. Mais quoi de plus normal que d'avoir de la chance au jeu lorsqu'on était malheureuse en amour ?

Elle n'avait jamais été une passionnée des jeux de hasard. Dieu sait ce qu'elle faisait assise à une table de black-jack, un dimanche à 7 heures et quart du matin. Gennie eut un haussement d'épaules indifférent. Parmi les différentes techniques à sa disposition pour tuer le temps, celle-ci en valait bien une autre. C'était toujours mieux que de tourner en rond dans sa chambre ou de s'acharner à coups de poing sur son oreiller.

Autre avantage : depuis une heure qu'elle jouait, elle gagnait systématiquement. Mais elle avait beau voir grandir la pile de jetons devant elle, son humeur ne s'améliorait pas pour autant. Au contraire, même. Perdre des sommes importantes l'aurait arrangée, en l'occurrence. Tout ce qu'elle demandait, au fond, c'était une excuse pour gémir et accuser le sort.

Lorsque le caissier lui remit ses gains, Gennie les fourra négligemment dans son sac et se dirigea vers les grandes baies vitrées. Dans une heure ou deux, l'élégante salle de jeux se remplirait de monde et elle pourrait se fondre dans la foule et la fumée. Mais à cette heure matinale, le casino était presque désert.

A travers les vitres, Gennie contempla l'océan. Etait-ce pour ne pas perdre tout à fait le contact avec l'Atlantique qu'elle s'était arrêtée ici, au lieu de poursuivre jusqu'à La Nouvelle-Orléans, comme elle en avait eu l'intention au départ ?

Elle avait fait le détour par Atlantic City sur une impulsion, sans savoir ce qu'elle venait y chercher. Mais depuis deux semaines qu'elle séjournait à l'hôtel Comanche, elle n'avait toujours pas réussi à mettre le pied sur la plage. Même si elle passait la majeure partie de la nuit à écouter soupirer les vagues, elle n'avait pas pu s'approcher de l'océan.

Gennie posa le front contre la vitre. Pourquoi s'infligeait-elle cette torture ? Toujours, la mer la ferait penser à Grant. Alors pourquoi s'y accrocher aussi obstinément ?

Pourquoi ? Parce qu'une part d'elle-même n'avait toujours pas intégré le côté définitif de leur rupture. Si bien qu'elle attendait, en suspens, le cœur à vif, incapable de poursuivre comme de revenir en arrière.

Je t'aime, oui, mais...

Non, ce rejet, ces restrictions, ces secrets, elle ne pouvait les comprendre. L'amour, c'était justement ce qui rendait l'impossible possible. Si Grant l'avait aimée réellement, il aurait compris qu'il y avait *toujours* des solutions.

Elle aurait été mieux avisée de s'abstenir de suivre *Macintosh* dans le journal. Cela lui aurait évité de découvrir le personnage de Veronica. Jour après jour, avec un plaisir doux-amer, elle retrouvait des détails de son aventure avec Grant à travers les personnages de Macintosh et de Veronica. Parfois, un vent de rébellion s'élevait en elle. De quel droit Grant l'utilisait-il ainsi dans ses histoires alors qu'il refusait de lui faire une place dans sa vie ?

Ces « *strips* » étaient drôles, touchants, terriblement humains, avec ici et là une pointe de cynisme. D'un trait léger, il avait souligné les petits ridicules dans lesquels tombent inéluctablement tous les amoureux de la création. Gennie reconnaissait des expressions, des détails, des incidents de leur rencontre. Mais présentés avec tant d'humour qu'elle ne pouvait s'empêcher d'en rire.

Et d'en pleurer tout de suite après.

— Tu t'es levée tôt, Gennie.

Elle sourit à Justin qui venait de poser une main sur son épaule.

— J'ai toujours été matinale… Pour ton plus grand malheur, en l'occurrence. Car j'ai eu le temps de vider la banque à une de tes tables de black-jack.

Pour toute réponse, Justin laissa courir sur elle un long regard préoccupé. Gennie en conclut que les nuits d'insomnie commençaient à se faire sentir et qu'elle devait avoir des cernes jusqu'au menton.

— Un petit déjeuner, ça te dirait, cousine ?

Sans lui laisser le temps de refuser, il lui passa un bras autour des épaules et l'entraîna vers son bureau.

— Je n'ai pas très faim, tu sais.

— Ça fait deux semaines maintenant que tu « n'as pas très faim », rétorqua-t-il en appelant son ascenseur privé. Tu es la seule cousine à laquelle je tienne, Gennie. Je ne vais quand même pas continuer à te laisser dépérir sous mon nez. Il ne va plus rien rester de toi, à ce rythme !

Renonçant à protester, elle abandonna la tête contre son épaule.

— Désolée, Justin. Il n'y a rien de plus insupportable que de voir quelqu'un traîner son chagrin à longueur de journée, n'est-ce pas ?

— Je ne te le fais pas dire, riposta-t-il en l'entraînant dans la cabine. Combien as-tu ramassé ce matin, au black-jack ?

Décontenancée par le changement de sujet, elle lui jeta un regard étonné.

— Je ne sais pas… Six ou sept cents dollars.

— Bon. Alors je mets la note du petit déjeuner sur ton compte.

Gennie éclata de rire et lui jeta les bras autour du cou juste au moment où ils pénétraient dans sa suite. Serena qui tenait Mac contre son épaule secoua la tête.

— Ah, c'est bien un truc masculin, tiens ! Débarquer au domicile conjugal à l'aube avec une belle fille pendue à son cou, pendant que bobonne reste à la maison et change les couches.

— Fais taire ta langue jalouse, femme ! rétorqua Justin en souriant.

Haussant ses fins sourcils avec distinction, Serena lui remit d'autorité le bébé dans les bras.

— Très bien. Mais à toi de jouer, décréta-t-elle en s'effondrant dans un fauteuil. Je suis morte ! Mac fait ses dents, précisa-t-elle à l'intention de Gennie. Et il le manifeste assez bruyamment… Mais bon, c'est juste une phase à traverser, m'a-t-on dit. Donc nous essayons de prendre nos nuits blanches avec philosophie. Vous avez mangé tous les deux ?

— J'ai invité Gennie à venir prendre le petit déjeuner avec nous, justement.

Serena tendit la main vers le téléphone.

— Bonne idée. J'appelle les cuisines… Vivre dans un hôtel est un luxe extraordinaire, précisa-t-elle en souriant.

Pendant que Serena passait commande et que Justin jouait avec Mac sur le canapé, Gennie fit quelques pas dans l'appartement. Elle aimait beaucoup ces pièces spacieuses et colorées auxquelles Justin et Serena avaient su donner une touche très personnelle. Avec de l'amour et de la bonne volonté, on pouvait créer un foyer n'importe où. Rena et Justin s'étaient installés à l'hôtel et vivaient en permanence entourés. Et pourtant, ils avaient su préserver une intimité ainsi qu'une vraie vie de famille.

Non seulement ils s'occupaient de leur bébé en partenariat mais ils dirigeaient aussi leur chaîne de casinos-hôtels ensemble. Ils faisaient équipe sur tous les plans et leur couple n'en tenait pas moins la route. S'il y avait des heurts — ce qui paraissait inévitable entre deux personnalités affirmées —, ils trouvaient le moyen de les surmonter. Car ils ne se raidissaient pas sur leurs positions mais conservaient une souplesse suffisante pour s'ajuster l'un à l'autre.

Exactement comme elle avait elle-même été disposée à le faire. Elle aurait été prête à vivre dans le Maine avec Grant. Et à faire beaucoup d'autres concessions encore. Mais pour cela il aurait fallu que Grant soit disposé à donner ne serait-ce qu'un peu, de son côté.

Le cœur lourd, Gennie ferma les yeux. Et s'il était tout simplement incapable de partager ? Peut-être devrait-elle se faire à cette idée une fois pour toutes. Et se résigner à poursuivre enfin sa route jusqu'à La Nouvelle-Orléans.

— L'océan est magnifique, n'est-ce pas ? dit Serena derrière elle.

Gennie hocha la tête.

— Oui, je suis devenue une adepte, moi qui ne jurais que par mon fleuve.

— Et tu comptes descendre vers le fleuve ou remonter le long de l'océan ?

— Bientôt, je pense, je descendrai vers le fleuve.

— Ce n'est pas le bon choix, Gennie.

— Serena…, protesta Justin.

Mais Rena lui jeta un regard noir.

— Comment ça, « Serena » ? Tu ne vois pas qu'elle est malheureuse comme les pierres ? Si Grant se comporte comme une tête de mule, il faut le secouer. Sinon il va finir par tout détruire.

— Il ne veut pas de moi, Rena, admit Gennie dans un murmure.

Les mots étaient douloureux à prononcer mais elle avait réussi à les dire. Peut-être était-il temps de sortir du silence dans lequel elle s'était enfermée depuis deux semaines et de parler enfin de l'échec de sa relation avec Grant ?

Repoussant les cheveux qui lui tombaient sur les yeux, elle se tourna vers Serena :

— Je pense qu'il tient à moi à sa manière. Mais pas suffisamment pour essayer de surmonter les obstacles. Grant est habitué à vivre sa vie en solitaire ; partager ne fait pas partie de ses mœurs. Il est tombé amoureux de moi à son corps défendant mais l'idée même de dépendre de quelqu'un lui fait horreur.

Justin, qui était passé dans la chambre d'enfants pour coucher Mac, les rejoignit près des grandes portes-fenêtres.

— Tu es au courant de ce qui est arrivé au père de Grant et de Shelby ?

Gennie se laissa tomber dans un fauteuil.

— Je sais qu'il est mort quand Grant avait dix-sept ans.

— Il a été assassiné, rectifia Justin. Tu as peut-être entendu parler de Robert Campbell, le sénateur abattu par un fanatique en pleine campagne électorale ? Tu étais encore une enfant lorsque c'est arrivé, mais j'imagine que le nom doit te dire quelque chose.

Robert Campbell, le sénateur assassiné… Gennie fouilla dans sa mémoire. Très vaguement, lui revint le souvenir d'un procès, de gens en émoi, des cris hystériques dans la foule lorsque la scène avait été retransmise à la télévision.

Et aussi bien Shelby que Grant avaient assisté à la mort violente de leur père, d'après ce que lui avait confié Shelby à Hyannis.

— Oh, mon Dieu, Justin… Leur père s'est effondré sous leurs yeux. Comment ont-ils réussi à vivre avec ce cauchemar ?

Justin porta la main à sa poitrine, esquissant un geste dont seule sa femme comprit la signification.

— Certaines plaies ont du mal à cicatriser, en effet… Je sais par Alan que Shelby, très intégrée en apparence, a fui pendant des années toute forme d'investissement affectif. Et j'imagine que Grant porte les mêmes blessures qu'elle… Parfois on préfère s'enfermer dans sa solitude plutôt que de se mettre en danger de perdre ceux que l'on aime, ajouta-t-il en jetant un coup d'œil à Serena.

Celle-ci glissa tendrement sa main dans la sienne.

— Ça aussi, Grant l'a gardé pour lui, murmura tristement Gennie. Il n'avait pas suffisamment confiance en moi pour me raconter la mort de son père.

— Tu ne vois pas qu'il t'aime ? rétorqua Serena doucement.

Gennie secoua la tête.

— Pas assez, Rena ! Il me laisserait sur ma faim en permanence. Je ne peux pas vivre en me contentant des miettes.

— Je ne suis pas si certaine qu'il n'ait que des miettes à offrir… Tu sais que Shelby a appelé hier soir ?

Comme un serveur arrivait avec le petit déjeuner, Serena fit signe à Gennie de prendre place dans le coin repas, près de la baie vitrée.

— Grant leur a fait une visite surprise il y a quelques jours, ce qui, d'après Shelby, n'est pas du tout son style.

— Ah bon. Et il est toujours… ?

Serena secoua la tête.

— Non, il est retourné dans le Maine depuis. Mais il l'a harcelée de questions à ton sujet. La pauvre Shelby était bien incapable de lui fournir une réponse puisqu'elle ignorait jusqu'à hier que tu séjournais ici avec nous. Avant de raccrocher, elle m'a demandé, comme en passant, si tu suivais les aventures de Macintosh dans les journaux. Ça m'a beaucoup intriguée qu'elle veuille savoir cela. Et j'ai quand même mis deux bonnes heures à comprendre pourquoi elle m'avait posé cette question.

Protégeant par automatisme le secret de Grant, Gennie se garda de réagir trop vite.

— Et à quelles conclusions es-tu parvenue ?

Avec un sourire en coin, Serena prit la cafetière que le serveur venait de placer sur la table.

— Je te sers, Veronica ?

Gennie rit doucement.

— Bravo. Beau travail de déduction.

— Je me suis fait plaisir, j'adore les énigmes.

— Macintosh a été notre dernier sujet de dispute, révéla Gennie en se rembrunissant. Imagine-toi qu'il ne m'avait *jamais* parlé de son activité, Rena. Je suis tombée sur son atelier tout à fait par hasard, le matin de mon départ. Et ça l'a mis dans une colère noire, comme si je violais son territoire. Pourtant j'étais ravie de découvrir qu'il était un des dessinateurs de B.D. les plus célèbres du pays ! Qu'il utilisait son talent et son intelligence au lieu de les laisser en friche ! Mais il n'a même pas pu me faire partager cet aspect essentiel de sa vie.

— Il aurait peut-être fallu le questionner avec un peu plus d'insistance, suggéra Serena. Et il n'est d'ailleurs pas trop tard pour le faire maintenant.

Gennie secoua la tête avec lassitude.

— S'il me rejette une nouvelle fois, Rena, je ne pourrai pas le supporter. Ce n'est pas une question de fierté ; ce sont les forces qui me manquent. Je n'en peux plus de me ramasser.

— Je t'ai vue malade d'angoisse avant une exposition, intervint Justin. Mais tu as toujours fini par surmonter ta peur.

Gennie sourit faiblement.

— Les enjeux ne sont pas les mêmes, Justin. Si ma peinture était mal accueillie, mon ego prendrait une claque, mais je resterais la même personne. Alors que si Grant me repousse, j'y perdrais infiniment plus que la simple estime de moi. Je vais me concentrer sur l'expo que je prépare à New York en novembre. C'est ce que j'ai de mieux à faire.

— Tu veux peut-être jeter un coup d'œil au supplément du journal du dimanche pendant que tu déjeunes ? suggéra Justin en posant devant son assiette le quotidien que leur avait monté le serveur.

Incapable de résister à la tentation, Gennie chercha la page des *comics*. Macintosh avait mauvaise mine, vit-elle au premier coup d'œil. La première image le montrait assis tout seul, les coudes sur les genoux, le menton dans les mains, l'air profondément abattu.

Dans la seconde vignette, quelqu'un frappait à la porte et il marmonnait : « Entrez » sans même tourner la tête.

Dans la troisième case, Ivan, l'émigré russe, faisait son apparition dans son habituel accoutrement d'Américain de caricature : jeans, bottes et chapeau de cow-boy.

— Hé, Macintosh, amène-toi, j'ai deux billets pour un match de basket.

Pas de réponse.

Ivan retourna une chaise pour s'asseoir.

— Tu fourniras la bière et on prendra ta voiture. Mais t'inquiète pas, c'est moi qui conduirai.

Toujours pas de réponse.

Ivan poussa le pied de Macintosh de la pointe de sa botte.

— Hé, qu'est-ce qui t'arrive ? T'as un problème ?

— Veronica m'a quitté, marmonna Macintosh.

Ivan hocha gravement la tête.

— Ah zut, sale histoire. Pour un autre type ?

— Même pas.

Ivan ouvrit des yeux ronds.

— Ben, pourquoi elle a fait ça, alors ?

Macintosh, le regard rivé droit devant lui, n'avait pas changé de position depuis le début de la bande. Il paraissait anéanti.

— Parce que j'ai été égoïste, hargneux, menteur, stupide et globalement imbuvable, admit-il sombrement.

— *C'est tout ?*

Ivan secoua la tête en levant les yeux au ciel.

— C'est bien un truc de femme ça, de lâcher un mec sans aucune raison.

Gennie relut deux fois l'épisode puis le passa à Serena… qui éclata de rire et lui passa les bras autour du cou.

— Tu veux que je t'aide à faire tes bagages ?

— Mais où a-t-elle bien pu passer, bon sang ?

Grant savait que s'il continuait à se poser cette même question cinq minutes de plus, il allait finir à quatre pattes par terre à hurler comme une bête. Dressé tout en haut du phare, il avait une vue dominante sur la côte et l'océan, mais nulle part à l'horizon, il ne voyait Gennie.

Qu'allait-il faire de lui-même, maintenant ? L'oublier ? Impossible. Pas un instant, pas une seconde. Sa pensée le tourmentait jour et nuit. Mais *comment* avait-il pu être aussi stupide ?

L'habitude, sans doute. Stupide, il l'avait été toute sa vie.

Si seulement il n'avait pas été aussi long à réagir ! Pendant deux jours, avec un entêtement borné, il avait campé sur ses positions. Il était resté à tourner en rond dans son atelier ou à arpenter la plage comme un fou en se maudissant lui-même autant qu'il maudissait Gennie.

Le temps pour lui de réaliser qu'il s'était coupé de lui-même en la repoussant, et Gennie avait plié bagage. Il avait trouvé le cottage fermé et une veuve Lawrence plus que jamais mutique.

Trois jours plus tard, n'y tenant plus, il s'était envolé pour La Nouvelle-Orléans. Mais il avait tambouriné en vain à la porte de son appartement. Interrogés, les voisins lui avaient assuré que la jeune femme était partie depuis sept mois et que personne ne l'avait revue depuis son départ. Il avait appelé alors tous les Grandeau de l'annuaire. Mais lorsqu'il avait enfin réussi à joindre la grand-mère de Gennie, celle-ci n'avait rien pu lui dire de plus que ce qu'il savait déjà : sa petite-fille était « quelque part en voyage » et devait rentrer à une date indéterminée.

En désespoir de cause, il avait composé le numéro des MacGregor. Par chance, il était tombé sur Anna et non sur Daniel. Mais elle n'avait pas pu lui fournir l'ombre d'une piste.

Grant se prit la tête entre les mains. Gennie pouvait être n'importe où à l'heure qu'il était. Peut-être même à l'étranger, qui sait ? Si elle n'avait pas laissé un tableau derrière elle, il aurait fini par se persuader qu'elle n'avait été qu'un mirage.

La toile, elle l'avait laissée à son intention. C'était celle qu'elle avait peinte devant le phare et qu'elle avait terminée le jour où ils étaient devenus amants. Mais Gennie ne l'avait accompagnée d'aucun message.

Après avoir envisagé d'envoyer le tableau par-dessus le bord de la falaise, il avait fini par l'accrocher au-dessus de son lit. Et chaque fois qu'il le voyait, il souffrait en pensant à Gennie.

Fou de douleur, Grant serra les poings. Et se jura que, tôt ou tard, il retrouverait sa trace. Son nom ou sa photo finirait bien par apparaître dans la presse. Au pire, il irait la cueillir à sa prochaine exposition. Et il la ramènerait de gré ou de force.

— De force ? Tu me fais bien rire, là, mon vieux !

Non seulement il adopterait un profil bas, mais il se répandrait en excuses, ramperait plus bas que terre et la supplierait de lui laisser une seconde chance… Bon sang, mais il se comportait comme un fou furieux. Et quoi d'étonnant ? Cela faisait deux semaines qu'il dormait à peine. La solitude — sa chère solitude — pesait sur lui comme une chape de plomb et menaçait de l'étouffer.

A bout de nerfs, Grant se détourna et décida de descendre sur la plage. C'était le seul endroit où il trouvait encore par moments un semblant de paix.

Rien n'avait changé, découvrit Gennie en empruntant la route du phare. Même si l'été avait fini par céder la place à l'automne, l'esprit du lieu était resté le même. L'océan furieux s'acharnait toujours sur la roche, et le phare continuait à se dresser dans son orgueilleuse solitude. Pourquoi s'était-elle imaginé que rien ne serait peut-être plus comme avant ?

Grant aussi avait dû rester le même, raisonna-t-elle, les jambes en coton en descendant de voiture. Plus que tout, elle désirait le retrouver semblable à lui-même — ses pires côtés y compris. C'était peut-être stupide de sa part, mais elle le voulait exactement tel qu'il était : grossier, irascible, impatient, mais aussi drôle, tendre et étonnamment sensible.

Si jamais elle avait interprété son épisode de bande dessinée de travers, en revanche, et qu'il la rejetait en hurlant…

Chassant ses doutes et ses peurs, Gennie redressa la tête. Ce n'était pas le moment de flancher. A présent qu'elle était arrivée jusque-là, elle affronterait Grant pour être fixée une fois pour toutes. Elle avait déjà fait preuve de suffisamment de lâcheté comme cela.

Posant la main sur la poignée de la porte, elle sentit à la qualité du silence qu'il ne se trouvait pas à l'intérieur du phare. Tournant la tête, elle vit que sa camionnette était garée à sa place habituelle, près de la vieille ferme. Et son bateau se balançait doucement contre le ponton.

Conclusion : il ne pouvait pas être bien loin. Mais où pouvait-il bien se cacher ?

Brusquement, elle comprit et se demanda comment elle n'y avait pas pensé plus tôt. D'un pas résolu, elle se dirigea vers la falaise.

Engoncé dans son blouson, les mains enfoncées dans les poches, Grant marchait au bord de l'eau en méditant sur son sort. Ainsi, c'était donc ça « se sentir seul ». Pendant des années, il avait vécu une existence solitaire et satisfaite. Et il avait suffi que Gennie traverse sa vie pour qu'il se retrouve incapable de fonctionner en solo.

Grant serra les poings. C'était plus qu'exaspérant, c'était tout simplement *insupportable* !

Conscient que la colère était son seul refuge contre la dépression, il ressassait inlassablement ses griefs. Comment avait-elle pu le réduire en si peu de temps à l'état de loque dépendante ? Lorsqu'il mettrait la main sur Gennie, elle aurait de sacrés comptes à lui rendre. Avant qu'elle ne vienne tambouriner à sa porte, il vivait heureux et autonome. Comment avait-elle osé lui parler d'amour pour disparaître ensuite ?

Lui n'avait pas demandé à la rencontrer. C'était elle qui était venue s'insinuer dans son affection. Et tout cela pour jouer les filles de l'air à la première dispute. Bon, il avait été infect, d'accord. Il l'avait fait souffrir, O.K…

La colère que Grant avait laborieusement réussi à faire lever comme une mauvaise mayonnaise retomba d'un coup. Anéanti, il se passa la main sur les paupières. Inutile de se raconter des histoires : il avait été odieux et même cruel lorsqu'elle était venue le retrouver dans son atelier. Comment pourrait-il jamais se racheter pour tout ce qu'il lui avait fait subir ?

Saisi d'une soudaine inspiration, Grant s'arrêta net. S'il retournait à La Nouvelle-Orléans maintenant, elle serait peut-être rentrée entre-temps ? Au pire, il l'attendrait sur place. Tôt ou tard, elle finirait par regagner la ville à laquelle tant de choses la reliaient.

Mais qu'est-ce qu'il fichait là, bon sang, à arpenter son bout de plage alors qu'il aurait déjà dû être dans l'avion ? Grant se retourna pour regagner le phare et écarquilla les yeux.

Allons, bon. Voilà qu'il était pris d'hallucinations, maintenant. De mieux en mieux. Il cligna des paupières, mais sans parvenir à dissiper le mirage pour autant. La vision de Gennie se dirigea vers lui et s'immobilisa pour sortir un papier plié de sa poche.

— Tu peux m'expliquer ce que signifie cet épisode de Macintosh, Grant ?

Il la regarda fixement quelques instants. Qu'après deux semaines d'insomnie, il soit susceptible d'entendre des voix et d'assister à des phénomènes optiques étranges, d'accord. Mais un simple mirage pouvait-il apparaître avec un tel degré de netteté et de précision ? Après une légère hésitation, il lui effleura le visage.

— Gennie ?

Luttant contre une faiblesse insidieuse, Gennie s'interdit fermement de lui tomber dans les bras. Ce serait facile, incroyablement facile. Mais cela ne résoudrait rien sur le fond.

— J'aimerais savoir comment je dois comprendre ton dessin de ce dimanche, Grant.

Décontenancé, il contempla le bout de journal qu'elle venait de lui fourrer dans la main. Il avait eu un mal fou à faire publier cet épisode aussi vite. C'était tout juste s'il n'avait pas dû recourir au chantage à la démission pour obtenir que son histoire de

Macintosh sorte la veille, et non pas suite au délai habituel de trois à quatre semaines.

Mais si c'était ça qui avait fait revenir Gennie, il ne regrettait pas d'avoir investi tant de temps et d'efforts.

— Ça veut dire ce que ça dit, répondit-il, laconique. Il n'y a pas de subtilité particulière dans ce scénario.

Reprenant la feuille de journal pliée, Gennie la glissa dans sa poche. Et décida qu'elle la garderait précieusement pendant le reste de son existence.

Elle toisa Grant d'un œil sévère.

— Je trouve que tu t'es beaucoup servi de moi dans tes dessins, ces derniers temps. Cela ne t'a jamais traversé l'esprit que tu aurais pu me demander d'abord la permission ?

Grant la contempla un instant en silence. Avec son regard étincelant et ses longs cheveux balayés par le vent, elle avait l'air carrément impériale. Si elle abaissait le pouce, il était bon pour la cage aux lions.

— Où avais-tu disparu, bon sang ? s'entendit-il soudain rugir d'une voix furieuse. Où te cachais-tu ces deux dernières semaines ?

— Ça, c'est mon problème.

Il lui prit le bras et le secoua.

— Non, ce n'est pas *ton* problème. Et je vais te dire une chose, Gennie : il est hors de question que je te laisse repartir d'ici, tu m'entends ?

— Si mes souvenirs sont bons, je n'ai quitté la Pointe des Vents que parce que tu m'as fait comprendre en termes clairs que je n'avais aucune place dans ta vie ni toi dans la mienne.

Lorsque Grant la saisit par les épaules, Gennie serra les dents et attendit patiemment qu'il arrête de la secouer dans tous les sens.

— O.K. D'accord. J'ai agi comme un imbécile, parlé comme un imbécile, hurlé comme un imbécile. Ce sont des excuses que tu veux ? Eh bien, les voici, je…

Il s'interrompit net pour écraser sa bouche sous la sienne. Un grognement de triomphe monta du fin fond de sa gorge : elle était là, elle lui appartenait et il ne la laisserait plus jamais s'en aller.

Une fois rassuré par ce premier baiser, cependant, Grant se souvint de ses résolutions. Ce n'était pas en sautant sur Gennie comme un sauvage qu'il réparerait ses torts envers elle. Il y avait sûrement mille façons nettement plus civilisées de lui montrer qu'il ne concevait plus sa vie sans elle.

Se forçant à relâcher son étreinte, il laissa retomber les bras contre ses flancs.

— Excuse-moi, Gennie. Si j'ai eu un geste un peu brutal, je le regrette infiniment. Entrons. Je te préparerai un café et nous parlerons calmement, en adultes.

Gennie lui jeta un regard surpris. *Qui* était cet homme ? Elle avait reconnu Grant lorsqu'il l'avait secouée comme un prunier. Elle avait reconnu l'homme qui avait hurlé puis qui l'avait serrée follement dans ses bras. Mais l'individu compassé qui « regrettait » son geste malencontreux et qui voulait « discuter calmement » n'était qu'un étranger pour elle.

— Ah non, ça suffit, maintenant ! Lorsque je voudrai des excuses, je te le ferai savoir, O.K. ? Pour ce qui est de parler, nous allons parler, en revanche. Mais ça se passera ici et maintenant.

— Mais qu'est-ce que tu veux au juste ? s'écria Grant en se demandant comment un homme contrit était censé ramper, sans se faire crier dessus de surcroît.

— Ce que je veux ?

Les poings sur les hanches, Gennie le foudroya du regard.

— C'est savoir si tu as l'intention de régler nos problèmes ou si tu comptes retourner te planquer dans ton trou.

— Je ne me planque pas dans mon trou. Je vis ici parce que je peux travailler dans de bonnes conditions, sans avoir constamment du monde à ma porte.

Elle soupira avec impatience.

— Ce n'est pas ce que je veux dire et tu le sais pertinemment.

Oui, il le savait. Frustré, il fourra les mains dans ses poches, de crainte de céder à la tentation de la secouer de nouveau.

— Bon, d'accord, j'ai gardé le silence sur ma profession. C'est une habitude chez moi de me taire ; presque un réflexe... Puis je suis tombé amoureux de toi, et je me suis mis à avoir peur. Parce que je ne voulais pas me sentir dépendant de...

Il se tut, jura tout bas et se passa la main dans les cheveux.

— Dépendant de quoi ?

— Dépendant de quelqu'un qui pourrait disparaître ou mourir, admit-il avec un profond soupir. Il faudrait que je te parle de mon père, Gennie.

Pour la première fois depuis qu'il l'avait vue surgir sur la plage, le regard de Gennie s'adoucit.

— Je sais, Grant. Justin m'a raconté.

Il détourna la tête.

— J'aurais préféré te le dire moi-même. T'expliquer. Afin que tu comprennes pourquoi c'est difficile pour moi de...

— Je comprends. Suffisamment en tout cas pour me faire une idée de ce que tu as traversé. Nous avons perdu l'un et l'autre des êtres chers — des êtres sur lesquels nous comptions. Je crois que nous avons su compenser notre perte chacun à notre façon. Voir mourir sous ses yeux un proche tendrement aimé, c'est une expérience par laquelle je suis passée aussi. Peut-être nous rapproche-t-elle, d'une certaine manière.

Grant entendit des larmes dans sa voix et secoua la tête.

270

— Gennie, non… C'est un chagrin qu'on ne peut pas jeter aux oubliettes mais qu'il faut savoir mettre de côté. Je pensais avoir surmonté la fin cauchemardesque qu'a connue mon père, mais les vieilles peurs ont repris le dessus sans que je m'en rende compte lorsque je suis tombé amoureux de toi.

Hochant la tête, Gennie ravala ses larmes. Ce n'était pas le moment de pleurer sur leurs morts respectifs.

— Tu voulais rompre le jour où j'ai découvert ton atelier, n'est-ce pas ?

— Peut-être… ou enfin, oui. Je croyais que c'était la seule solution. Nous avons choisi deux modes de vie totalement différents, Gennie. Et nous en étions satisfaits l'un et l'autre avant de nous rencontrer. Aujourd'hui…

Les yeux de nouveau étincelants, elle croisa les bras sur sa poitrine.

— Aujourd'hui, quoi ? Tu campes toujours sur tes positions ? Tu refuses toute forme de compromis ?

Il lui jeta un regard incrédule. Pourquoi parlait-elle encore de compromis alors qu'il était disposé à lui céder en tout ?

— *Quel* compromis ?

— Tu ne sais même pas ce que le mot signifie ! s'écria-t-elle. Toi qui es si intelligent, si doué, tu es incapable de comprendre les concepts les plus simples. Nous n'arriverons jamais à rien ensemble dans ces conditions !

Comme elle se détournait pour le planter là, Grant la rattrapa si vite par le bras qu'elle faillit perdre l'équilibre.

— Hé ! Tu veux bien ouvrir les oreilles cinq minutes ? Je vais vendre le phare, le terrain, tout. Le donner même, si tu préfères. Et nous irons vivre à La Nouvelle-Orléans. Si ça peut te faire plaisir, je publierai une annonce d'une page pour faire savoir à toute l'Amérique que je suis l'auteur de Macintosh. Et nous organiserons une conférence de presse ! Ça nous vaudra d'apparaître en photo dans tous les magazines du pays.

— Parce que tu crois que c'est *ça* que je veux ?

Gennie pensait qu'il avait déjà réussi à la mettre plusieurs fois dans un état de colère maximale. Mais ce n'était rien à côté de la rage qu'elle éprouvait maintenant.

— Espèce de… espèce d'âne égocentrique ! Je me moque éperdument que tu fasses tes bandes dessinées dans le plus grand secret ! Tu peux même les créer en lettres de sang dans l'obscurité d'une cave si ça te chante. Je n'en ai strictement rien à faire que tu poses pour tous les magazines du pays ou que tu aboies après les paparazzi comme un chien frappé de la rage. Et pourquoi, au nom du ciel, voudrais-tu vendre ton phare ? T'ai-je jamais demandé de déménager d'ici ? Faire des compromis, ça signifie donner et recevoir ! Tu crois vraiment que c'est important pour moi d'habiter ici plutôt qu'ailleurs ?

— Mais je n'en sais rien ! Tu m'as quand même dit clairement que tu étais très attachée à La Nouvelle-Orléans ! Tu as tes habitudes, là-bas ! Une famille ! Des amis !

Gennie repoussa les cheveux que le vent balayait devant ses yeux en se demandant comment un homme aussi intelligent pouvait se montrer aussi bouché.

— Mes racines et ma famille, je les aurai toujours, que je vive là-bas ou ailleurs. Quant à mes habitudes, elles ne sont pas ancrées au point que je ne puisse les modifier. Je n'ai pas soixante-dix ans, bon sang, contrairement à ce que tu as raconté aux MacGregor ! Il est vrai que je continuerai à peindre car c'est ce qui fait mon identité. J'expose en novembre à New York. Je sais que j'aurai une peur bleue et que j'aurai besoin de toi à mon côté. Mais je suis prête à donner aussi. Si j'ai eu la folie de tomber amoureuse de toi tel que tu es, ce n'est tout de même pas pour te transformer en citadin conforme et en roi absolu des happenings mondains !

Grant s'ordonna mentalement de rester calme.

— Bon, alors, pour résumer : qu'est-ce que tu veux que je fasse ?

La voyant sur le point de hurler de nouveau, il leva la main pour l'arrêter.

— Non, non, ne crie pas. Des compromis, c'est ça ?

— Plus que ça, même. Je veux ta confiance.

Il lui prit la main et entrelaça ses doigts aux siens.

— Gennie… Ma confiance, tu l'as. Entièrement. C'est ce que j'essaye de te dire depuis le début.

— Eh bien, tu as encore quelques progrès à faire en expression orale.

— C'est vrai, admit-il en l'attirant contre lui. Laisse-moi essayer encore.

Il l'embrassa en s'ordonnant de la traiter comme une poupée de porcelaine. Mais c'était plus fort que lui : il la serra à l'étouffer et sa bouche fouilla avidement la sienne.

— Tu es le centre de mon existence, Gennie, murmura-t-il contre ses lèvres. Lorsque tu es partie, j'ai cru que je devenais fou. J'ai sauté dans l'avion pour La Nouvelle-Orléans et…

Sidérée, elle se rejeta en arrière pour l'interroger du regard.

— Tu as fait ça ? Tu es parti à ma recherche ?

— Avec différents buts en tête, oui. Mon programme était le suivant : j'aurais commencé par t'étrangler, puis je serais tombé à tes pieds, puis je t'aurais balancée sur une épaule, ramenée ligotée jusqu'ici et je t'aurais enfermée en haut de ma tour.

Elle sourit et posa la tête sur son épaule.

— Et ton programme d'aujourd'hui, c'est quoi ?

Il enfouit les lèvres dans ses cheveux.

— Maintenant, je pratique le compromis. Donc, je te laisse la vie sauve.

— C'est un bon début…

Elle soupira, respira l'air humide et chargé d'embruns. Comme le fracas des vagues contre la roche lui avait manqué !

— J'ai hâte de voir l'océan en hiver, murmura-t-elle.

Il lui prit le menton.

— Nous le regarderons ensemble.

— Il y a autre chose encore, Grant…

— Ça peut attendre que nous ayons fait l'amour ?

Elle secoua la tête en riant.

— Non, autant régler cette épineuse question tout de suite. Puisque tu n'as pas pris la peine de me demander en mariage, il me revient de te faire une proposition honnête.

— Gennie…

— Non, ne proteste pas, s'il te plaît. Cette fois-ci, nous procéderons à ma manière. J'y tiens expressément.

Elle sortit de la poche de son jean la pièce que Serena lui avait confiée.

— Il s'agit d'une forme de compromis, en fait. Face, nous nous marions et nous nous installons dans la vieille ferme pour vivre heureux et avoir beaucoup d'enfants. Pile, nous renonçons à unir officiellement nos destins.

Avant qu'elle puisse jeter la pièce en l'air, Grant la retint par le poignet.

— Hé, mais ça ne va pas ? On ne joue pas avec un sujet aussi grave, Genviève. Remets-moi ça dans ta poche tout de suite. Sauf, à la rigueur, s'il s'agit d'une pièce truquée…

— Qu'est-ce que tu crois ? Bien sûr, qu'elle est truquée.

Grant éclata de rire.

— Dans ce cas, lance-la ! Je veux bien m'en remettre au hasard si je suis certain d'en sortir gagnant.

Le Clan des MacGregor

Orgueil et Loyauté, Richesse et Passion

~

**Tournez vite la page,
et découvrez en avant-première,
un extrait du cinquième épisode
de la nouvelle saga de Nora Roberts :**

Les liens du cœur

~

A paraître le 1ᵉʳ février

Extrait de
Les liens du cœur
de Nora Roberts

Tandis qu'elle se laissait emporter par son cavalier dans une virevolte étourdissante, le regard d'Anna plongea directement dans les yeux bleus de Daniel MacGregor. Elle sentit une brusque tension nouer sa poitrine. Une manifestation de nervosité ? Ridicule. Un frisson courut le long de sa colonne vertébrale. De la peur ? Non, ce serait absurde. Elle n'avait aucune raison de trembler devant cet homme, si imposant soit-il.

Sans cesser de danser, Daniel MacGregor la fixait intensément. Que cherchait-il ? A la faire rougir ? Bien décidée à ne pas entrer dans son jeu, Anna soutint froidement son regard, même si son cœur battait la chamade.

Mais elle aurait mieux fait de détourner les yeux, tout compte fait. Car Daniel sourit lentement, comme s'il se sentait mis au défi ou même encouragé par son attitude.

Attirant d'un geste discret l'attention d'un ami qui se tenait sur le bord de la piste, il transféra sa cavalière dans les bras de ce nouveau cavalier. Notant son manège, Anna frémit, pressentant la suite.

Avec l'assurance née d'une longue habitude, Daniel se fraya un chemin parmi les danseurs. Il avait remarqué Anna dès l'instant où elle avait mis le pied sur la piste de danse. Et lorsque leurs regards s'étaient rencontrés, il avait ressenti une attirance immédiate. Elle était petite et délicate et ses cheveux noirs et lisses paraissaient doux comme la soie. La couleur rose pâle de sa robe mettait en valeur la belle rondeur de ses épaules et la pureté de lait de son teint. Daniel estima que c'était le genre de jeune femme que l'on devait avoir plaisir à serrer dans ses bras.

Avec l'assurance dont il ne se départait jamais, il tapa sur l'épaule du cavalier d'Anna.

— Vous permettez ?

Il attendit que l'autre, médusé, ait relâché son étreinte, pour la prendre aussitôt dans ses bras et l'entraîner de nouveau dans la valse.

— Habile stratégie, monsieur MacGregor.

Le fait que la belle inconnue connaisse son nom constituait une première satisfaction. Une seconde fut la confirmation que danser avec elle tenait du nirvana. Sa présence, étrangement, était apaisante et excitante à la fois. Et l'odeur qui montait de ses cheveux lui rappelait les nuits de pleine lune de son enfance.

— Merci, mademoiselle… ?

—Whitfield. Anna Whitfield. C'est également très discourtois de votre part de m'arracher à mon cavalier comme vous l'avez fait.

Dans un premier temps, la voix grave et sévère le surprit. Elle contrastait si fortement avec la douceur et la beauté du visage qu'on avait de la peine à concevoir que c'était bien elle qui parlait.

Daniel qui n'aimait rien tant que l'inattendu éclata de son grand rire.

— *Aye*, mais l'essentiel dans la vie, c'est d'atteindre les buts que l'on se fixe, non ? Je ne crois pas vous avoir déjà rencontrée, mademoiselle Anna Whitfield. Mais je connais vos parents.

— C'est fort possible.

La main qui tenait la sienne était immense, dure comme un roc et incroyablement tendre. Anna sentit comme un frémissement au creux de sa paume.

— Vous êtes un nouveau venu à Boston, monsieur MacGregor ?

— Je vais devoir vous répondre que oui, car mon appartenance à cette ville remonte à deux ans et non pas à deux générations.

Elle dut renverser la tête en arrière pour croiser son regard.

— Deux générations ne suffisent pas, par ici. Trois est le minimum pour que le Tout-Boston vous considère comme l'un des siens.

— Sauf lorsqu'on a l'habileté nécessaire pour s'intégrer autrement que par son pedigree.

Daniel lui fit effectuer trois petits tours rapides. Agréablement surprise par ses talents de danseur, Anna décida de se détendre dans ses bras. Il aurait été dommage, après tout, de ne pas profiter de la danse et de la musique.

— On m'a dit que cette habileté, vous l'aviez, monsieur MacGregor ?

— C'est un fait, oui. Et vous n'avez pas fini de vous l'entendre répéter.

Malgré la foule sur la piste de danse, Daniel ne se donna pas la peine de baisser la voix.

— Ah, vraiment ? rétorqua Anna avec un haussement de sourcils ironique. Vous êtes trop modeste.

— Lorsqu'on n'a pas l'ancienneté derrière soi, il faut avoir l'argent devant.

Anna connaissait les règles plus ou moins tacites qui régissaient la société. Mais le snobisme du nom et celui de la richesse l'écœuraient autant l'un que l'autre.

— C'est une chance pour vous que les normes du grand monde soient aussi flexibles.

Son commentaire sarcastique fit sourire Daniel. Cette Anna Whitfield n'avait rien d'une imbécile, de toute évidence. Et ce n'était pas non plus un requin en jupons qui intriguait pour s'assurer, par le biais du mariage, la meilleure rente possible.

— Votre visage me fait penser au camée que portait ma grand-mère.

Anna faillit sourire. En voyant son expression, Daniel songea que son compliment était d'une justesse étonnante.

— Je vous propose de réserver vos flatteries à d'autres, monsieur MacGregor. Elles y seront sans doute plus sensibles que moi.

Une lueur redoutable noircit un instant le bleu lumineux des yeux de Daniel.

— Vous avez la langue terriblement acérée, jeune fille. J'apprécie qu'une jeune personne soit franche… mais jusqu'à un certain point seulement.

Sentant monter une agressivité dont elle ne parvint à cerner la cause, Anna soutint son regard.

— Et quelle est la limite à ne pas dépasser pour une « jeune personne », selon vous, monsieur MacGregor ?

— C'est lorsqu'elle devient tellement directe qu'elle en oublie d'être féminine, répondit-il du tac au tac.

Avant qu'Anna ait pu anticiper son geste, il la fit tourbillonner et, en quelques pas chassés, franchit avec elle les portes-fenêtres grandes ouvertes qui donnaient sur la terrasse. La première impression d'Anna fut de soulagement. Elle ne s'était pas rendu compte à quel point la salle de bal était devenue étouffante. En temps normal, cela dit, elle se serait empressée de s'excuser, se serait dégagée fermement et aurait rejoint aussitôt les autres invités. Au lieu de quoi, elle s'immobilisa, avec les bras de Daniel toujours autour d'elle, consciente que la pleine lune éclairait les grandes dalles de marbre d'un éclat mystérieux et que l'odeur des roses imprégnait l'air tiède.

— Je suis persuadée que vous avez une définition tout à fait passionnante de la féminité, monsieur MacGregor. Mais je crains que vous n'ayez tendance à perdre de vue le fait que nous sommes au XXe siècle.

Il adorait la façon dont elle s'entendait à défendre son point de vue sans pour autant fuir le cercle de ses bras.

— J'ai toujours pensé que la féminité était une constante, mademoiselle Whitfield. Et non pas un concept influencé par les modes ou le passage du temps.

— Je vois.

Anna se dégagea pour déambuler jusqu'aux balustres en pierre, consciente du murmure de soie que produisait l'ourlet de sa robe glissant sur le marbre. Avec la distance, la musique devenait plus romantique. Le clair de lune était atténué par l'ombre des arbres du jardin ; les parfums mêlés du chèvrefeuille et des roses se faisaient plus prégnants.

Elle s'aperçut qu'elle s'était laissé entraîner dans une conversation relativement intime avec un homme qu'elle ne connaissait pas cinq minutes auparavant. Et pourtant, elle ne ressentait pas la nécessité d'y mettre un terme.

— Votre conception de la féminité est fascinante, monsieur MacGregor, reprit-elle. Mais je crains de ne pas avoir envie de poursuivre le débat… Dites-moi plutôt ce que vous faites à Boston ?

— Oh, rien de très compliqué : j'achète et je vends.

Anna secoua la tête. Il était très satisfait de lui, de toute évidence.

— D'aucuns pourraient penser que vous prenez un certain plaisir à vous mettre en avant, monsieur MacGregor.

Daniel se surprit à rire de nouveau. Elle l'amusait avec ses commentaires placides. Ses yeux, eux, étaient nettement moins paisibles. Il y voyait même la marque d'une nature passionnée qu'elle contenait avec soin.

— Lorsqu'un homme est pauvre et qu'il se pavane, on le taxe d'impudence. Mais prenez un homme riche qui montre une certaine arrogance et on dira de lui qu'il a de la personnalité, mademoiselle Whitfield. Je le sais d'autant mieux que j'ai été l'un et l'autre.

Il avait raison, sans doute. Mais elle n'était pas disposée à le lui concéder.

— Pour moi, l'arrogance est une constante. Ce n'est pas un concept qui évolue avec les modes ou les circonstances, monsieur MacGregor.

Avec un sourire admiratif, Daniel sortit un cigare de sa poche.

— Un point pour vous.

La flamme du briquet éclaira brièvement ses yeux. Un instant pétrifiée sur place, Anna songea que cet homme, tout compte fait, pouvait être redoutable.

— Considérons alors que nous sommes à égalité. Si vous voulez bien m'excuser maintenant, monsieur MacGregor, je dois retourner rejoindre mes amis.

D'un geste outrageusement possessif, il la retint par le bras. Anna ne le repoussa pas mais se contenta de le regarder comme une duchesse pourrait considérer le dernier des manants. La plupart des hommes auraient reculé aussitôt en marmonnant une vague excuse. Mais Daniel, ravi, lui adressa un sourire appréciateur.

— Nous nous reverrons, mademoiselle Anna Whitfield.

— Peut-être. Ou peut-être pas.

Il lui prit la main et la porta à ses lèvres.

— Sûrement. Et même souvent.

Elle tressaillit au contact de ses lèvres, si douces et caressantes sur sa peau qu'elles la firent frissonner.

— Je doute que nous ayons l'occasion de nous rencontrer souvent. Je dois quitter Boston dès la fin de l'été. Maintenant, si vous voulez bien...

— Pourquoi ? l'interrompit-il sans lui lâcher la main.

Plus troublée qu'elle ne voulait l'admettre, elle le toisa froidement.

— Pourquoi quoi, monsieur MacGregor ?

— Pourquoi quittez-vous Boston à la fin de l'été ?

Si elle devait s'établir ailleurs pour épouser Dieu sait qui, il aurait tout intérêt à la laisser tranquille. *Quoique...* Daniel scruta de nouveau les traits à la fois fins et décidés, la silhouette délicate, la chevelure de soie. Et décida qu'il s'accrocherait quand même, même si elle devait se marier le lendemain avec un prince, un sultan ou un milliardaire.

— Je retourne dans le Connecticut pour terminer mes études médicales.

Daniel lui jeta un regard intrigué.

— Des études médicales ? Vous avez l'intention de devenir infirmière ?

Ce fut au tour d'Anna d'éclater de rire.

— Non, monsieur MacGregor. Je me prépare à une carrière de chirurgien. Merci pour la valse. Et bonne fin de soirée.

Le nouveau visage
de la collection Or

◆

AMOURS D'AUJOURD'HUI

Afin de mieux exprimer sa modernité et de vous séduire encore davantage, votre collection Or a changé de couverture et de nom depuis le 1er mars 1995.

Rassurez-vous, les romans, eux, ne changent pas, et vous pourrez retrouver dans la collection **Amours d'Aujourd'hui** tous vos auteurs préférés.

Comme chaque mois, en effet, vous y attendent des héros d'aujourd'hui, aux prises avec des passions fortes et des situations difficiles...

COLLECTION
AMOURS D'AUJOURD'HUI :
Quand l'amour guérit des blessures de la vie...

Chère lectrice,

Vous nous êtes fidèle depuis longtemps?
Vous venez de faire notre connaissance?

C'est pour votre plaisir que nous avons
imaginé un rendez-vous chaque mois
avec vos auteurs préférés, vos
AUTEURS VEDETTE dans les
collections Azur et Horizon.

Les **AUTEURS VEDETTE** vous
donneront rendez-vous pour de
nouveaux livres vedette.

Pour les reconnaître, cherchez
l'étoile... Elle vous guidera!

Éditions Harlequin

HARLEQUIN

LE FORUM DES LECTEURS ET LECTRICES

CHERS(ES) LECTEURS ET LECTRICES,

VOUS NOUS ETES FIDÈLES DEPUIS LONGTEMPS?

VOUS VENEZ DE FAIRE NOTRE CONNAISSANCE?

SI VOUS AVEZ DES COMMENTAIRES, DES CRITIQUES À
FORMULER, DES SUGGESTIONS À OFFRIR, N'HÉSITEZ
PAS… ÉCRIVEZ-NOUS À:
        LES ENTERPRISES HARLEQUIN LTÉE.
        498 RUE ODILE
        FABREVILLE, LAVAL, QUÉBEC.
        H7R 5X1

C'EST AVEC VOS PRÉCIEUX COMMENTAIRES QUE NOUS
ALLONS POUVOIR MIEUX VOUS SERVIR.

DE PLUS, SI VOUS DÉSIREZ RECEVOIR UNE OU
PLUSIEURS DE VOS SÉRIES HARLEQUIN PRÉFÉRÉE(S)
À VOTRE DOMICILE, NE TARDEZ PAS À CONTACTER LE
SERVICE D'ABONNEMENT; EN APPELANT AU
(514) 875-4444 (RÉGION DE MONTRÉAL) OU 1-800-667-4444
(EXTÉRIEUR DE MONTRÉAL) OU TÉLÉCOPIEUR
(514) 523-4444 OU COURRIER ELECTRONIQUE:
AQCOURRIER@ABONNEMENT.QC.CA OU EN ÉCRIVANT À:
        ABONNEMENT QUÉBEC
        525 RUE LOUIS-PASTEUR
        BOUCHERVILLE, QUÉBEC
        J4B 8E7

MERCI, À L'AVANCE, DE VOTRE COOPÉRATION.

BONNE LECTURE.

HARLEQUIN.

VOTRE PASSEPORT POUR LE MONDE DE L'AMOUR.

ROUGE PASSION

De fiévreuses histoires d'amour sensuelles!

De provocantes histoires d'amour passionnées et romantiques qu'on lit d'une seule traite. Aventureuses, parfois humoristiques, et sensuelles, elles mettent en vedette des hommes et des femmes d'aujourd'hui.

ROUGE PASSION... trois nouveaux titres chaque mois.

GEN-RP-R

69 L'ASTROLOGIE EN DIRECT
TOUT AU LONG
DE L'ANNÉE.

(France métropolitaine uniquement)
Par téléphone 08.92.68.41.01
0,34 € la minute (Serveur SCESI).

Composé et édité par les
*éditions*Harlequin
Achevé d'imprimer en décembre 2004

BUSSIÈRE
GROUPE CPI

à Saint-Amand-Montrond (Cher)
Dépôt légal : janvier 2005
N° d'imprimeur : 45381 — N° d'éditeur : 11005

Imprimé en France